la gloire, l'amour, la mort.

STEVE MC QUEEN

la gloire, l'amour, la mort.

par WILLIAM F. NOLAN

CARRERE

Michel Lafon

9 Bis rue de Montenotte
75017 PARIS
Tél. : (1) 622.44.54

Traduction de l'anglais par Françoise Cousteau

A Donna Seebo
Pour des raisons extraordinaires

INTRODUCTION

Steve Mc Queen s'est toujours méfié des écrivains. Il refusait de se dévoiler devant une page blanche. Il se sentait menacé ou « vampirisé » (comme il le disait) par les journalistes et évitait, autant que possible toutes les interviews grande presse ou magazines. En fait, durant la dernière décade de sa vie, Mc Queen n'a jamais donné d'interviews en profondeur, son agent de presse avait comme consigne de le protéger des journalistes. Ils avaient le droit de parler des films qu'il tournait, ça, c'était du domaine public, mais l'homme caché derrière son masque de comédien tenait farouchement à protéger sa vie privée.

Steve a baissé sa garde devant moi. Aucun autre écrivain ne l'a connu aussi bien. A chaque rencontre, il se révélait un peu plus, parlant de son enfance, et, de son adolescence agitée, de ses craintes rationnelles ou irationnelles, de son amour quasi mystique pour les motos, pour les voitures (et ensuite pour les avions), de ses affres lors de ses débuts à New York, de ce qu'il pensait de l'amour, de l'amitié, de la famille et du mariage. C'était un homme aux humeurs fluctuantes, aux opinions passionnées, qu'il partageait souvent avec moi.

Pourquoi moi? Pourquoi suis-je capable de raconter cette histoire comme personne d'autre ne pourrait le faire?

La réponse remonte à une bonne vingtaine d'années, à l'automne 1959, alors que je regardais Steve tourner une scène d' « Au nom de la loi », le feuilleton télé qui lança sa carrière.

Sur le plateau de Four Star Productions, on avait rempli un énorme réservoir d'eau, avec une bordure de boue et de buisson afin de faire croire à la berge d'une rivière. Cette scène concernait le hold-up d'une banque, mis au point par un personnage dénommé « Bartolo le Déroutant », un artiste, escroc en cavale, qui à ce moment-là faisait son numéro devant une foule attroupée au bord de la rivière. Il avait réussi a attirer le shérif et ses adjoints à son spectacle, pendant que ses compagnons hors-la-loi s'attaquaient à la banque. Mc Queen était Josh Randall, le chasseur de primes.

Cette scène m'intéressait tout particulièrement parce que je l'avais écrite en collaboration avec John Tomerlin, le scénariste officiel du feuilleton. Nous avions donc écrit cet épisode « La disparition » John et moi, et l'on m'avait invité cet après-midi afin d'assister aux prises de vue, et rencontrer Mc Queen.

J'étais arrivé en retard, le tournage avait commencé et je ressentais une certaine appréhension. C'était mon premier scénario et l'on m'avait prévenu que Mc Queen était capable d'être très dur avec les auteurs. S'il n'aimait pas ce que vous aviez écrit, il ne se gênait pas pour le dire, persuadé qu'il en savait plus sur Josh Randall que n'importe quel petit écrivain débutant. Il piquait des colères noires si le dialogue ne lui semblait pas coller à l'action, et n'hésitait pas à changer le texte lors d'une scène si les mots ne lui plaisaient pas. Cela n'était pas forcément du goût de ses metteurs en scène et l'ambiance sur le tournage d' « Au nom de la loi » était souvent tendu et potentiellement explosive.

Je regardais Mc Queen arriver à cheval sur une fausse colline couverte de gazon, entièrement fabriquée par les menuisiers du studio, derrière la rivière. Il mit pied à terre, défit son arme et marcha vers la sortie des artistes. Le scénario voulait qu'il pointe le canon scié de sa Winchester dans le dos du bandit en disant : « Lève les bras Bartolo, sans te retourner. »

La caméra tournait et Mc Queen s'approcha du comédien, l'arme à la main. Il hésita. Je vis qu'il serrait les machoires. Puis, il baissa le bras et coupa court avec un seul mot : « Merde. »

Le metteur en scène contrarié et déçu alla vers Steve :

« Bon, OK. Qu'est-ce qui cloche maintenant ? »

« Ce texte est bidon » dit Mc Queen. « Plat, minable. Quel est le con qui a écrit un truc pareil ? »

« C'est moi le con » me suis-je surpris à dire.

Silence de mort sur le plateau, alors que Mc Queen me dévisageait de son regard bleu-glacier. C'était un peu comme si je regardais le canon d'un revolver.

Qui êtes-vous ? » demanda-t-il.

« Nolan. J'ai écrit le scénario avec John Tomerlin, et ce passage est de moi. » Avant que Mc Queen ne réponde, j'ajoutais :

« Mais vous avez raison, c'est de la merde ! J'ai mieux. »

« J'écoute » dit Mc Queen.

« Bartolo fait son numéro » dis-je en parlant vite. « Il lève les bras au-dessus de la tête les agitant vers la foule. Vous avancez vers lui, le poussant avec votre arme en disant : « Tu as raison, garde les levés comme ça, c'est tout bon. »

L'expression glaciale de Mc Queen ne changeait pas. Le silence devenait encore plus pesant tandis qu'il me dévisageait puis il hocha la tête affirmativement.

C'est ainsi que la scène fut tournée. Le texte n'avait

9

rien de génial, mais cela fit gagner du temps. Après le tournage Mc Queen me serra la main en souriant finement « Parfois, je suis un peu véreux. On dit que je suis dingue de me faire du mauvais sang pour chaque ligne d'un film comme ça. Après tout, ce n'est qu'un petit feuilleton-western bon marché! C'est le train-train. Alors, on se demmerde. Mais c'est un tort. Quand on fait quelque chose, il faut aller jusqu'au bout. Moi je donne le meilleur de moi-même dans chaque prise. Chaque mot compte. Sinon je ne vois pas pourquoi je serais là avec mon drôle de chapeau, en train de me donner en spectacle? »

Je lui répondis que je respectais ce genre d'attitude.

« Ce n'est pas le cas de tout le monde » dit-il en haussant les épaules. « Il n'ont qu'une hâte, c'est de bacler leur boulot, se foutant éperduement de rechercher une forme de vérité. Pour moi, Josh existe. Il est vivant. Il fait partie de moi. Alors, je prends soin de lui, même si personne d'autre ne le fait. Tu comprends ce que je veux dire? »

Oui, je comprenais.

Je n'eus pas l'occasion de reparler à Steve Mc Queen avant onze ans, pas avant le printemps 1970. On s'était rencontrés afin de discuter d'un papier que je voulais écrire sur lui, en tant que pilote, pour « Road and Track magazine » Nos deux carrières avaient bien évolué en onze ans; depuis « Au nom de la loi » Steve était devenu une star de renommée internationale, et moi, j'avais écrit et vendu plus d'une douzaine de livres. (Entre autres « Logan's run » dont la MGM tourna un film et CBS un feuilleton télé).

Au téléphone, quand je finis par avoir Mc Queen, je lui demandais s'il se souvenait de notre rencontre en 1959.

« Ouais. Je m'en souviens » dit-il en riant doucement. « Viens me voir à Springs. On parlera un peu. »

Il voulait dire Palm Springs. Et nous avons parlé plus « qu'un peu ». Beaucoup plus.

Nous avons scellé une amitié qui m'a mené ici, maintenant à écrire toute son histoire.

Nous devions l'écrire ensemble. Steve m'avait raconté beaucoup de choses, il m'avait parlé de tout ce qu'il avait été et fait, de ce qu'il appelait « son équipée sauvage », depuis sa naissance dans une ferme du Missouri, ses années à New York, jusqu'à sa période hollywoodienne. Mais on n'a jamais écrit le livre. Il était occupé. J'étais occupé, et cela n'a jamais pu se faire.

« Tu devrais l'écrire » me dit-il fin 1980. « Je ne vivrai jamais assez longtemps pour faire ce bouquin, et puis, toi tu sais tout, comment ça s'est passé... les courses... ce que les motos représentaient pour moi... et puis maintenant, je pilote les Stearmans... tout le bazar. » Un silence, puis : « D'accord tu le feras ? »

Je n'ai plus jamais reparlé à Steve. Mais je lui ai promis que je le ferai. C'est comme ça que ça s'est passé.

Tout le bazar.

En fait, ce livre a commencé pour moi, sur une petite route sinueuse de Californie, à Palm Spring, à la fin du printemps 1970.

LE SOMMET DE LA MONTAGNE

Rimecrest. Un étroit ruban noir d'asphalte près de l'autoroute Palm Springs, conduit d'abord à un poste de garde, puis en grimpant plus haut à des propriétés style ranch de luxe posés comme d'étincelants jouets le long de la route; chacun disposant d'un patio fleuri et d'une piscine d'eau bleue dominant le brûlant désert californien. Une fois les maisons dépassées la route allait encore plus haut, tournant à angle droit pour arriver au sommet de la montagne, au-dessus de moi, noyé dans la brume du midi.

Mc Queen avait dit : « Tu me trouveras sur la route après le poste de garde. Le gardien sait que tu viens, tu n'auras qu'à dire mon nom. » C'est ce que j'avais fait, et le type m'avait fait signe d'avancer. Je roulais encore deux ou trois kilomètres, et découvris Mc Queen après une longue courbe, l'air sévère et inquiet (il n'avait pas encore confiance en moi) les bras croisés sur son torse bronzé sans chemise, accoudé sur sa jeep en train de m'attendre.

Cette jeep n'avait rien d'un banal véhicule. Peinture faite sur commande. Double suspension renforcée. Sièges baquets en cuir sellier. Énormes pneus.

13

« Chez moi, il y a plein de gens de la production » dit-il en me montrant une maison basse au toit plat sur la droite. « Laisse ta voiture ici et on prendra celle-ci jusqu'en haut où personne ne viendra nous embêter. » Mc Queen se glissa derrière le volant de sa jeep et je grimpais sur le siège à côté de lui, pendant qu'il faisait rugir le moteur.

« Qu'est-ce qu'il y a là-desous? » hurlais-je en désignant le capot.

« Un cinquante cinq Traco Chevy » cria-t-il pour couvrir le bruit. « Grand empattement. Suspension de compétition. Chassis léger. Elle dégage! »

C'était bien vrai. En appuyant sur l'accélérateur, la botte de Mc Queen propulsa le véhicule de 550 chevaux avec une telle puissance que ma tête bascula en arrière.

J'ai déjà conduit des voitures de course et je sais ce que c'est que la vitesse. Je ne suis pas facilement impressionné par une conduite rapide, mais Mc Queen était dans une catégorie à part quand il propulsait sa puissante jeep dans chaque virage, négociant ses courbes à pleins gaz, pilotant son engin à la suspension d'acier, avec l'aisance d'un pilote professionnel.

Ce qu'il l'était presque.

« Elle était médaille d'argent à Ascott » dit-il en arrivant au sommet après avoir coupé le contact de sa nerveuse Chevy. Il voulait dire qu'il avait remporté des trophées avec cette jeep à l'Ascot Stadium de Los Angeles.

Je ne l'avais jamais vu courir à Ascot, seulement à Santa Barbara et Riverside.

« Je t'ai vu piloter une Porsche 1600 et une Lotus onze à Santa Barbara », lui dis-je. « La Lotus était un vrai petit bolide. »

Il opina. « Mes producteurs m'ont forcé à la vendre. Ils s'imaginaient que j'allais me casser la gueule. C'est vrai que c'était un véritable petit bolide. »

Mc Queen personnalisait souvent ses engins. Le vieux bi-plan Stearman qu'il pilotait pendant la dernière année de sa vie était devenu pour lui « une adorable lady... capable de mordre si on l'emmerdait ».

On parla de ses motos, ces bolides à deux roues qu'il aimait tellement conduire. Les motos étaient la grande passion de Steve. Les voitures de sports, et de course, ses vieux avions étaient formidables, mais les motos, c'était encore autre chose, et ses yeux s'adoucissaient quand il en parlait, quand il expliquait ce qu'elles voulaient dire pour lui.

« Quand je suis tout seul, sur une grosse moto, rien que moi, le désert et une tranche de ciel bleu clair, le vent autour de moi, les cactus, et le son du moteur à haut régime... C'est pur. C'est la liberté, peut-être bien la seule liberté qui soit. »

« Hemingway ressentait la même chose pour le Ful Stream » dis-je.

« Ouais, peut-être... il avait sa mer et j'ai la mienne. » Mc Queen montrait en dessous de nous.

Nous étions sur un plateau de rocher au sommet de la montagne. Plus bas, le sable blanc étincelait, formant comme des vagues qui s'étendaient sur des kilomètres.

« J'habite ici pour une raison » me dit Mc Queen les yeux mi-clos à cause de la réverbération. « Je peux descendre à Grogonio et faire des pointes de vitesse en moto, à fond la caisse jusqu'à Iudio. Il n'y a rien que l'odeur des buissons au petit matin. Je préfère faire de la moto dans le désert à n'importe quoi d'autre au monde. »

Silencieux un instant, il tourna enfin la tête vers moi tel un lion menaçant. Sondant mes yeux avec les siens, cherchant un signe. « Je ne parle pas de moi à beaucoup de gens. Surtout pas aux journalistes. Tout est déformé. La moitié du temps, une fois imprimé, je passe pour un trou du cul. Parfois, ils me descendent carrément en flammes. » Il hocha la tête. « Je n'arrive pas à comprendre les écrivains. »

Mc Queen était en train de me jauger. Le sommet de la montagne était son terrain de test. Je ressentais le poids du soleil écrasant ma tête et mes épaules.

« Je ne suis pas un boucher » dis-je doucement. « Je ne découpe pas les gens auxquels je parle. Tu as gagné des courses, Road and Track me paye pour en parler. J'ai l'intention de bien faire mon job en étant juste et précis. »

« On m'a dit que toi aussi tu courais » dit-il.

J'acquiesçais. « Un peu. Pas beaucoup. J'ai piloté une "Austin Healey Le Mans 100 M" à Hourglass, près de San Diego. J'ai gagné une coupe. »

Ses yeux étaient passionnés. « Alors, tu sais. Tu connais les courses. Tu sais ce que c'est. »

« Oui. Je sais. »

Autre silence. J'étais en train de passer le test. Je n'étais pas juste un quelconque écrivain, j'étais un camarade de compétition, et pour Mc Queen cela voulait dire beaucoup. Il commençait à se détendre. Je pouvais voir que sa méfiance s'évanouissait. Il me fit un petit sourire tordu.

« Alors, une bière ? »

« Bonne idée. »

Il ouvrit le petit frigo à l'arrière de la jeep en sortit deux boîtes, et m'en jeta une.

« Je bois beaucoup plus de ce truc que je ne devrais le faire, mais de toute façon, je l'élimine en transpirant en moto » dit-il en ouvrant la boîte. Il but une longue gorgée, tapota son estomac bien plat, et rota de bon cœur. On se sourit.

Comme le soleil descendait dans le ciel on s'installa dans la jeep de Steve, parlant voitures et compétitions, femmes et films, du métier d'acteur, et de comment c'était d'avoir poussé dans le Middlewest.

Nous avions plus que les courses en commun. Nous étions nés tous les deux au mois de mars, à deux années d'écart, moi en 1928 et Stevep en 1930, et avions tous deux passés notre enfance dans le Missouri. Moi à Kansas City, Steve à Slater une ville ferroviaire à environ 150 kilomètres au nord-est de Kansas City. Nous avions partagé les mêmes étés humides et hivers enneigés.

Il y avait cependant une énorme différence. Mon milieu familial était solide, alors que le père de Steve avait abandonné sa famille quand le gosse n'avait que six mois. Plus tard, en tant qu'adulte, Steve essaya de retrouver William Mc Queen, ex-cascadeur et cabotin.

« J'ai fini par le dénicher dans une petite ville ici en Californie » raconte Steve, « mais trop tard. Il était mort trois mois plus tôt, alors on ne s'est jamais vus. Ses amis m'ont dit qu'il me regardait à la tété et qu'il était très fier de moi. Mais peut-être qu'ils m'ont simplement dit ça pour me faire plaisir ». Il fixait l'ombre de la jeep qui se détachait sur le rocher gris. « En fait, il se moquait éperdument de moi, car s'il avait voulu le faire, il m'aurait retrouvé très facilement. »

Il baissa la tête, se frottant la joue avec son pouce. « J'avais envie de me retrouver face à lui, de le regarder en face et lui demander pourquoi il nous avait quittés comme ça. A l'époque cela avait fait du mal à ma mère, à moi plus tard. Mais... ce n'était probablement qu'un salaud qui n'en avait rien à foutre. »

Steve se tut.

Ce jour-là nous avions discuté quatre heures là-haut sur la montagne, et nous avons après reparlé dans son bureau de Studio City à Solar Productions, entre les courses de motos à Indian Dunes, sur les plateaux, à la cafétéria et au téléphone.

J'ai remarqué une chose bizarre concernant Mc Queen, quand il s'adressait à des journalistes, à des reporters, son langage devenait « châtié ». Il faisait attention à bien exprimer ce qu'il pensait. Alors que lorsqu'il me parlait, à moi ou aux autres en qui il avait confiance, il employait l'argot de la rue ou le jargon des courses, il blasphémait, et oubliait souvent de prononcer le « g » de certains mots (racin' pour racing par exemple). Il n'a jamais été très à l'aise avec la presse, même à l'époque où il accordait beaucoup d'interviews, parfois il ne disait pas un mot ou bien d'une manière agressive, incisive, ou alors c'était tout le contraire, et là il avait le débit verbal d'une mitrailleuse.

Steve apprécia le portrait que je fis de lui dans « Road and Track » en octobre 1970. J'avais gagné sa confiance en tenant ma promesse d'être juste et précis.

Je ne suis jamais devenu un de ses amis intimes, je n'ai jamais fait partie du cercle de ses copains de courses, de cinéma ou d'aviation, et je n'ai jamais rencontré sa famille, mais j'étais le seul écrivain à qui il se soit confié en profondeur.

La vie de Steve Mc Queen ne fut jamais terne. Depuis sa plus tendre enfance, jusqu'à sa mort quelques mois seulement avant son cinquantième anniversaire, sa vie n'a été que provocation. Il refusait le système. Il était un véritable rebelle qui refusait d'être dompté, un étalon qui ne supportait pas les brides de l'homme. Il a fait pas mal d'erreurs durant sa vie tumultueuse, et se retrouva plus d'une fois dans ce qu'il qualifiait lui-même de « sacrés merdiers ». (On m'a cassé le nez trois fois dans des bagarres avant que j'aie vingt ans!) Le résultat est que la vie de Mc Queen a été un véritable patchwork d'échecs quasi catastrophiques et de succès, aussi bien personnels que professionnels.

Quand je lui demandais : « Ta première course, c'était comment? Raconte-moi. »

Ou : « Comment as-tu rencontré Neile à New York? »

Ou : « C'était dur comment les extérieurs à Taiwan pour Sand Pebbles? »

Ou encore : « Comment ça se passait quand tu étais gamin à la ferme au Missouri? »

Il me racontait...

L'HEURE DU JUGEMENT

Il avait très peur de parler de son enfance.

« De nombreux journalistes m'ont déjà interrogé sur mes jeunes années » me dit Steve, « mais je me suis toujours tû concernant cette période. Trop douloureuse... pourtant il y eut de bons moments. Je suppose que c'est ce que l'on peut appeler un cocktail, du bon et du mauvais. »

Lilian Thomson, la grand-mère maternelle de Steve était originaire de Saint Louis, au Missouri. Elle avait épousé Victor Crawford, un homme d'affaires du pays. Ils eurent une fille Julia. Timide, blonde et menue, Julia Crawford était encore une adolescente quand elle rencontra un homme plus âgé qu'elle, qu'elle décrivit plus tard comme fringant et très romantique...

William Mc Queen soldat de fortune, était aussi aviateur-cascadeur, faisant parti d'un « Flying Circus ». Il séduisait les filles en leur racontant ses exploits de trompe la mort au cours de foires-expositions se tenant un peu partout.

En quittant Saint Louis, il emmena avec lui la jeune Julia, à peine dix-huit ans, qu'il venait d'épouser.

« Elle était encore une gamine quand je suis né » raconta Steve, « petite, menue comme une enfant. Elle avait vraiment l'air très jeune pour être mère. Elle me donna un prénom dont je ne me sers jamais : Terrence. Mon père y ajouta Stephen. Il était joueur et m'avait appelé comme l'un de ses copains, manchot et flambeur, Steve Hall. Je suis né le 24 mars 1930 à l'hôpital de Beech Grove, dans les faubourgs d'Indianapolis. »

William Mc Queen n'avait absolument pas envie d'être père. Cela ne collait en rien à son image de je-m'en-foutiste, aussi six mois après la naissance de Steve il abandonna sa famille. « Il s'est envolé dans les airs » commente Steve.

« C'était un nomade du ciel. Entre deux démonstrations, il faisait les récoltes dans les fermes pour pouvoir payer l'essence et la bouffe. Toujours sur la route. J'ai appris qu'il avait fait la Deuxième Guerre Mondiale en Chine avec les Tigres Volants de Chennault. Pendant longtemps, je lui en ai voulu à mort de nous avoir abandonnés, mais plus tard quand j'ai eu des gosses à moi, je me suis mis à le plaindre, car il ne m'avait pas vu grandir. Pourtant, je n'ai jamais ressenti l'espèce de pied que peut donner la paternité. »

Paniquée par l'abandon de son mari, Julia Mc Queen appela au secours la famille de sa mère, le grand oncle de Steve, Claude Mc Queen qui avait une ferme à Slater, Missouri. Elle y alla avec son bébé, et s'installa à la ferme Thomson le temps de gagner un peu d'argent. Puis elle repartit pour Indianapolis, trouva un job et fit de son mieux pour élever le jeune Steve.

« Mais cela ne marcha pas bien » raconta-t-il. « Au bout de deux ans, elle me ramena chez l'oncle Claude, m'y laissa et repartit vers l'ouest. Je restais six ans à Slater. »

Claude Thomson avait, à Saline Conty la réputation d'être un bon fermier, expert en bétail. Son travail lui rapportait un confortable profit annuel. « Il aimait vraiment la terre » se souvient Steve.

Steve avait une petite chambre, près du grenier sous les

gouttières du grand corps de ferme en bois. Il se levait avec le soleil, et son occupation favorite consistait à garder les cochons.

Slater était une petite ville ferroviaire, un maillon de la grande ligne vers Saint Louis, et Claude Thomson envoyait ses cochons, ses précieux porcs au marché en les faisant partir du dépôt. « Quand il faisait sombre, on se levait encore plus tôt » dit Steve. « Et oncle Claude et moi, on emmenait les cochons à la ville. »

Il y avait environ cinq kilomètres de route pierreuse à faire, de la ferme à la gare, où l'on chargeait les porcs, à Slater. En chemin le jeune Steve aimait à se prendre pour un cow-boy menant son troupeau, alors qu'il faisait avancer ses animaux endormis en les aiguillonnant avec une branche pointue tout en regardant le soleil se lever au-dessus des arbres, et en écoutant le chant des oiseaux. Il a toujours aimé ces sorties.

Pour le récompenser, Thomson offrait au gamin une séance de cinéma, au Kiva la seule et unique salle de la ville. Steve se souvient d'y avoir vu son premier film. Il adorait les westerns et apportait son petit revolver pour tirer sur les méchants!

A quatre ans, il reçut un merveilleux cadeau d'anniversaire : un tricycle rouge étincelant. Mc Queen prétend que c'est ça qui a déclenché sa passion pour les courses. « Il y avait une espèce de colline derrière la ferme et j'organisais des courses avec les copains du coin. L'enjeu était des sucreries. J'arrivais presque toujours en haut le premier. J'ai souvent eu les genoux en sang, mais qu'est-ce que j'ai gagné comme bonbons! »

Steve allait à l'école d'Orearville, une grande barraque d'une seule pièce à Slater. Il n'était pas bon élève. Les cours l'ennuyaient et il préférait jouer à chat avec ses copains dans le champ derrière l'école. Mais quand les autres gamins se ventaient de leurs pères, Steve ne disait plus rien. Il se sentait en danger, abandonné, comme si la vie l'avait cruellement choisi pour une punition exemplaire. Sa rébellion ouverte contre toutes formes d'autorité organisée remonte à ses premières années d'école.

La semi-surdité qui l'a embêté toute sa vie, date de cette époque. A cinq ans, Steve a souffert d'une mastoïdite, une infection de l'os temporal derrière l'oreille gauche. Il n'y avait pas d'anti-biotiques en 1935 et l'infection s'étendit jusqu'à l'oreille moyenne sans que l'on puisse rien faire.

Cela mis à part le jeune Mc Queen était en pleine forme. La vie à la ferme lui convenait parfaitement. Il avait beaucoup d'affinités avec les animaux dont il s'occupait. « Je les trouvais souvent supérieurs aux êtres humains! » Il aimait pêcher dans les cours d'eau aux alentours et chasser le gibier dans les bois. Une de ses anecdotes préférées concerne la chasse :

« A l'âge de huit ans, oncle Claude me prêtait son fusil pour tirer le gibier dans les bois. Mais il ne me donna jamais plus d'une cartouche. Ou bien je faisais mouche au premier coup ou bien je revenais bredouille. Et un jour je suis revenu avec deux pigeons morts. Je racontais que j'avais attendu dans les bois jusqu'à ce qu'ils se mettent l'un derrière l'autre, que j'avais calculé des trucs comme l'angle de tir, la vitesse du vent et la portée de l'arme, et que je les avais tués d'un seul coup tous les deux. Il était sidéré et se vanta de mon exploit auprès de tous ses copains de chasse. Je ne lui ai jamais raconté la vérité, c'est-à-dire que j'étais allé dans le silo d'un voisin ou les pigeons faisaient leur nid. J'avais tiré sur l'un d'eux le traversant de part en part et la balle avait ricoché sur la gauche en tuant un autre. Jusqu'à sa mort, oncle Claude est resté convaincu qu'un fusil à la main, je faisais des miracles!

Julia Mc Queen déchira en mille morceaux cette époque idyllique en revenant à Slater alors que le gamin avait neuf ans. Elle leur annonça qu'elle venait de se remarier et qu'elle avait l'intention de ramener Steve avec elle à Indianapolis, dans son nouveau foyer. Le jeune Mc

Queen se retrouva à nouveau déraciné, faisant face à une nouvelle vie dans une ville inconnue, avec une mère qu'il n'aimait plus « et un homme qui lui-même se disait mon Papa. »

Mc Queen garde un souvenir précis de son départ. « Le jour où j'ai quitté la ferme oncle Claude m'a offert un cadeau d'adieu, une montre de poche en or avec une inscription à l'intérieur : « A Steve, qui fut un fils pour moi. »

Le départ pour Indianapolis fut traumatisant et Mc Queen n'arriva pas à s'y habituer. Il fit partie d'une bande de jeunes durs qui recherchaient des émotions fortes la nuit, en cambriolant les boutiques du voisinage. Steve reconnaît que sa grande ambition à cette époque était de devenir le chef de la bande, pour leur montrer que le « bouseux » était aussi costaud que les gosses de la ville. Plus tard, il se souvient d'être devenu expert en deux matières : « Comment enlever les enjoliveurs de roues et le vol à la tire. »

Mais lors de son douzième anniversaire, ils déménagèrent encore pour aller à Silver Lake, dans la région de Los Angeles, où sa mère épousa un minable (ce sont ses propres mots) du nom de Berrie. Steve était horriblement malheureux. « C'était une scène pourrie. Je n'aimais pas mon nouveau beau-père et lui ne m'aimait pas. Il était tyrannique, un vrai fils de pute, et je n'étais pas un cadeau moi-même. Nous nous sommes heurtés dès le premier jour. »

Se sentant déraciné et mal aimé, animé d'une farouche hostilité vis-à-vis de son nouveau beau-père, Steve replongea dans ses activités coupables, dans la rue. Il fut pris dans une énorme bagarre, arrêté et conduit devant un tribunal, puis relâché après une sévère admonestation du juge, lui promettant qu'une récidive le mènerait droit en prison.

« Barrie se servit de ses poings sur moi » se souvient Steve avec colère. « Il m'a bien descendu et ma mère n'a même pas levé le petit doigt. Elle était toujours faible et je crois bien que c'est à partir de là que je me suis mis à mépriser la faiblesse. Quant à ma mère, je n'avais plus aucun respect pour elle. Elle voulait mon amour mais n'a jamais rien fait pour le gagner. »

Le moyen d'évasion de Steve était les courses de vitesse, un remède à sa tension et à sa frustration. A treize ans, bricolant avec un copain plus vieux que lui, qui partageait sa nouvelle passion, Steve construisit un véritable dragster, alliant un moteur modifié Ford 60 à un cadre Madole A. « On se servait d'une tubulure Edelbrock et on pouvait accélérer avec un J.2 Allard, qui était le moteur sport de l'époque. Il ne tenait absolument pas la route, mais quand le moteur tenait le coup, notre engin avait une accélération du feu de dieu! »

Mc Queen se mettait à ressentir les pressions de l'adolescence. Les garçons de son âge sortaient, allaient à des parties, à des soirées, avaient des petites amies. Pas Steve. Il se sentait coupé de ce genre de chose. Ayant perdu Claude Thomson, la seule personne ayant de l'influence sur lui qui l'ait aimé, il était en proie à un profond désespoir. Les efforts maladroits que Steve fit envers le sexe furent grossiers, frustres et pas satisfaisants du tout, alors il retourna à la rue.

Quand on l'arrêta à nouveau (pour avoir volé les enjoliveurs d'une Cadillac), son beau-père entra dans une telle rage qu'en lui tapant dessus, il balança Steve dans l'escalier. Arrivé au bas des marches, le sang coulant d'une blessure à la bouche, le garçon de quatorze ans dévisagea l'homme qu'il détestait :

« Si tu me touches encore une fois avec tes saloperies de mains, je jure que je te tuerai. »

En automne 1944, la mère et le beau-père de Steve signèrent un décret du tribunal qui envoyait Steve à la California Junior Boys Republic, à Chino, pudiquement décrite comme étant « un foyer pour enfants égarés », mais qui en fait était une maison de redressement.

Mais contrairement à la plupart des établissements de

ce genre, Chino n'avait ni murs ni barrières pour maintenir les adolescents qui y étaient envoyés. « La confiance était le grand mot » dit Frank Graves le directeur. « Nous aidons nos garçons à apprendre un bon métier et à devenir des citoyens à part entière de la société. Quand un jeune trahit la confiance que nous lui avions accordée et s'enfuit, la police le ramène, et on recommence à zéro. »

C'est exactement ce qui est arrivé à Mc Queen. Il ne ressentait aucune obligation de confiance. Comme il dit : « Ce genre de truc me semblait stupide. Alors au bout de trois mois à suivre les cours le matin et travailler à la buanderie l'après-midi, j'ai craqué et me suis barré. Mais je ne suis pas allé très loin. Les flics m'ont repris dans une grange où je me cachais. »

Steve passa la nuit à la prison locale. Le lendemain matin on le ramena à Chino où on lui dit qu'il avait un choix à faire : Ou bien se calmer et faire son temps, là, normalement ou bien être envoyé dans un établissement beaucoup plus dur. Il accepta de coopérer tout en nourrissant secrètement un nouveau plan d'évasion.

« Je me souviens encore de mon matricule à Chino. J'étais le 3188. Pour tentative d'évasion, Graves me fit passer devant le Tribunal des Garçons. A Chino, les punitions étaient fixées par les pensionnaires, et Steve fut condamné à une série de tâches répugnantes et épuisantes : déraciner des troncs d'arbres, creuser des fossés et faire du ciment!... « Ils m'ont même fait nettoyer les urinoirs! »

Toutes ces brimades ne réussirent pas à faire changer d'avis Steve en ce qui concernait ses plans d'évasion. Il était en train de tout mettre au point pour se faire la belle quand l'un des surveillants se pencha sur son cas. « Il s'appelait Mr Panter » se souvient Steve. « Et me rappelait mon oncle Claude. Sévère mais juste. »

Panter passa des heures à avoir de longues conversations avec Steve, il savait très bien que les menaces coercitives ne mèneraient jamais à rien avec un jeune homme aussi révolté. Les punitions ne faisaient que durcir la résistance déterminée de Steve vis-à-vis de l'autorité. Alors, Panter fit preuve de logique, montrant de la compréhension et de la sympathie qui lui attira une réponse positive de la part de Steve. « Il me disait des choses qui tenaient debout, et je me mis à l'écouter, à admettre ce qu'il essayait de me faire comprendre. »

Le message de Panter était limpide : Si Mc Queen continuait à combattre le système en place à Chino, il perdrait tout : la dignité, la liberté et le respect. Par contre si Steve arrivait à canaliser son énergie, celle qu'il utilisait pour se rebeller, il gagnerait respect et liberté.

« Il m'avait dit que j'avais quelque chose de spécial, que je pourrais vraiment être quelqu'un si seulement je faisais un effort. Personne d'autre ayant de l'autorité, ne m'avait jamais parlé comme ça. Personne d'autre ne s'était jamais soucié un seul instant de ma vie d'adulte, mais lui, il l'a fait et cela représenta beaucoup pour moi. »

Ces discussions convainquirent Steve, il se « ressaisit » et devint un expert en couronnes de Noël, que l'on vendait pendant les vacances pour financer certaines activités de l'école. Il travailla aussi adroitement le fer et le bois à l'atelier. Le résultat fut que Steve se retrouva au Conseil des Élèves et put terminer sa seconde avant d'être libéré en avril 1946, après avoir fait dix-huit mois. Entre-temps, son beau-père était mort et sa mère partie pour New York. Elle envoya de l'argent à son fils pour le voyage afin qu'il vienne la rejoindre là-bas.

Ces derniers mois avaient profondément touché le jeune Mc Queen : il s'était prouvé qu'il était capable de s'insérer dans une société qu'il avait toujours rejetée. Le monde commençait à prendre tournure. A seize ans, il se trouvait sur une nouvelle route, et même si elle devait parfois être très tortueuse, elle le mènerait tout de même au sommet de sa propre montagne, à des hauteurs impensables. A la Boys Republic il avait acquis l'outil le plus indispensable pour une éventuelle survie : le sens de sa propre valeur.

LES ANNÉES VAGABONDES

Il faisait chaud cet après-midi sur le circuit-moto poussiéreux d'India Dunes. Un temps mort entre les courses. Mc Queen le visage noirci, dégoulinant de transpiration, vêtu de sa combinaison de cuir, parle de ses débuts d'acteur.

« Le métier n'était pas franchement une idée fixe. Adolescent, je n'y avais jamais pensé. Il s'est passé plus de cinq ans entre le jour où j'ai débarqué du bus à New York à 16 ans, et celui où je me suis présenté à ma première audition en 1951. »

Il se frotte le menton de son poignet bronzé. « Il s'en est passé des trucs pendant ces cinq années! J'ai découvert la vie. Le monde entier était là, attendant que je le dévore. Or j'avais faim. Il me fallait le menu complet, le grand jeu. »

La réunion de Mc Queen et de sa mère fut brève, amère. Ils se disputaient « Je ne supportais pas son nouveau mec ». Il lui déclara tout de suite qu'il n'avait pas besoin d'elle, ni de personne d'autre, pour lui servir de nounou à New York. La rue, il connaissait. Il s'en tirerait.

Steve se souvient de la recommandation de sa mère :
« C'est une ville féroce, et tu n'es qu'un mome. Tu ne
tiendras jamais une semaine seul. » Et elle lui fit clairement
comprendre que s'il s'en allait, il n'était pas question qu'elle
le reprenne. « Mais je ne reviendrai pas » répondit Steve
« J'ai mes plans. »

En fait, il n'en avait pas. Aucune expérience de boulot.
Pas d'argent. Mc Queen se souvient d'avoir arpenté les rues
de Manhattan en plein cirage, sans savoir que faire ni où
aller. Il atterrit dans un bar de Greenwich village. « Là, j'ai
rencontré deux types » raconte Mc Queen.

« J'étais mineur, alors ce sont Ford et Tinker, deux
marins qui m'ont fait servir à boire. Ils m'ont raconté à quel
point c'était formidable de partir pour voyager un peu
partout. Ils m'ont donné envie de partir et en un rien de
temps, je me suis trouvé embarqué sur le *SS Alpha*,
destination Yonkers. »

Ils aidèrent le jeune Mc Queen a obtenir ses papiers de
matelot, en le vieillissant de deux ans. Comme on manquait
d'hommes de pont, on ne lui posa pas trop de questions.
(« Ford et Tinker ont probablement reçu une prime pour
m'avoir amené à bord ! »)

L'*Alpha,* un vieux cargo Grec partait pour les Antilles
chercher une cargaison de molasse. « Ce vieux raffiot était
en piteux état. On a pris feu pas loin du port et on bien cru
couler, mais on a réussi à éteindre l'incendie et à faire route
pour Cuba. »

Mc Queen s'aperçut très vite que la vie en mer n'avait rien
de spécialement romantique. Gratter le pont sous un soleil
brûlant était épuisant. « Je devais aussi balancer les sacs
d'ordures par-dessus bord, mais le cuisto a oublié de me
signaler que l'on ne devait jamais vider une poubelle sous le
vent. Alors, après ce petit incident, je puais tellement que
plus personne ne voulait m'approcher à moins de vingt
mètres ! »

Aussi quand l'*Alpha* jeta l'ancre en République Dominicaine, Steve en avait plus qu'assez. Il embarqua sur un autre bateau à Saint-Domingue, comme assistant charpentier afin de payer son billet de retour aux U.S.A.

La prochaine escale fut Port Arthur au Texas où il eut le job le plus étonnant de sa jeune existence mouvementée. « Si tu lis ma biographie de studio, tu apprendras que j'y ai travaillé comme serveur dans un hôtel. En fait, je passais les serviettes dans un bordel, et là ces dames ont été vachement sympa avec moi. Je n'étais pas très calé sur les choses du sexe à l'époque, mais en l'occurrence crois-moi j'ai pris des cours accélérés. »

Plus tard, il quitta Port Arthur pour les champs de pétrole de Waco et Corpus Christi, où il travailla comme ouvrier dans les mats de charge des forages. « Un soir un carnaval traversa la ville » se souvient Mc Queen.

« Et tout d'un coup, j'ai eu envie de découvrir leur façon de vivre. J'ai donc vendu des crayons et blocs de papier dans une baraque foraine. Le patron croyait que je les vendais 25 cents pièces, alors que j'en demandais un dollar, empochant le bénéfice. Ce mec était un escroc qui passait son temps à voler les gens, alors moi, je lui tirais ce que je pouvais. Quand il a compris, je me suis tiré. »

A cette époque-là, le sens moral du jeune Mc Queen était extrêmement sujet à caution. Il reconnaît lui-même « qu'il aurait suffit de trois fois rien pour qu'il tourne vraiment mal. Le monde était plutôt hostile. J'ai appris à ne faire confiance à personne. Je traînais n'importe où, acceptant n'importe quel job marrant. Je cherchais l'aventure ».

L'aventure il l'a rencontrée en Ontario, en se joignant à une équipe de bûcherons. Son job consistait à scier les plus hautes branches. Portant des bottes cloutées, il grimpait aux arbres qui se balançaient, s'accrochant à une énorme perche afin de nettoyer le sommet des arbres. C'était un job dangereux qui émoustillait Mc Queen, mais après avoir manqué deux fois de suite, de faire une chute catastrophique, il décréta que ce n'était pas franchement l'idéal. « J'ai

29

décroché et me suis dirigé vers les Carolines, me faire une opinion sur les beautés du Sud! »

Il passa son dix-septième anniversaire avec une nouvelle petite amie, qu'il avait rencontrée à Myrtle Beach en Caroline du Sud. « Elle s'appelait Sue Ann. Elle avait de grands yeux verts. » Un poste de recrutement des Marines, installé devant le bureau de poste local, inspira à Steve le désir soudain de devenir un Leathernec (Col de cuir). En avril 1947, il s'engagea, devenant conducteur de tank dans la Deuxième Division des Flect Marine Forces.

A peine douze mois s'étaient écoulés depuis son départ de New York, année vraiment incroyable pour un garçon de seize ans : des mers des Caraïbes, aux puits de pétrole Texans, des carnavals ambulants aux forêts du Canada. Le petit fermier du Missouri était devenu un Marine, pourtant il était loin d'être mûr! « J'avais encore plein de lubies » se souvient-il. L'armée n'avait pas tout arrangé, et mon dossier militaire n'était pas fameux! En fait, en trois ans, j'ai été cassé sept fois, revenant à chaque fois au rang de simple soldat. J'ai aussi passé quelques dures journées au trou, à cause d'une petite escapade! »

Il avait tout simplement étendu une permission de weed-end à deux longues semaines, afin de rendre visite à sa petite amie en Caroline du Sud. Quand une patrouille à terre finit par le coincer, Mc Queen se défendit avec ses poings... résultat : 21 jours au trou au pain sec et à l'eau. Il eut 20 jours de mieux à faire pour rebellion au camp (rôle qu'il tient plus tard à la perfection dans ses films!). « Mais ce séjour au cachot ne me dompta pas particulièrement » reconnaît Steve. « Cela me fit tout de même comprendre quelque chose clairement. Quand tu es dans les Marines, c'est l'oncle Sam qui commande. Tu n'es pas là pour aller courir les filles. »

La fascination de Steve pour la mécanique trouva là sa pleine expression.

« Je m'étais souvent demandé si un moteur de char

pouvait être transformé en moteur rapide. C'était l'occasion ou jamais de le découvrir. Alors avec des potes on s'est mis à limer les têtes de delco, bricoler l'avance et la carburation. On était persuadés qu'on allait avoir le tank le plus rapide de la division. Tout ce qu'on a récolté, c'étaient des mains écorchées et un moteur foutu. Au moins, j'ai compris que l'on ne pouvait en aucun cas gonfler un monteur de char. Pas possible. »

Dans les Marines, Steve s'est fait autant d'amis que d'ennemis. Il parle d'un vrai connard, qui s'amusait à le provoquer.

« Il s'appelait Joey, toujours accompagné d'une espèce de dur à cuire. Une vraie brute. Ces deux-là étaient toujours collés ensemble, et je ne pouvais pas me les faire tous les deux en même temps. Alors j'ai rusé, je me suis caché aux chiottes en attendant que Joey vienne pisser. « Salut mon pote » lui dis-je et quand il s'est retourné, je lui ai filé un coup dans les couilles. Après il ne m'a plus jamais emmerdé. J'avais marqué un point. »

Une des choses dont Mc Queen se plaignait était « le manque de bouffe ». Je n'avais jamais assez à bouffer et ça me rendait dingue. « Quand la division s'est rendue au Labrador pour des manœuvres amphibies en eau froide, la situation empira car on diminua les rations afin de simuler des conditions de guerre. J'étais aux abois » raconte Steve.

« Je passais mon temps à rêver de nourriture. Et je reçus mon ordre de mission. Un après-midi on m'a envoyé décharger une cargaison de bouffe pour le mess des officiers. Je conduisis mon Amtrac près du bateau et pris une caisse entière pour moi. Il s'avéra que c'étaient des haricots, mais ce n'était pas grave, parce que les faillots ça cale ! »

Il y avait pourtant un problème. Les boîtes étaient froides. Steve décréta que le meilleur moyen de les réchauffer était qu'un de ses copains fasse tourner le moteur du Amtrac, pendant que lui, ayant mis des gants tiendrait les boîtes sur le pot d'échappement brûlant. « Je les ai maintenues environ quatre ou cinq minutes. »

« Mais j'avais oublié de les ouvrir, et tout d'un coup, il y eut une formidable explosion, je me suis retrouvé projeté à un mètre, alors que les haricots volaient dans tous les sens au-dessus de cette saloperie de camp, sur les tentes, les radars, partout! Pendant une bonne semaine à chaque fois que je passais devant un officier et le saluais, j'apercevais un haricot collé sur son casque. »

Pourtant, toutes les expériences militaires de Mc Queen ne furent pas des actes de rebellion. Au cours d'une occasion dramatique lors d'un exercice au Labrador, un gros transport de troupe heurta un banc de sable, balançant tanks et équipages à la mer. Prisonniers de leurs chars, plusieurs hommes se noyèrent, d'autres réussirent à remonter à la surface, incapables de flotter plus de quelques secondes dans les eaux glacées de l'Artique.

On lança des engins amphibies. A bord de l'un d'eux Mc Queen fit preuve de courage et d'efficacité. Il fut personnellement responsable du sauvetage de cinq Marines, réussissant à les hisser sains et saufs juste avant que les eaux glaciales ne les ensevelissent.

En dehors de cette action, Steve dit que le plus grand honneur qu'on lui fit à l'armée, fut de lui permettre de faire partie de la Garde d'Honneur qui assurait la protection du yacht du Président Harry Truman.

« Après tout, en dépit de tout mes problèmes, je me plaisais bien dans les Marines » reconnaît Steve. « Ils m'ont inculqué la discipline. En sortant de là, je voyais la vie d'une manière bien plus réaliste. Mais j'étais encore à l'état brut, même si l'on avait poli certains de mes côtés, les plus tranchants. »

Steve Mc Queen fut très honorablement démobilisé à Camp Lejeune, Caroline du Nord en 1950. Gamin il s'était engagé dans les Marines, maintenant trois ans plus tard, il était devenu un homme.

Avec son solde en poche, Steve repartit pour Myrtle Beach et Sue Ann. « Elle était très contente de me revoir » dit-il.

« Sue Ann avait 19 ans, un an de moins que moi, et l'accent de Scarlett O'Hara. Elle venait d'une riche famille du Sud, et pour moi c'était super d'être invité à des grandes soirées chez elle, de rencontrer ses amis, de l'emmener danser. J'entrais dans un monde spécial dont je n'avais même jamais entendu parler. Je suis entré là-dedans comme on entre dans un rêve. »

Mais quand une fois son argent épuisé, le père de Sue Ann lui proposa un job, s'attendant à ce qu'il épouse sa fille, Mc Queen « partit en courant ». Le rêve se terminait brutalement et Steve n'appréciait pas du tout la dure réalité à laquelle il devait faire face.

« Je partis pour Washington et ne revis jamais Sue Ann » dit-il. « Je trouvais un job comme chauffeur de taxi, et conduisais mon bahut à mi-temps dans Washington, mais c'est à New York qu'il se passait des choses, c'est donc là que je me dirigeais. »

A 20 ans, de retour à Manhattan, il reprit son existence de nomade naviguant d'un job à un autre, le quittant dès qu'il en avait marre, menant une vie creuse, sans ambition. Pour 119 dollars par mois, il louait un logement minuscule, sans eau chaude à Greenwich Village. Ce quartier le fascinait, il était très sensible à son atmosphère bizarre et à sa couleur locale. « Il se passait des choses au village. Des bonnes et des moins bonnes, mais jamais ennuyeuses. Les gens qui habitaient là étaient forcément un peu marginaux. Les filles y étaient plus libérées, le rythme plus rapide. Ça me plaisait bien. »

Steve faisait une demi-heure de poids et haltères tous les matins, avec un panneau « No Parking » qu'il avait volé. (« Je n'avais pas les moyens de m'acheter de véritables haltères! »). Quant à ses emplois, on a du mal à en faire le compte. Il enlevait les radiateurs des immeubles condamnés, livrait les téléviseurs pour un magasin de réparations, découpait le cuir pour un fabricant de sandales, chargeait les sacs de courrier dans un bureau de poste, rechappait les pneus dans un garage de Manhattan, et encaissait les paris pour un bookmaker. « J'ai même essayé d'être boxeur » reconnaît Mc Queen.

« Mais j'étais trop maigre. Après m'être fait descendre proprement, j'ai vite abandonné. Ensuite, j'ai essayé de vendre de la poterie dans un grand magasin en ville. J'ai même accepté de monter des fleurs artificielles dans une petite cave malodorante. Puis, j'ai fait du porte à porte, mais j'avais trop l'impression d'être un requin en allant dans ces familles pauvres pour baratiner les ménagères afin qu'elles m'achètent une encyclopédie, alors j'ai laissé tomber. »

Fauché et sans job, il traînait un jour dans une boutique du village, examinant sans intérêt un panneau de douche, quand un vendeur lui demanda s'il le rapportait pour se faire rembourser.

« Hum... Oui... C'est ça! » Et Steve s'enfuit du magasin après avoir empoché un billet de cinq dollars. « Cela m'a permis de manger deux jours. Après j'ai refait la même chose ailleurs. Ça a toujours marché. »

Steve gagnait son argent de poche au poker (chez les Marines, il avait été à bonne école), gagnant jusqu'à 200 dollars par semaine. « J'étais avec une bande peu recommandable. Quand ils s'écroulaient ivres-mort les flics arrivaient pour les embarquer. Moi, j'étais déjà parti depuis longtemps! »

C'était hier à New York, un hiver très rigoureux et Mc Queen était bien déterminé à trouver un peu de soleil. Avec un nouveau copain, il descendit à Miami en autostop. « On s'est trouvé un job de plagiste dans un grand hôtel. Pas cher payés, mais avec d'énormes profits annexes! Entre autres, il y avait sur les plages des tas de jeunes filles ravissantes en bikini, qui estimaient que le regard bleu perçant de Steve, ses cheveux blonds et son sourire ironique étaient la combinaison parfaite de ce qui pouvait enjoliver un bel après-midi d'été. « J'ai beaucoup appris sur les femmes agressives à Miami. »

Quand la saison d'hiver se termina, Mc Queen se retrouva « sur le bitume » à New York. Au village, on l'appelait le « Desesperado ». C'est un de ses potes, chef dans un restaurant qui lui avait trouvé ce surnom.

« Je m'étais pointé à l'entrée de service dans un état pas possible, mal rasé, mal coiffé, dégueulasse, et ce vieux Sal, le chef cria « Entre Desesperado ». Il me traîna dans la cuisine et me servit une platrée de veau et spaghettis. C'était fabuleux. En fait, je n'ai jamais rien mangé de meilleur! Sal me faisait confiance. Il me passait du fric jusqu'à ce que je sois à même de trouver un job et de le rembourser... Un type formidable! »

A 21 ans, Mc Queen se dit qu'il était peut-être temps de songer sérieusement à une carrière. Il se rendait compte qu'il ne pouvait pas continuer cette vie hasardeuse qui ne le menait nulle part. Mais en tant qu'ex Marine il avait droit à une bourse!

« Je me suis mis à suivre des cours du soir grâce à ce machin GI; travaillant comme barman pendant la journée. Je ne savais absolument pas ce que je voulais faire de ma vie. En fin de compte, je décidais d'être couvreur parce qu'on m'avait dit que ça payait 3,5 dollars de l'heure, et pour moi à l'époque ça faisait beaucoup de fric. J'avais envie d'aller en Espagne où il y avait plein de tuiles et de choses à étudier, mais la nana avec laquelle j'étais à ce moment-là essayait de percer dans le show-business, et elle avait une idée encore plus dingue! Elle voulait que je devienne acteur...! »

Ça amusait Steve. Il lui répondit que les acteurs devaient ressembler à Clark Gable, alors qu'il avait une gueule de singe et aucun talent. Que lui trouvait-elle? « Tu es beau dans un genre différent » lui déclara-t-elle. « Et puis d'abord tu as des yeux merveilleux! Et un sourire terrible. Quant au talent, tu t'es débrouillé dans le monde entier. Tu es naturel. Accorde-toi une chance! »

Mais où débuter?

« Ici même à la Neighborhood Playhouse. Sanfor Meisner dirige l'école. Parle-lui et demande-lui s'il accepte de te prendre. C'est vraiment un bon professeur. »

Trouvant l'idée intéressante, mais loin d'être convaincu que cela paierait, Steve appela Meisner, qui accepta de le recevoir. « Je suis entré dans son bureau en me disant qu'il y avait une chance sur cent pour que je lui fasse bonne impression. J'étais persuadé qu'il allait me regarder et me jeter dehors aussi sec. Mais je m'étais trompé. »

Cette rencontre en automne 1951 décida du tournant de la vie de Mc Queen. « Je l'ai pris pour un marginal » se rappelle Meisner « à la fois dur et puéril, comme s'il avait traversé les batailles de la vie tout en ayant réussi à préserver une certaine innocence. Je l'acceptai immédiatement. »

Mc Queen s'engagea au Playhouse grâce à l'Ordonnance 61, mais il gardait très mauvais caractère et manquait les cours. Il ne venait pas. Et quand il lui arrivait de faire acte de présence, il s'endormait souvent. « Pourtant quand Steve choisissait d'entrer dans une scène, ou dans un personnage, il était absolument irrésistible. Je l'encourageais fortement car j'étais convaincu que son talent était là, caché sous la surface. Un jour je lui fis écouter sa voix enregistrée sur bande, ce qu'il entendit ne lui plut pas. « Je peux faire nettement mieux » me dit-il et ce fut le tournant.

A partir de ce jour Steve Mc Queen se mit à faire des efforts.

BROADWAY ET NEILE ADAMS

En tant qu'acteur Steve Mc Queen ne s'accorda jamais un talent majeur. Il avait l'impression que ses possibilités étaient plutôt limitées; tendance à se sous-estimer en parlant aux journalistes, s'attaquant directement à son image de Super-star. « Il y a des tas de rôles que je ne pourrai jamais tenir » leur disait-il. « Je ne suis pas assez souple, je n'ai pas un répertoire assez étendu, pas assez de portée. Mais il y a quelque chose dans mon regard de chien battu qui fait croire à la profondeur de mon caractère. »

En fait, Steve prouva dans plusieurs films très exigeants comme « Papillon » « The Sand Pebles » et « Love with the Proper Stranger » qu'il était capable d'une authentique profondeur et de sensibilité. Physiquement, devant les caméras Mc Queen projetait une force primaire, il glissait sur l'écran avec la grâce d'un gros chat sauvage, dominant toute situation. Et comme toutes les grandes stars, de Tracy à Gable, de Bogart à Redford il donnait une énorme impression de facilité. Alors que pour lui ce ne le fut jamais. Il secouait la tête en me racontant. « Je suais sang et eau à chaque fois que je me trouvais devant un objectif. Je n'aime pas vraiment jouer. Au début, en 51, j'ai dû me forcer pour continuer. J'étais mal à l'aise, très mal à l'aise. »

Beaucoup de choses du métier l'ennuyaient à ses débuts : « Il y avait les classes de danses » se souvient-il.

« On devait porter un collant. Je trouvais ça très grotesque. J'avais l'impression d'être un clown dans ces drôles de trucs. Mais la danse donne une coordination musculaire, vous apprend à bouger, à vous servir de votre corps, à l'obliger à faire ce que vous souhaitez qu'il fasse. J'étais en forme grâce à la gym que je faisais en salle près du Playhouse, alors pour moi c'était pas trop dur. J'étais bien déterminé à ne pas être ringard. Quand je décide de quelque chose je vais jusqu'au bout. »

Et c'était tout à fait vrai. L'un des ex-copains de Steve raconte : « Il avait une énorme capacité de travail. Par exemple, si la classe avait cinq improvisations à travailler, Steve en étudiait dix. Je n'ai jamais rencontré personne en ‹ voulant » autant que lui.

Bientôt Mc Queen s'aperçut qu'il n'arrivait pas à survivre sans rentrées d'argent annexes. Il était décidé à se trouver un job à plein temps tout en continuant ses cours au Playhouse. Il y réussit en conduisant un camion la nuit, il commençait à sept heures du soir.

« Je conduisais toute la nuit et venais aux cours le matin. Cela dura six mois. Moi, je dormais une heure par-ci par-là, quand ça se trouvait. J'ai bien failli en crever mais ça valait le coup, puisqu'au bout de six mois j'avais suffisamment appris pour demander une bourse à la Hagen-Bergol École d'Art Dramatique. »

Sa passion pour les courses de motos remonte à cette année. Avec son salaire de camionneur, Steve s'acheta sa première moto de course, une Model K Harley d'occasion. Il gonfla immédiatement le moteur. « J'ai bien failli me tuer sur cette petite chérie » reconnaît-il.

« Je courais avec un autre mec dans une course à West Side Highway. Quand je descendis la rampe de sortie à près de cent à l'heure, je regardais derrière moi pour voir où en était l'autre type et m'aperçus qu'il était passé. En regardant à nouveau je m'aperçus que le trafic s'était brusquement arrêté devant moi, en bas de la rampe. Alors... je me jetais aussi en arrière que possible sur la moto, le poids est une chose importante, et je freinais à fond. C'était dangereux car je descendais pile sur la grosse Lincoln qui s'était arrêtée là. Laissant une traînée de caoutchouc tout le long, je dérapais et réussis à ne faire qu'effleurer son pare-chocs arrière avec ma roue avant. Ce n'était pas passé loin ».

Satisfait d'avoir pu conduire la Harley à une vitesse de compétition, Mc Queen s'engagea dans des courses à Long Island City, tous les week-ends. Chaque course rapportait environ 50 dollars à son vainqueur et normalement Steve en gagnait deux par week-end. « Ça me faisait cent dollars. Ça en plus de mon argent de poche, et je n'ai plus eu besoin de continuer à conduire mon camion tous les soirs. »

La comédienne Susan Oliver qui suivait les cours du Playhouse à l'époque, se souvient du jeune Mc Queen :

« Dans le quartier, il était déjà une personnalité, fonçant tout autour du village, la chemise enlevée... Steve avait une attitude cool, décontractée, m'en foutiste que beaucoup de femmes trouvaient séduisant. Je suis montée plusieurs fois avec lui, à l'arrière de sa moto... L'une des choses dont je me souviens est à quel point il avait toujours faim. Il mangeait une portion de tarte d'une main et un sandwich de l'autre, comme si chaque repas était son dernier! Steve était comme ça, intense. Même au village, on le remarquait. Et je crois que ça lui plaisait. »

Début 1952, tout de suite après avoir quitté le Playhouse afin de poursuivre sa bourse, Steve fit ses débuts d'acteur professionnel dans une troupe de répertoire juif sur la Deuxième Avenue. « Je n'avais que trois mots de dialogue » se souvient-il. « J'entrais l'air sérieux, disant : " Cela ne sert à rien " en Yiddish. J'ai joué quatre soirées. Après la quatrième, ils m'ont lourdé. Peut-être que mon accent Yiddish était dégueulasse. »

L'hiver à New York déprimait toujours Steve. Il gelait dans la grande ville quand il annonça « qu'il allait prendre un peu de repos ». Il se souvient avoir parlé des belles plages ensoleillées de la Floride avec son nouveau copain de beuverie Red, un ex-Marine, dans l'un des bars en vue du village, la White Horse Tavern.

« Tu en parles comme si c'était le Paradis » lui dit Red.

« Oui mon vieux. C'est ça » dit Mc Queen. « Dis donc, est-ce que tu as déjà plongé ? »

« Un peu. Et toi ? »

« Non, mais j'ai l'intention de m'y mettre. On pourrait descendre à Miami, louer un bateau et partir. Qu'en penses-tu ? »

Red inclina la tête. « Tu as raison ! »

Plus tard Mc Queen parla de ses premières réactions envers la plongée : « C'était comme un monde nouveau là-dessous. Les couleurs étaient incroyablement vives. On a vu toutes sortes de poissons, y compris des requins. Ceux-là on les évitait soigneusement, mais on avait des fusils à harpons, juste au cas ou... »

A chaque plongée, Steve s'aventurait plus bas, oubliant la prudence tellement il était fasciné par toutes les formes de vie multicolores de la mer. Red raconte :

« Steve voulait absolument voir un certain poisson de plus près, alors il le suivit jusqu'au fond. Ce qui était une grosse erreur. A cette profondeur la pression de l'eau et celle du corps ne collent pas ensemble. Il a eu de la chance de ne pas avoir de pépins en remontant, mais il s'est tout de même crevé le tympan gauche ! »

C'est à cette même oreille qu'enfant il avait eu une mastoïdite. Son ouïe en fut définitivement affectée. Il payait cher ces quelques jours de vacances.

Cet été-là à Faye Heville (New York) Mc Queen fit partie d'une petite compagnie théâtrale formée par Paul Grabtree. Steve avait été choisi pour tenir un petit rôle face à la vedette Margaret O'Brien dans « Peg O'my heart ». « J'étais très nerveux et oubliais un peu de texte » dit-il. « Je me souviens que l'un des acteurs vint me trouver après le tomber du rideau pour me dire doucement, très doucement et sérieusement : " Je tiens à ce que vous sachiez que votre performance était très embarrassante. " Ça m'a laissé pantois. »

Mais Mc Queen faisait des progrès par le désir profond de maîtriser son nouvel art. Il dit avoir beaucoup appris en regardant les pros. « Comme lorsque j'ai travaillé avec Ethel Waters dans " Member of the Wedding ". Elle savait comment capter une audience, faire que les gens se sentent concernés à chaque instant par ce qu'elle faisait sur scène. J'ai tout retenu. »

Plus tard, Steve accepta de se joindre à une troupe itinérante, jouant « Time out for Ginger » avec Melvyn Douglas. Au cours de l'un de leurs arrêts à Columbus, Ohio, il acheta sa première voiture de sport, une MG.TC, roues à rayons et grands pare-chocs. « J'ai mis 450 dollars de mes gains sur ce petit bijou britannique » se souvient-il :

« Elle coûtait 750 dollars, alors j'ai dit au mec de garder la voiture et que je lui enverrai le reste du fric des différentes villes où on allait jouer. La MF me fut livrée quand nous sommes arrivés à Chicago. Après le dernier paiement j'étais tellement fauché que je demandais une augmentation. Ils ont refusé et j'ai quitté la pièce. »

Steve emprunta l'argent pour payer l'essence du retour à New York, pilotant la petite MG depuis Chicago. Mais posséder une voiture de course anglaise à Manhattan était trop pour lui, (Les essieux et les rayons pétaient sans arrêt) il fut donc forcé de revendre la voiture.

Petit à petit Mc Queen devenait un meilleur acteur. Il était maintenant capable de trouver des petits boulots à la télévision. Fin mars 1955, trois jours après son vingt-cinquième anniversaire, il remporta un véritable succès dans « The Chivingtson Raid » sur la Philco Goodyear à la TV.

Mais son plus grand triomphe à l'époque fut lorsqu'il passa une audition au légendaire Actors Studio, dirigé par Lee Strasberg, l'homme responsable de l'école de la Méthode. Cinq comédiens seulement furent choisis par Strasberg cette année-là parmi 2 000 postulants, et Mc Queen fut l'un des cinq.

Ce fut une fabuleuse opportunité, donnant à Steve la chance, l'occasion d'avoir des rôles plus étoffés, plus importants.

Mais l'argent était à nouveau un problème, alors entre les cours à l'Actors Studio (qui durèrent jusqu'en 1956) Mc Queen travailla dans les docks à Manhattan, déchargeant le fret des cargos ancrés le long de l'Hudson. Son chef d'équipe, un grand Irlandais musclé, se mit à lui faire des remarques acides sur les acteurs qui « jouaient à travailler comme des hommes ».

Mc Queen traitait cela par le mépris car il avait besoin de bosser, mais un jour sa patience fut à bout. « Je travaille aussi dur que n'importe qui ici, et vous le savez très bien » dit-il froidement.

« Pour moi, tu n'es qu'une tante » grogna l'Irlandais. « Les acteurs sont tous des tantes! »

« Et pour moi tu n'es qu'un gros con plein de soupe, un fils de pute » dit Mc Queen.

Fou furieux, le chef d'équipe se précipita sur Steve avec un crochet de cargo à la main, mais c'est Steve qui le descendit. Il ne lui resta plus qu'à démissionner. (« Je l'aurais fait de toute façon. Je commençais à en avoir marre des docks. »)

Il venait juste de devenir membre de l'Actors Equity Association en 1956, quand il signa pour « Two Fingers of Pride », avec Gary Merrill en vedette. « Steve jouait dans la pièce, le rôle de mon jeune frère » raconte Merrill :

« On commençait à parler de lui dans le monde du spectacle, de son talent. Ça commençait à se savoir. De toute façon, il suffisait de regarder ses étonnants yeux bleus électriques pour comprendre qu'il allait devenir un grand. Mais à cette époque-là, il n'y croyait pas. Il doutait encore. »

Ces doutes ne firent que s'intensifier à la fin de l'été quand Steve remplaça Ben Gazzara à Broadway dans « A Hatful of Rain ». « Je savais bien que je n'avais pas la technique de Ben » expliqua Mc Queen.

« J'avais une scène très importante au cours de laquelle mon personnage – un drogué – faisait une crise de délirium, et cela me terrifiait. A un tel point que je n'arrivais plus à manger et me mis à maigrir. Tous les soirs après avoir joué cette scène, je me sentais mal. J'avais encore tellement à apprendre! »

Le metteur en scène Franck Corsaro se souvient de Steve comme d'un gosse timide effacé mais qui en voulait... Il était tellement naïf qu'on l'appelait Cornflake (Flocon d'avoine). Mais les critiques étaient chaleureuses.

Ces critiques unanimement favorables lui donnèrent confiance en lui. Il était arrivé à un tournant primordial. « Pour la première fois de ma vie, je me sentais soudain fier de quelque chose, déterminé, accepté par les autres. C'est pourquoi j'ai continué à jouer. C'était la seule chose qui me donnait un certain respect de moi-même. » Steve retrouva l'appétit. « Tous les soirs je me tapais des tonnes de spaghettis chez Downey's, afin de reprendre du poids. »

Downey's était l'un de ces bistrots de Broadway fréquenté par le milieu du théâtre. Steve y dînait un soir, installé près de la porte que la comédienne Neile Adams entra avec un ami. Mc Queen se souvient dans le détail de cet instant.

« J'ai levé les yeux, et elle était là, superbe, bronzée, ses belles jambes de danseuse moulées dans un pantalon de toréador, un sourire éblouissant aux lèvres, elle regardait ce mec en riant. Je ressentis un tel choc en la voyant, que j'ai laissé une cuillerée entière de spaghettis tomber sur mes genoux. »

Décidé à la connaître, Steve s'approcha de leur table et se présenta (je connaissais ce type, cela me servit d'excuse). plus tard, Neile raconta que cette approche directe l'avait intriguée. Quand elle comprit que Mc Queen était comédien lui aussi, elle accepta un rendez-vous. (« J'ai profité d'un moment ou ce mec était allé aux toilettes pour lui demander. »)

Le père de Neile, Joseph Adams était Britannique et sa mère Carmen Salvador, Espagnole. Elle était née à Manille, aux Philippines « et comme Steve je n'ai jamais connu mon père. Mes parents avaient divorcé alors que j'étais encore bébé ». A l'âge de neuf ans, quand les Japonais ont envahi les Philippines, elle entra dans la résistance, passant des messages derrière les lignes ennemies, jusqu'à ce qu'on l'arrête et la jette dans un camp de concentration. Elle y passa un an et demi dans des conditions épouvantables. A la fin de la guerre Neile suivit sa mère à New York et se retrouva pensionnaire dans le Connecticut.

A dix-huit ans, après avoir vu « The King and I » à Broadway, elle décida d'être danseuse. Le talent était là puisqu'elle obtint une bourse chez Katherine Dunham. Sa beauté brune, menue, alliée à une grâce naturelle et à un joli brin de voix lui permirent de trouver un rôle dans « Kismet ». Deux ans plus tard, elle était la vedette de « Pajama Game » à Broadway. Des critiques élogieuses lui attirèrent l'attention de producteurs célèbres. Quand elle fit la connaissance de Steve elle était déjà presque une vedette.

Neile s'attendait à ce que Steve lui téléphone pour leur premier rendez-vous. Or elle le trouva soudain à l'entrée des artistes, alors qu'elle arrivait au théâtre le lendemain soir. ‹ Je viendrai vous chercher après le spectacle » lui dit-il.

Neile se souvient de cette soirée.

« C'était dingue. Il est arrivé sur sa moto, un grand sourire lui éclairant le visage, me faisant signe de monter derrière lui. Je n'étais encore jamais montée sur une moto et lui demandais ce qu'il fallait que je fasse. " Mets tes bras

autour de moi et accroche-toi! " On démarra sur les cha-
peaux de roues, moi me serrant contre lui comme un singe
effrayé. Je n'avais jamais connu quelqu'un comme lui. Il
était absolument fou!»

Neile dut faire face à beaucoup de contrariétés. « Ma
mère n'aimait pas Steve, pas plus que mon producteur ou
mon manager d'ailleurs.» Même son imprésario, Hillard
Elkins, la mit en garde. « Ce Mc Queen n'arrivera nulle part.
Même en tant qu'acteur. Et il est dingue! Toi tu montes, il
n'est pas question que tu te trimballes un type comme lui. »
Neile n'était pas d'accord. Elle avait vu Steve sur scène, elle
était sensible à son talent, à la force pure de sa personnalité.

En parlant de leur début ensemble, elle reconnaît que
son attitude anti-conformiste l'avait attirée. « Bien sûr, il
était fou, mais il pouvait aussi être tellement charmant et
gentil quand il le désirait. Alors, j'ai continué à le voir. Steve
venait me chercher à mon appartement et on partait à moto
pique-niquer de l'autre côté de l'Hudson ou dans les
collines. »

Mc Queen estime qu'il lui « faisait découvrir une
nouvelle vie. Plus de chichis, de maquillage, de soirées
bidon... Rien que de longues balades à la campagne pendant
le week-end, tous les deux. Parfois avec mes vieux potes et
leurs nanas, parfois juste elle et moi, Neile et moi seuls sur
une grosse moto ».

Ensemble, ils parlaient de leurs problèmes d'enfance,
de comment c'était de grandir sans connaître son père. « On
avait ça en commun » dit Neile. « Cela créait un lien. »

Malgré tout, émotionnellement Steve était difficile à
approfondir.

« On avait l'impression qu'il avait qu'une idée en tête, la
conquête sexuelle » déclare-t-elle. « Il était habitué à ce que
les femmes ne fassent aucune difficulté pour se donner à lui
et fut extrêmement contrarié quand j'ai refusé de coucher
tout de suite avec lui. »

« Au début » admet Mc Queen, « je n'avais qu'une idée, c'était de me la faire. Elle était belle et je ne voyais aucune autre raison de sortir avec elle. Mais cela devenait plus profond entre nous. Elle me montra une longue cicatrice sur sa jambe faite par un éclat d'obus pendant la guerre... Elle avait eu ses coups durs, moi les miens, et ça voulait dire quelque chose. »

En dépit de tout cela, Steve refusait de s'engager à long terme. « Quand on parlait de notre avenir » dit Neile « Steve affirmait qu'il n'était pas du genre à se marier. L'air sombre et mauvais il me menaçait du doigt. " Je ne vis que pour moi, et n'ai de comptes à rendre à personne! " A l'intérieur, il était tout coincé. L'amour et l'espoir ne voulaient rien dire pour lui. Steve ne croyait pas à l'amour car personne ne l'avait jamais aimé, il ne croyait pas non plus à l'espoir car personne ne lui en avait jamais donné. L'espoir est un truc dont les gens se servent pour vous amadouer, lui il voulait rester dur. Pour lui la vie était une jungle.

Steve n'avait jamais fait confiance à aucune femme avant moi, mais tout doucement il se mit à le faire. C'est comme ça que tout a commencé. »

L'intensité de leur relation étonna Steve, il n'avait jamais cru pouvoir se sentir aussi concerné.

Le metteur en scène de cinéma Robert Wise de passage à New York, vit Neile dans « Pajama Game ». Fortement impressionné il lui demanda si elle acceptait de venir passer un test en Californie. « J'ai répondu oui, bien entendu, et j'ai quitté la pièce en octobre 1956, en même temps que Steve arrêtait « Hatful of Rain ».

Elle proposa à Steve de venir avec elle afin qu'ils puissent être ensemble à Hollywood. Là, elle était certaine qu'il trouverait du travail à la télé ou dans les films.

« Pas question » répondit Mc Queen. « Avec deux potes on a l'intention d'aller à Cuba. Se faire une opinion sur ce qui se passe là-bas. Je ne serai pas parti longtemps et te ferai signe. »

En fait, il avait envie de passer quelques temps loin de Neile « afin de faire le point ». Mc Queen raconte le voyage :

« J'avais ma 650 BSA et mes copains avaient, l'un une Norton Manx et l'autre une BMW 500. Nous sommes descendus sur Key West où on a pris le ferry TMT pour la Havane. A cette époque-là Castro et Bastista se tiraient dessus, et la situation était plutôt confuse. J'avais essayé de vendre des cigarettes à un type, et me suis retrouvé en tole cubaine accusé d'aider la contrebande américaine. Je télégraphiais à Neile pour lui demander l'argent de ma libération, mais comme elle m'en voulait de l'avoir laissée seule, elle répondit non. J'ai fini par vendre mon casque et des pièces détachées de la BSA pour payer ma caution et retourner à New York. »

Neile était de retour à Manhattan. Elle attendait le résultat de son test quand Steve est revenu en ville. « Je reçus un télégramme de Wise me demandant de venir à MGM. Les tests lui avaient plu et il me donnait un rôle dans son nouveau film " This could be night ". » J'interrogeais Steve : « Et maintenant, tu veux bien venir en Californie avec moi ? » Mais il refusa.

« Vas-y » lui dit-il. « Moi j'ai encore besoin d'un peu de temps pour réfléchir ! »

Fâchée et blessée, persuadée que tout était fini entre eux, Neile fit le voyage toute seule. « J'avais loué une chambre à Culver City, près des Studios de la MGM. Trois jours plus tard, le téléphone sonna. Steve m'appelait de New York, me disant qu'il arrivait pour m'épouser. Est-ce que j'étais d'accord ? Je respirai un grand coup et dis oui ! »

Mc Queen reconnaît qu'il a pris cette décision d'un seul coup, un matin de novembre. « Je me suis réveillé tout seul dans la ville glacée. Sans Neile rien n'avait plus aucun intérêt. »

Par contre, les finances étaient problématiques.

« Je n'avais pas suffisamment d'argent pour payer le vol vers la Californie, alors j'ai mis ma montre de gousset en or au clou, celle que l'Oncle Claude m'avait donnée » dit Mc Queen. « J'adorais cette montre, mais j'aimais Neile encore plus. »

En descendant d'avion à Los Angeles, habillé d'un costume qu'il avait emprunté (on ne se marie pas en jeans et en tee-shirt) Steve embrassa sa future épouse en lui disant qu'ils allaient se marier à la vieille Mission de San Juan Capistrano.

« J'ai tout lu sur cet endroit » dit-il épanoui. « Comme les hirondelles y reviennent tous les ans. C'est romantique non ? »

« Et l'alliance ? »

« J'en ai trouvé une pour quarante dollars » lui répondit-il.

« Elle n'est pas en diamant, mais elle fera l'affaire. »

Steve au volant d'une vieille Ford Thunderbird d'occasion les conduisit au Sud de Los Angeles, à San Juan Capistrano. Quand ils sont arrivés tout excités et impatients, une religieuse responsable de l'église de la Mission leur dit qu'une cérémonie était absolument impossible. Il fallait qu'ils s'arrangent avec le prêtre pour obtenir une dispense.

Mc Queen était furieux. « Puisque c'est comme ça, on va vivre dans le péché » cracha-t-il tout en poussant Neile vers la voiture.

« Où allons-nous Steve ? »

« On se casse d'ici. J'emmerde les hirondelles ! » Et il démarra la Thunderbird dans un nuage de gravillons.

Neile était pétrifiée. « Steve me faisait peur » reconnaît-elle. « Il conduisait comme un fou. Je me suis recroquevillée sur mon siège en fermant les yeux. » Des lumières rouges flashèrent derrière eux quand deux motards de la police routière les rattrapèrent.

« Alors comme ça on est pressé ? »

« On voulait se marier » dit Mc Queen. « Et une conne de sœur à Capistrano nous a dit qu'il n'en était pas question.

Je crois que c'est ça qui m'a un peu tapé sur les nerfs. » Steve se radoucit un peu faisant un grand sourire aux deux flics.

« Allons les gars, ce n'est tout de même pas un crime d'avoir envie de se marier? »

« Elle est chouette la voiture » remarqua l'un des policiers. « Elle est à vous? »

« Non, elle est louée », dit Mc Queen. « Moi, mon truc c'est la moto. »

Cela mena à une discussion comparant les mérites respectifs des motos de la police avec les autres. Steve savait qu'il venait de marquer un point. « Écoutez-moi », dit le deuxième flic, « je connais un pasteur Luthérien à San Clémente. Peut-être qu'il acceptera d'ouvrir son église et de vous marier. Vous voulez que je l'appelle? »

« Bien sûr » dit Steve.

Escorté par la police, Mc Queen ravi roula, le long de la côte jusqu'à une petite église luthérienne blanche à San Clémente. Neile et lui s'y sont mariés avec les agents comme témoins. « C'était assez bizarre, admet Mc Queen. On était encadrés par ces deux énormes flics, le revolver à la ceinture et tout! Un mariage de western! »

Ils durent écourter leur lune de miel au Mexique car Neile était attendue à la MGM pour « This could be the night ». Mais le tournage donna une chance à Mc Queen : Robert Wise cherchait des comédiens pour son prochain film « Some one up there likes me » histoire de la vie du boxeur Rocky Graziano. Il donna un petit rôle à Steve. La vedette était Paul Newman « Un vieux pote à lui » dit Steve. « Je ne faisais vraiment que traverser l'écran. Mais au moins j'avais décroché quelque chose. J'avais un pied dans la porte. »

Les Mc Queen revinrent à New York où Neile devait passer dans l'émission de Pat Boone à la télé. Pour Neile, il ne s'agissait que d'un bref séjour car son prochain contrat était à l'Hotel Tropicana de Las Vegas. Elle chantait et dansait pour 1 500 dollars par semaine.

« Steve venait de New York passer tous les week-ends avec moi » dit-elle. « Il m'expliqua clairement qu'il voulait que je revienne à New York, mais j'avais un contrat et on avait besoin de cet argent. Cela mena à de sérieuses disputes entre nous. »

Le deuxième rôle au cinéma de Steve fut plus conséquent. Il jouait un jeune avocat dans « Never love a stranger » chez Allied Artists, tiré du roman de Harold Robbins, avec John Drew Barrymore.

« On attendit deux ans la sortie du film » se souvient Mc Queen « et la seule fois ou un journaliste parla de moi ce fut pour dire que mon visage ressemblait au croisement d'un ange de Botticelli avec un chimpanzé ».

Début 1957, il reçut de bonnes critiques pour son interprétation d'un jeune tueur dans la production de Studio One « The Defender » (feuilleton populaire à la télé de 1961 à 1965). Mais en dépit de quelques autres petits rôles à la télévision cette année-là, Steve avait l'impression que sa carrière était foutue. « Résultat il devint de plus en plus difficile et nerveux au fil des mois. Notre mariage a bien failli éclater en 57 à la suite d'un accident de voiture » raconte Neile.

« Steve avait acheté une Corvette d'occasion un week-end, et m'avait donné de vagues rudiments de conduite. Puis le lundi il est reparti pour New York, me laissant seule avec cette puissante voiture de sport. Je n'avais jamais conduit de ma vie et j'étais terrifiée. Je ne savais absolument pas piloter la Corvette. »

Elle démarra, entrant dans deux autres voitures en stationnement. Neile ne fut pas blessée, mais les trois véhicules furent fortement endommagés.

« Steve explosa quand je lui racontais l'accident. Il se mit à me hurler dessus au téléphone, alors j'en fis autant. Pendant deux semaines, il ne m'a plus appelée. Puis il s'est calmé et m'a écrit un gentil petit mot. »

En parlant de son mariage avec Mc Queen, Neile

admet que « il était tout sauf terne. Steve n'a jamais été ce que l'on peut qualifier de mari banal ».

Un journaliste qui les avait interviewés à l'époque résume la situation :

« Il fallait souvent que Neile traite Steve comme un enfant, qu'elle l'amuse, le calme... Il avait des sautes d'humeur, par moments amer, frustré, impatient, à d'autres gentil, protecteur, adorable. Elle ne savait jamais sur quel pied danser avec lui. »

Le mariage de Mc Queen avec Neile Adams dura plus de quinze ans jusqu'en 1972. Au début personne ne le connaissait, à la fin il était comme une grande vedette internationale.

Le rôle de Josh Randall, le chasseur de primes, fut en grande partie responsable de son succès.

AU NOM DE LA LOI

On a souvent parlé ensemble du personnage que Steve incarnait si bien dans le feuilleton « Au nom de la loi ».

« Pour moi, Josh existait vraiment » disait Steve. « J'avais l'impression de le connaître. J'ai vécu dans sa peau pendant des années. Quand on joue un tel personnage pendant des années, on finit par le devenir. C'était tout à fait comme si je vivais vraiment au Far West, faisant la chasse aux méchants. Quand je me regardais dans la glace, je voyais Randall. Je me demandais si j'arriverais jamais à m'en défaire. Franchement cette série a duré des siècles. »

Début 1958, Steve Mc Queen commençait à avoir les deux pieds bien posés sur l'échelle du succès.

Neile travaillait toujours à Las Vegas quand Steve alla au Missouri, tourner « The Great St Louis Bank Robbery » un film d'action à petit budget basé sur un réel fait divers. Il y interprétait une gloire du football américain universitaire, qui tourne mal, et finit par conduire la voiture devant servir à un hold-up.

En parlant de « The Great St Louis Bank Robbery », Mc Queen racontait : « La seule grande chose du film était son titre! Presque tout le gang se faisait descendre pendant que je me livrais aux flics. Rien ne tournait rond dans ce film mais pour moi c'était tout de même valable, puisque chaque apparition à l'écran peut mener à une autre. Quand on est jeune et affamé, on saute sur tout ce qui passe!»

Steve fêta son vingt-huitième anniversaire en mars 1958. Il affirma avoir reçu son «plus beau cadeau» le mois précédent, en apprenant que Neile quittait son job au Tropicana. «La tension était trop dure pour moi» admet-elle. «Steve ne supportait pas le principe de notre sépara-tion, qu'on habite dans deux villes différentes. Alors, j'ai fini par craquer et j'ai laissé tomber.»

A New York, Steve travaillait beaucoup pour la télé mais était loin d'être satisfait de la plupart de ses rôles.

«On ne me proposait pratiquement que des rôles de tueur ou de délinquant. Les producteurs trouvaient que j'avais l'œil «mauvais». Or à partir du moment où on vous colle une étiquette sur le dos cela ne peut que vous gêner par la suite. J'ai donc essayé de trouver quelque chose qui puisse améliorer mon image de marque, et tout ce que j'ai dégotté fut «The Blob».

Dans ce mélodrame de série B, tourné à la va-vite, Steve était un adolescent se battant, contre ce qu'un critique décrivit comme «un amalgame mortel interplanétaire de marmelade de prunes...» Un autre critique cinématographi-que parla «d'une pièce pleine de gelée qui vous engloutit, au lieu du contraire».

«The Blob» coûta 150 000 dollars et rapporta 30 fois plus. Même en étant la vedette du film Steve ne toucha qu'un cachet de 3 000 dollars. «Mon rôle consistait essen-tiellement à courir dans tous les sens, les yeux exhorbités en hurlant «Attention, faites gaffe au " Blob ". Donc, je n'étais pas emballé outre mesure quand les gens me complimen-taient sur mon interprétation!»

Écœuré par Hollywood, Steve revint à New York, décidé à reprendre une carrière théâtrale. Il n'y trouva

54

aucune offre substantielle (travailler à Broadway apporte des satisfactions artistiques, mais n'empêche pas de crever de faim). Essayant d'oublier son amertume, il passa un après-midi à balancer des bombes à eau sur Central Park, jusqu'à l'intervention d'un policier. (« J'ai dû trouver n'importe quoi à dire pour l'empêcher de m'embarquer en taule. Alors, je lui ai raconté que mon petit frère venait de se faire écraser par un train, et que le chagrin me rendait fou, provisoirement »).

Dans le courant de la semaine, Steve reçut un coup de fil de Sy Marsh, un impresario de Hollywood. « Je t'ai trouvé un petit rôle dans Wells Fargo » dit-il à Mc Queen. « Trois jours de travail pour 400 dollars. »

« Ouais. 400 dollars ne me feraient pas de mal. »

« Parfait, je m'en occupe. »

De retour en Californie, Steve joua dans « Bill Longley » un épisode de Wells Fargo programmé en février, mais il s'aperçut qu'il n'avait aucun goût pour les westerns. « C'est la dernière fois que je tourne dans une de ces vacheries de westerns » dit-il à Neile.

Afin de mettre du beurre dans les épinards, Neile accepta d'être la vedette de « At the Grand » une Civic Light Opera production, mise en scène au Los Angeles Philarmonie.

Steve avait l'impression qu'il aurait peut-être plus de chance avec un nouvel impresario, il signa donc avec Abe Kastfogel, qui dirigeait la puissante agence William Morris. Quelques jours plus tard, il reçut un coup de téléphone urgent. « Viens me voir mon petit » lui disait Abe « Je crois que j'ai quelque chose de formidable. »

Mc Queen se souvient de la scène dans le bureau de Lastfogel. L'impresario était enchanté. « Je viens de parler avec Vince Fennelly. Il cherche un type pour jouer un chasseur de primes dans " Trackdown ", le film qu'il tourne pour CBS. Pour l'instant, il s'agit d'un film, mais il estime qu'il pourrait y avoir une nouvelle série de plusieurs épisodes s'il trouvait l'acteur qui colle. Je lui ai parlé de toi et ça l'intéresse. Beaucoup même! »

« Ah bon! Moi pas. »

« Quoi? »

« Plus de Far West de merde pour moi Abe. Plus de chapeau de cow-boy. Plus de revolvers. Plus de chevaux! »

« Mais il s'agit d'une occasion en or! Tu n'es pas sérieux! »

« Regarde-moi. Je n'ai rien du beau cow-boy d' 1,80 m! A la télé tous les cow-boys mesurent au moins cela! Est-ce que Fennelly sait que je ne mesure que 1,75 m? »

« Je t'assure que ce n'est pas un problème. Allons Steve tu n'as rien à perdre en acceptant de lui parler. »

Ils parlèrent et Fennelly trouva en Mc Queen l'élément qui avait toujours manqué aux autres : la vulnérabilité. « Je ne voulais pas d'un autre John Wayne » répondit Fennelly, quand on lui demande pourquoi il avait choisi Mc Queen.

« Par définition, un chasseur de primes est une espèce de chien galeux. Il a tout le monde contre lui, la justice, les hors-la-loi et les habitants des villes. Personne n'apprécie la façon dont il gagne sa vie, pourchasser les fugitifs et recevoir une prime s'il les tue ou les capture. Donc si on choisit un acteur au physique de rugbyman, le public sera contre. Moi j'avais besoin d'un « petit mec » donnant l'air d'être assez dur pour faire ce job, mais avec une espèce de fragilité d'adolescent. Il fallait qu'il ait l'air vulnérable afin que le public prenne fait et cause pour lui contre les méchants. Mc Queen était exactement l'homme que je cherchais. Je l'ai compris dès qu'il est entré. »

Le jour où l'épisode de « Track Down » avec Mc Queen fut diffusé à la télé, les dirigeants de CBS apprécièrent et commandèrent les nouvelles séries. Steve gagnait 750 dollars par semaine en tant qu'interprète de Josh Randall dans « Au nom de la loi », une Fair Star Production. « Je ne savais plus très bien où j'en étais à ce moment-là », reconnaît Mc Queen.

« Je n'étais pas convaincu d'avoir vraiment envie de me trouver prisonnier de cette routine hebdomadaire, un peu comme si j'allais à l'usine. Je me demandais aussi combien de stars de télé avaient réussi au cinéma. J'étais peut-être en train de sombrer dans une chausse trappe. Malgré tout j'acceptai et mis ma signature en bas du contrat. De toute manière je n'étais pas bien placé pour refuser! »

Le premier épisode d'une demi-heure fut programmé le 6 septembre 1958, et la décontraction de Mc Queen séduisit immédiatement le public.

Cependant, sur le plateau ou dans les bureaux de la Four Star le mauvais caractère de Steve plaisait beaucoup moins. « Franchement c'était le roi des emmerdeurs » raconte l'un des metteurs en scène du début. « Rien ne lui plaisait. Il n'aimait pas le chapeau qu'on lui donnait, ou la selle ni même le cheval. Ça fait un moment que je fais ce métier, or je n'avais encore jamais rencontré d'acteur qui ait renvoyé son cheval! »

C'est pourtant ce que Mc Queen avait fait. En dépit de son aversion personnelle pour les chevaux, il savait qu'il lui fallait une grande et fière monture. Pas complètement convaincu de ses qualités équestres, le studio lui avait fourni un cheval, qui, d'après Steve « était tellement lent qu'on devait le faire entrer en scène sur patins à roulettes ». Steve renvoya la bête épuisée au bout de six épisodes, et s'adressa à un de ses copains qui avait un ranch où il élevait des sang-mêlés. « J'en ai trouvé un noir aux pattes blanches qui me plaisait bien » dit Mc Queen. « Il sortait de dressage, mais était encore plein d'ardeur. Je suis monté sur son dos et il m'a immédiatement fait tomber. Ça m'a plus, je l'ai pris. »

Le cheval, qui s'appelait Ringo, n'aimait pas travailler pour la télé, les lumières, les câbles, le décor et les techniciens, tout l'énervait. « Au cours de la première semaine il a botté cinq ramples d'éclairage » raconte Steve.

« Il bottait les autres chevaux, et m'a cassé le gros orteil en marchant dessus! On se bagarrait ce vieux Ringo et moi. Il essayait de me mordre en tournant la tête en arrière et moi je lui donnais des coups de poing sur le nez. Ça a duré des mois mais je ne voulais pas le remplacer. J'aimais son genre. Il avait de la personnalité et ne reculait devant personne. »

Une autre chose à laquelle Mc Queen attacha beaucoup d'importance fut l'arme dont il se servait durant tout le feuilleton. Il ne voulait pas d'un banal revolver à barillet.

Il lui semblait que Randall devait avoir une arme unique, à laquelle le public serait sensible et dont il se souviendrait. Steve expliqua son choix :

« On a pris une Winchester 92 que l'on a transformé en arme de ceinture en sciant une bonne partie du canon et en l'adaptant tout spécialement. Cela nous donnait la puissance et la précision d'un fusil, tout en ayant la mobilité et la maniabilité d'un revolver. En plus, elle avait l'air mauvais. »

Dans chaque épisode Mc Queen portait une arme à la hanche ou accrochée à une épaule. Mais en fait la Winchester avait encore plus d'impact que Mc Queen ne l'avait imaginé.

« On avait essayé des cartouches à blanc, pleine puissance, la première fois que j'ai tiré sur quelque chose, ça a soufflé le chapeau du cameraman qui est tombé ainsi que toutes les pages du scénario que tenait la script. Dans le Far West on appelait un revolver un " hog's leg ", patte de sanglier, mais celui-là on l'a baptisé " Maris Leg " patte de jument car il ruait plus fort qu'un sanglier! Mais afin de limiter un peu les dégâts on a quand même diminué sérieusement la puissance des cartouches. »

Après des heures d'entraînement, Steve apprit à faire pivoter son arme de la hanche à la main d'un geste souple, fluide et efficace à la fois. La « Patte de Jument » devint l'une des caractéristiques du film, d'ailleurs Steve la portait toujours sur lui quand il était en représentation personnelle.

Ed Adamson, le producteur de l'émission s'entendait bien avec Mc Queen. « J'avais compris comment le manier », dit Adamson.

« Steve était très susceptible concernant son manque d'éducation, et donc si on lui donnait des scénarios avec des phrases courtes et des mots courts dans le dialogue, il était un véritable agneau, mais lorsqu'un metteur en scène refusait de couper le texte de Steve, là il devenait franchement épouvantable et c'était dramatique de travailler avec lui. »

« Au nom de la loi » marcha très fort, et pour la première fois de sa vie d'artiste. Il s'acheta deux voitures de sport une Porsche 1600 noire (modèle Super Speedster) et une superbe Jaguar XK-SS verte, à la carrosserie en magnésium. « La jag était unique » disait Steve.

« Elle était une dérivée directe de la type D qui avait gagné Le Mans quatre fois. A cause d'un incendie qui l'avait ravagée, l'usine n'en a sorti que quinze exemplaires. J'ai refait la chambre de combustion et les arbres à came, le circuit d'huile et le radiateur. J'adorais cette vieille Jag. Le problème était que je la conduisais trop vite. »

Il avait même tellement de contraventions pour excès de vitesse qu'on finit par lui retirer son permis. Deux fois.

Steve se souvenait du jour, début 1959, quand Neile et lui, avec la Jag roulaient vers Phenix, Arizona. Steve « lui laissa dépasser le cent ». La route était douce et la voiture qui ressemblait à une torpille, allait de plus en plus 110... 115... 120. Tout d'un coup deux lumières rouges clignotèrent derrière eux.

« Merde! » s'écria Steve en voyant arriver la voiture de police. « Une autre contravention et ils m'enlèvent mon permis pour toujours. »

« Qu'est-ce qu'on peut faire ? » demanda Neile, enceinte de six mois de leur premier enfant.

« Laisse-moi faire » dit-il en freinant la Jaguar vert bouteille au moment où les policiers arrivaient à leur hauteur. Mc Queen sauta de la voiture et se précipita vers les deux flics.

« Écoutez-moi », dit-il d'un ton désespéré. « Il faut que vous m'aidiez. Ma femme est en train d'accoucher. Le bébé arrive, chaque seconde compte ! »

« Bien sûr ! » lui répondit le conducteur. « Suis-nous mon pote » Et la sirène à fond ils conduisirent Steve à l'hôpital le plus proche. Une infirmière se précipita pour aider Neile.

« J'espère que votre femme ira bien » lui dit le chauffeur inquiet.

« Oh sûrement. Grâce à vous les gars ! »

Les deux policiers serrèrent la main de Steve et repartirent sur l'autoroute. Dès que leur voiture eut disparu, Steve se précipita vers l'infirmière. « Fausse alerte » lui dit-il en prenant le bras de sa femme. « Tout va bien. » Il sourit. « On a juste fait une petite erreur OK ? » L'infirmière resta plantée sur place regardant Steve pousser sa femme furieuse dans la voiture.

« Neile était vexée » admit Steve. « Elle ne m'adressa pas la parole une seule fois le lendemain. Mais nom de Dieu ça avait marché. Je n'avais pas eu de contravention ! »

Mc Queen commençait à s'intéresser aux courses de voitures locales, sponsorisées par la California Sports-Car Club, mais sa XK était trop précieuse pour prendre le risque de l'engager en compétition. Par contre la Porsche 1600 était idéale. Il emmena la voiture noire à Mulholland Drive, un long ruban d'asphalte s'étirant dans les collines au-dessus de Hollywood, et se mit à « la secouer un peu ». Nous étions six environ, à avoir des voitures de sport et à se retrouver là-haut la nuit » racontait Steve.

« Après dix heures la route était désertée, alors on

organisait nos propres courses. On avait installé des interrupteurs sur le tableau de bord afin d'éteindre les lumières au-dessus des plaques d'immatriculation. C'était au cas où on croiserait des flics, pour qu'ils ne puissent pas relever nos numéros pendant la poursuite. J'étais jeune et stupide pour faire ce genre de chose. Mais j'ai beaucoup appris sur la conduite rapide. »

Steve fit sa première course à Santa Barbara, Californie fin mai 1959.

« La course était organisée sur l'aéroport, et il y avait un incroyable mélange de voitures dans ma catégorie, des grosses, des petites. Je n'avais aucune idée d'où j'allais terminer. Je me souviens d'être parti comme un fou dès que le drapeau s'est abaissé, dépassant un paquet de Porsche et de Triumph, et puis tout d'un coup, quatre tours plus tard, je me suis retrouvé en tête! Ça m'a sidéré. Je glissais sur le circuit entre les voitures, plongeant le plus possible dans les virages, retardant le freinage au maximum, toujours à la limite, en me disant : « Mais qu'est-ce que tu fous là? J'ai tenu bon et j'ai gagné. Après ça j'étais accroché. »

Neile ne partageait pas la passion de son mari pour les courses de voitures. Elle allait donner le jour à leur premier enfant, et Steve lui avait promis qu'il laisserait tomber la compétition au moment de la naissance du bébé. « Steve était absolument persuadé que ce serait un garçon » dit Neile.

« Il n'avait même pas imaginé qu'il puisse s'agir d'une fille. Cela m'avait pris plus de deux ans pour tomber enceinte, et quand j'ai enfin réussi, je me suis fait beaucoup de mauvais sang, ayant peur de ne pas donner un fils à Steve. Et bien entendu, c'est exactement ce qui est arrivé... En juin 1959, j'ai eu Terri Leslie, et Steve eut un énorme choc. Il était très mécontent, comme s'il me rendait personnellement responsable de trahison en ne lui ayant pas fait un garçon.

Naturellement il s'en remit et apprit à beaucoup aimer

Terri. Mais lorsque je lui ai demandé de tenir parole et d'arrêter les courses, il m'a répondu qu'il ne pouvait pas. »

Steve gagna d'autres courses avec sa Porsche sur les circuits californiens de Del Mar et Willow Springs, prouvant bien que sa première victoire était justifiée. « La compétition m'apporta une nouvelle identité. Je n'étais plus rien qu'un acteur. J'étais un mec qui courait. Et pour moi c'était très important d'avoir cette double identité. »

La paternité rendit Mc Queen encore plus nerveux. Il se mit à avoir des insomnies. « La municipalité fit installer une lumière très puissante dans la rue, qui éclairait notre chambre à Hollywood » raconte Neile. « Steve appela la mairie pour demander que l'on déplace la lumière. Quand ils ont refusé, il a pris son pistolet, son 22, et il a tiré. Il n'a jamais été très patient pour ce genre de chose. »

L'imprésario de Mc Queen avait obtenu une clause dans le contrat qui le liait à la Four Star, stipulant qu'il se préservait le droit de tourner des longs métrages en dehors de ses prestations télé, à condition que cela ne dérange pas l'emploi du temps d'« Au nom de la loi ». En 1959, Steve profita donc d'une accalmie pour interpréter Bill Ringo dans un film de guerre « Never so few ». La vedette en était Frank Sinatra, et le deuxième rôle, celui de Steve, avait au début été écrit pour l'ami de Sinatra, Sammy Davis Jr. Quand deux membres du « Rat Pack » (c'est ainsi que l'on appelait le clan Sinatra) étaient provisoirement indisponibles, il fallait les remplacer. John Sturges qui avait mis en scène « Bad day at Black Rock » et « Gunfight à Ok Corral » choisit Mc Queen. « Je l'avais vu à la télévision » dit Sturges « Il avait le punch et la vitalité que je recherchais. »

Tiré d'un roman de Tom Chamales, « Never so few » racontait un épisode de la Deuxième Guerre mondiale entre une bande de guérilleros en haillons et le contingent japonais se trouvant en Birmanie. Sinatra était le chef guérillero américain, alors que Mc Queen interprétait le sergent chargé de l'approvisionnement. Il devait pouvoir fournir aussi bien des éléphants que des munitions.

Steve connaissait la réputation de Sinatra, sur un plateau. C'était lui d'abord, les autres après !

Il était donc parfaitement déterminé à garder ses distances, il était là pour travailler, toucher son salaire et retourner à son feuilleton. Mais, Sinatra voyait les choses autrement. Voici ce qu'en disait Mc Queen :

« Un après-midi, en extérieur entre deux prises de vue, j'étais en train de lire le scénario dans un coin. Plongé dans mon travail, je ne vis pas Sinatra arriver derrière moi. Il alluma un pétard et le glissa dans la ceinture de mon revolver ! Quand le pétard a éclaté j'ai sauté à trois mètres de là pour la plus grande joie de Frank bien sûr !

Là, j'ai attrapé l'un des fusils-mitrailleurs dont on se servait pour le tournage, il était chargé, cinquante coups ! Sinatra s'éloignait en rigolant avec ses copains quand je l'ai rappelé « He Frank ! » Il s'est retourné et j'ai tiré, zap-zap-zap-zap- le chargeur tout entier ! »

La réaction de Steve créa un véritable choc dans l'équipe.

« Silence de mort. Tout le monde regardait Steve pour voir ce qu'il allait faire. Il avait très mauvais caractère et ils se sont tous imaginés qu'on allait à la castagne. Je n'étais pas trop sûr de moi pendant qu'on se dévisageait. Puis, il se mit à rire, et l'incident était clos. Après on s'est très bien entendus. En fait, on s'est balancés des pétards pendant tout le tournage, derrière les caméras bien sûr ! J'avais bien réagi, devant un type comme Sinatra, si on faiblit une fois, c'est foutu, il ne te respecte plus jamais ! »

A la fin du tournage de « Never so few », Mc Queen était devenu ami avec l'acteur qu'il avait remplacé Sammy Davis Jr. Ils s'étaient découvert une passion pour les armes et les bons tireurs. Davis à l'époque était reconnu comme l'un des tireurs les plus rapides du métier. Il était capable de dégainer, faire tournoyer et tirer avec un colt à une vitesse surprenante. Bien décidé à le battre, Steve se mit à s'entraîner sérieusement. Quand il se sentit prêt il challengea Davis à un concours de tir.

« La plupart des copains de Sammy savaient à quel point il était rapide, ils étaient persuadés que je n'avais pas la moindre chance » racontait Steve. « J'ai pris tous les paris, le prix était un Colt 45 Peacemaker, une véritable pièce de musée. Je suppose que j'avais bien dû m'entraîner car je suis parti avec le Peacemaker! »

Les critiques ont éreinté « Never so few », mais ont reconnu que la performance de Steve était « vivante ». Cependant le film n'a pas fait grand-chose pour asseoir le potentiel cinématographique de Mc Queen; on le prenait toujours pour une vedette de la télé qui ne deviendra jamais une star du grand écran.

Mais le tournage quotidien des aventures de Josh Randall pompait toute son énergie. « On a du mal à s'imaginer à quel point une série comme celle-là est épuisante » racontait Steve. « Je devais me lever à 5 heures pour être au studio à six heures et demi... Ensuite je travaillais toute la journée sur le plateau et ne rentrais pas chez moi avant neuf heures du soir. Parfois pressé par le temps, il nous arrivait de tourner un épisode entier en une seule journée! »

Mais Mc Queen en avait de plus en plus marre!

« Ils essayaient de transformer Josh Randall en superman. Moi, je voulais le jouer plus " vrai ", comme un mec qui faisait un boulot dangereux, obscur, sans faire d'histoires. Mais les boss de la Four Star cherchaient à en faire un genre de macho aux mâchoires serrées, qui ne manquait jamais sa cible. J'ai vraiment eu des problèmes avec eux à ce propos. »

Le plus grand clash eut lieu au cours d'une scène, pendant laquelle Randall devait allonger trois énormes pourris qui lui avaient donné l'ordre de quitter la ville. Au milieu de la scène Steve s'adressa au metteur en scène : « C'est trop con! Moi, d'où je viens quand trois mecs comme ça vous ordonnent de partir, on se barre. Peut-être que je reviendrais plus tard pour me les faire un à la fois, mais les trois en même temps, jamais! »

« Tu t'en tiens au scénario » lui dit le metteur en scène.

Steve lui lança son chapeau sur la tête et lui tendit son revolver. « Tiens mon pote, c'est toi qui joue le rôle! »

Et il quitta le plateau.

Dick Powell, le producteur dirigeait alors les Four Star Productions. Il invita Mc Queen à venir discuter d'homme à homme dans son bureau. Steve raconta la rencontre.

« J'ai entendu dire que vous veniez de prendre trois billets d'avion pour l'Australie? » dit Powell.

« C'est ça » répondit Steve. « Pour ma femme, mon gosse et moi. J'y vais pour visiter le pays. Peut-être que j'aurais envie d'y élever des moutons! »

« Mais Steve vous avez un contrat avec nous. »

« Alors, attaquez-moi. J'en ai marre de me tourner en ridicule en jouant ce héros à la con. »

Powell hésita, soutenant le regard de Steve. « Eh bien, dites-moi ce que vous feriez du script si vous aviez les moyens de le faire. »

« Vous voulez dire tout le merdier? »

« Oui, c'est ça! »

Mc Queen sortit un tas de bouts de papier de sa poche. Il avait pris des notes depuis un certain temps et les lut à voix haute à Powell. Ils trouvèrent un compromis. Si Mc Queen acceptait de reprendre le tournage immédiatement, Powell ferait le nécessaire pour qu'il ait son mot à dire au niveau de la production et de la créativité.

Des années plus tard en se souvenant du pouvoir qu'il exerçait sur « Au nom de la loi », Mc Queen admet qu'il avait peut-être poussé trop loin dans certains domaines.

« J'ai fait une erreur en oubliant l'amour propre de mes metteurs en scène. Je commençais une scène d'un seul coup je me surprenais à donner des directives aux autres comédiens. Alors, il fallait que j'aille m'excuser auprès du metteur en scène. Mais une chose était certaine, c'est que moi, je comprenais le personnage de Josh Randall. J'étais vraiment lui et ça, le public le comprenait. Le pourcentage d'écoute du feuilleton s'en ressentit. J'étais bien sur la bonne voie. »

Steve se mit à placer ses gains télé. Il acheta 50 ares de terrain près de Big Sur en Californie du Sud, il acheta des parts dans un garage spécialisé dans les voitures de haute gamme, et investit dans d'autres affaires allant de restaurants de régime à des fabriques de chaussettes de Noël.

La compétition automobile était toujours sa plus grande dépense. Il avait abandonné sa Porsche, préférant une superbe Lotus Le Mans XI, à la suspension au ras du sol. « Au volant de la Lotus, je commençais à me sentir compétitif! J'étais plus rapide plus efficace dans les virages, plus détendu. Je découvrais la vitesse. »

Mc Queen s'inscrivit en 1959 pendant le week-end de la Fête du travail, aux courses de Santa Barbara (Californie). Route à roue, il se battit contre Frank Monise, l'as de Lotus, lui aussi sur Mark XI, terminant à une fraction de seconde derrière lui, « à douze centimètres de son pot d'échappement. »

Dans la course principale du dimanche, courant toujours derrière Monise, Steve voulut trop en faire dans une épingle à cheveu. « J'ai fait un tête-à-queue et heurté le moteur, ce qui m'a coûté la course. J'étais ennuyé mais j'apprenais encore. En course on apprend tous les jours. »

En 1960 « Au nom de la loi » était dans sa troisième année, et les revenus annuels de Mc Queen atteignaient 100 000 dollars. A 30 ans, il était devenu quelqu'un avec qui compter dans le marché de la télévision.

Neile avait des sentiments très mitigés concernant le fait qu'elle avait laissé tomber sa carrière pour n'être que Madame Mc Queen.

« Steve n'a jamais voulu que ses femmes aient un

métier. Il avait un point de vue très rigide, vieux jeu concernant le rôle des femmes... ménage-cuisine et prendre soin de leur homme. Il fallait même que je lui coupe les cheveux! Mais maintenant que j'étais mère en plus d'être sa femme, il m'était impossible de revenir au show-business. Cela aurait voulu dire la fin de notre mariage. »

Pour « se marrer » et afin d'apaiser Neile, Steve accepta de paraître plusieurs fois à la télé avec elle, cette année-là. Ils firent équipe pour un télé-film d'Alfred Hitchcock et parurent dans des shows de Bob Hope et de Perry Como.

John Sturges était devenu un copain de boisson, et Steve disait que tout en buvant de la bière dans sa loge au studio, Sturges lui racontait ses projets. Il parlait de son prochain film, la version américaine des « Sept Samouraïs » d'Akira Kurosawa.

« Et j'aimerais t'avoir. »

« Allons Johnny, je ne pourrai jamais jouer un samouraï. Tout ce maquillage pour avoir les yeux bridés, et le numéro de sabre... On me virerait de l'écran... »

Sturges sourit largement. « Tu n'as pas pigé. Je ne fais pas un remake. Non je garde l'idée de base pour en faire un western américain. Tu jouerais l'un des sept porte-flingues payés pour protéger un petit village mexicain contre des bandits de grands chemins. »

« Eh bien... »

Le metteur en scène se pencha pour repousser du doigt le bord du Stetson torché de sueur de Steve. « Super tu n'auras même pas besoin de changer de chapeau! »

Dans ce film que Sturges appela « Les 7 Mercenaires » il s'avéra que Mc Queen ne se soucia jamais de changer de chapeau le sien était de très loin le couvre-chef le plus innommable de tous ceux portés par les acteurs du film.

Yul Brynner, tout de noir vêtu, était la vedette, le chef des sept. Mc Queen jouait Vin (il reçut 65 000 dollars pour cela) les autres comédiens étaient James Coburn, Charles Bronson et Robert Vaughn, tous comme Mc Queen presque des stars. Le chef des bandits était interprété par le vétéran Eli Wallach. Soutenu par cette superbe équipe, Sturges réussit une épopée épique, grâce à son autorité et à son sens du découpage.

La performance de Mc Queen était solide : concis, sérieux et changeant. C'était incontestablement son meilleur rôle au cinéma jusque-là, même s'il ne s'entendait pas bien avec Brynner. « Pour lui, j'étais une menace » disait Steve.

« A cette époque-là, je commençais à m'y connaître en chevaux, et à en savoir long sur les armes. Brynner pas, et cela l'énervait. Les gens finirent par savoir que l'on ne s'appréciait pas spécialement. Je me souviens d'un jour alors que le tournage était déjà avancé, il s'approcha de moi, après une scène et me prit par l'épaule. « Écoute-moi bien » dit-il en fronçant les sourcils. « On raconte dans les journaux que nous nous sommes engueulés. Or je suis une star et ne m'engueule pas avec les deuxièmes rôles. Je veux que tu appelles le journal et que tu leur dises que cette histoire est parfaitement fausse! » Il me donnait l'ordre de téléphoner, alors je lui ai dit ce qu'il pouvait faire de ses ordres! C'était un connard complètement coincé. »

« Les 7 Mercenaires » eurent beaucoup de succès et Steve gagna plus que sa part d'éloges, l'un des critiques prédit : « S'il réussit à s'arracher à la télévision, Mc Queen deviendra une grande star. »

Bien sûr Steve était de cet avis « s'arracher » de ce rôle exigeant de Josh Randall. Fin mars 1961, il retrouva la liberté : « Au nom de la loi » se terminait.

Mc Queen était maintenant père de deux enfants. Un garçon, Chadwick Steven était né le 28 décembre 1960 (En riant Neile commente : « Si j'avais eu une autre fille, je crois qu'il m'aurait fusillée! Il était absolument épanoui quand on lui a dit que c'était un garçon! ») Afin de loger sa famille en pleine extension, les Mc Queen achetèrent une nouvelle maison à Solar Drive, dans le Nichols Canyon près de Los Angeles.

(Le nom de la rue servit plus tard quand Steve baptisa sa propre boîte les Solar Productions).

La paternité n'avait pas spécialement adoucit le caractère de Mc Queen comme l'a prouvé un incident dont on a beaucoup parlé cette saison-là. Un voisin, Edmund W. George se plaignit de la conduite de Steve dans leur rue, ainsi que de son chien qui était en liberté. « Je suis allé chez lui pour tirer les choses au clair. Il s'est montré particulièrement odieux, alors j'ai cogné. »

Un journaliste profita de l'occasion pour poser des questions à Steve concernant l'arrêt du feuilleton. Mc Queen était-il furieux de la décision des directeurs du réseau télé?

« Bien au contraire. J'étais ravi. Cette série me tuait littéralement. Mais, je serai toujours reconnaissant à ce bon vieux Josh Randall. Je lui devrai toujours quelque chose, c'est lui qui m'a mis le pied à l'étrier dans le métier.

Maintenant, j'ai vraiment ma chance si je m'accroche, et croyez-moi pour ce qui est de m'accrocher... Je me suis offert une maison sur la colline, j'ai une femme qui me plaît, deux gosses en bonne santé et une table bien garnie. Les vaches maigres, c'est fini, maintenant, le chemin mène tout droit à la réussite. »

LA PERCÉE

Un jour j'ai demandé à Steve pourquoi le vedettariat étai¹ tellement important pour lui.

« Le vedettariat cela veut dire réussite financière, et réussite financière équivaut à sécurité » dit-il. « J'ai passé trop de temps de ma vie à ne pas me sentir en sécurité. J'ai encore des cauchemars dans lesquels je suis pauvre, où tout ce que j'ai s'évanouit. Quand on est une star ce n'est plus possible. Mais il y a encore plus. C'est une façon de creuser sa place dans le monde. J'ai reçu une éducation minable et ne suis pas très porté sur les livres. Je n'écris pas, je ne peins pas et je ne compose pas de musique. N'importe quel passant dans la rue s'y connaît mieux en musique que moi. La seule chose que je sache faire, c'est de jouer la comédie. Alors j'ai l'intention de pousser ça aussi loin que possible. Jusqu'au bout. »

En dépit de sa popularité à la télévision, Steve n'était tout de même pas encore une star. Sa carrière cinématographique, étalée sur cinq années, lui avait apporté de bonnes satisfactions, mais il n'avait pas encore porté un film à lui tout seul, son meilleur travail consistant en deuxième rôle.

Maintenant il cherchait un film qui le mettrait en vedette.

Quand Sinatra refusa le premier rôle de « Pocketful of Miracles », le metteur en scène Frank Capra demanda Mc Queen, mais United Artist estimant qu'il n'était pas d'un rapport bancaire sûr, le refusa. Vexé, Steve signa avec la MGM pour être la vedette d'une petite comédie, au script léger, « The Honeymoon Machine » tirée de la pièce Lorenzo Semple « The Golden Fleecing ». Mc Queen interprétait un jeune officier de Marine, aux cheveux en brosse, Fergie Howard, qui mettait un ordinateur au point pour battre les tables de roulette du casino de Venise, en Italie. L'intrigue, difficilement crédible, racontait comment l'on évitait de justesse une Troisième Guerre Mondiale; les Russes croyant que les signaux émis par l'ordinateur de Mc Queen, étaient l'annonce d'une attaque des États-Unis.

Steve était tendu, manquait de subtilité, essayant de manier un matériel compliqué avec une pointe d'humour. Il faisait le pitre, grimaçait et ricanait pendant tout le film, en faisant beaucoup trop dans chaque scène. Lors d'une présentation du film, dans le bureau de l'un des directeurs de la MGM, Steve sortit de la salle de projection très peu de temps après le début, incapable de supporter ce qu'il regardait. « Je décidais alors de chercher quelque chose de plus qui ait un peu plus de tripe » dit-il. « J'ai donc signé pour un rôle de véritable fils de pute. »

Il passa de la MGM à la Paramount pour « Hell is for Heroes », un film de guerre dur, qui se passait dans les tranchées en France, contre les Nazis, vers la fin de la Deuxième Guerre mondiale.

Au départ, le metteur en scène de « Hell is for Heroes » devait être Robert Pirosh, mais des problèmes de scénario l'amenèrent à quitter le film. Don Spiegel prit la relève avec un autre script. La nouvelle intrigue était dure, amère. Mc Queen jouait Reese, un solitaire qui se complaît dans les bagarres et le sang, sans amis, et qui attire des ennuis à son peloton, et finit par se faire tuer alors qu'il s'attaque seul aux positions allemandes, sur une colline.

Steve partageait l'affiche avec Bobby Darin, une ex-idole des jeunes. Il se heurta violemment à Mc Queen à propos de plusieurs points du scénario « Écoute-moi Bobby » lui dit un autre acteur « Oublie Mc Queen et fais ton boulot. Il adore faire des ennuis. Il a l'habitude de se battre pour ce qu'il désire. D'une certaine façon, ce mec est son propre pire ennemi. » Darin secoua doucement la tête. « Moi vivant, sûrement pas. »

Le metteur en scène Don Spiegel lui aussi, se heurta à Mc Queen au début du tournage.

« Accablé, il tournait en rond sur le plateau, voulant par là montrer qu'il portait sur ses épaules toute l'intégrité du film, alors que le reste d'entre nous n'étions là que pour nous vendre aux patrons du studio. Un jour alors que nous étions assis l'un à côté de l'autre, je lui ai dit que son attitude m'ennuyait, car j'étais aussi concerné par la qualité du film que lui. Alors s'il voulait bien se mettre ça dans sa grosse tête on arriverait peut-être à s'entendre. J'ai vu qu'il était furieux. Je le savais capable de violence et je savais aussi qu'il pouvait me casser la figure. Mais j'avais décidé que s'il se levait et s'approchait de moi, je frapperais le premier, aussi fort que possible en espérant pour le mieux! Heureusement pour moi, il ne s'est pas levé. Plus tard on a appris à s'aimer. »

Siegel décrit une scène particulièrement difficile :

« Nous en étions à un passage émotionnellement très important. Mc Queen était sensé s'éloigner de son attaque désastreuse, et avançant vers la caméra se mettre à pleurer. On a essayé, mais Steve n'arrivait pas à verser une seule larme. Alors on a pris des oignons, mais ça non plus ça n'a pas marché. Et puis, j'ai eu une idée. J'ai dit à Steve de recommencer encore une fois, mais je me suis arrangé pour qu'un court instant il sorte de l'angle des caméras. A ce moment-là, je me suis approché et l'ai giflé aussi fort que possible, espérant que la douleur soudaine le ferait pleurer! Mais quand on a regardé les rushs un peu plus tard, il n'y avait pas la moindre trace de larmes, alors finalement on a dit merde, et on a laissé tomber cette scène. »

Les huiles de la Paramount se souciaient du prix de revient du film. On dit à Siegel d'arrêter les extérieurs et de filmer toutes les scènes en studio. Soutenu par Mc Queen, il refusa. Le studio envoya une délégation afin de saisir les caméras sur les lieux du tournage. Mc Queen leur fit face. Il ramassa un bâton, s'approcha des caméras et dessina un cercle dans la poussière, autour d'elles, par terre. Puis il se retourna vers la délégation. « Le premier qui passe cette ligne... Je lui fais cracher ses poumons! »

Le tournage se poursuivit en extérieur.

« Hell for the Heroes » apporta beaucoup de critiques favorables à Steve Mc Queen mais ne servit à rien en ce qui concerne la progression de sa carrière. « J'avais déjà tourné huit films, et un seul, le western de John Sturges valait quoi que ce soit. J'en arrivais à la conclusion qu'aux États-Unis je n'avais pas le bon filon, alors je pris la décision d'essayer de faire un film en Europe. »

Pour un salaire de 75 000 dollars, il signa pour « The war Lovers ». Là encore, il partageait l'affiche (avec Robert Wagner), le film devait être entièrement produit par la Columbia en Angleterre.

Une fois de plus, l'intrigue se situait pendant la Deuxième Guerre et Steve incarnait un solitaire qui aime se battre dangereusement. Cette fois, il jouait un pilote qui n'en fait qu'à sa tête. Dans cette histoire extraite d'un roman de John Hersey, Buzz Rickson trahit son meilleur ami pour une femme et meurt en jetant sa Forteresse Volante sur un flanc de montagne. « Ce Rickson est un type complexe », dit Mc Queen lors d'interviews à Londres.

« Il est égoïste, ne vaut rien, mais respecte une équipe dans laquelle pratiquement tous le détestent. Cependant, Rickson est un pilote exceptionnel... il arrive à faire danser un B 17 sur sa queue. Son amour pour la guerre fait qu'il ne peut aimer les êtres humains. »

Steve savait comment Rickson devait réagir devant l'héroïne du film (Shirley Ann Fields), et cela prit quatre jours entiers pour tourner les scènes d'amour « au poil ».

En dehors du défi que représentait ce nouveau rôle pour lui, Steve était attiré par l'Angleterre qui était le creuset des courses automobiles. Comme « The War Lovers » allait être tourné intégralement sur le sol anglais, Steve aurait l'occasion de rouler sur des circuits aussi connus qu'Aintree, Oulton Parks et Brands Hatch. Mais les patrons de la Colombia ne voyait pas cela d'un œil favorable.

Steve reçut un avertissement légal des avocats du studio, lui disant que s'il se blessait sérieusement en course, et que l'on soit obligé d'arrêter le tournage, on lui réclamerait le montant de la production (soit 3 000 000 de dollars). Steve ignorat la menace.

Il était à nouveau ami avec Sterling Moss, le légendaire champion automobile. Moss avait rencontré Steve pour la première fois en 1959, en Californie, et leur amour réciproque des voitures de course avait immédiatement crée un lien entre eux.

« Il m'avait fait l'impression d'être un homme d'action », dit Moss. « Il était avide de tout sur la haute compétition. Il écoutait attentivement, prenait conseil et apprenait vite. »

Moss aida Steve à aller le plus vite possible sur chaque circuit en roulant devant lui, et en lui montrant avec deux doigts si le virage devait s'effectuer en deuxième vitesse, trois doigts pour la troisième, etc.

C'est dans le Sussex, sur le circuit de Brands Hatch que Steve eut de sérieux ennuis. « Je courais sur la piste mouillée avec une Mini-Cooper lorsque mes freins ont serré. Cela a déporté la voiture alors que je sortais d'une courbe rapide. J'ai compris que je ne pouvais plus maintenir la direction, pas sur du mouillé. »

Un journaliste sportif anglais décrivit la performance de Steve :

« Comme il sortait de la route, Mc Queen fit un travail fantastique pour éviter une série de poteaux et de panneaux métalliques qui auraient dû détruire la Cooper. Il contrôla la glissade jusqu'au dernier moment, et il finit par planter la voiture sur un talus de terre. La Cooper a tourné comme une toupie, balançant de droite à gauche, mais par miracle elle ne s'est pas retournée. »

Sous le choc, Steve s'était ouvert la lèvre ce qui nécessita la pose de plusieurs points de suture. Il se souciait de la réaction du studio, si le tournage était retardé.

« J'avais des gros plans à faire le lundi suivant, mais Phil Leacock, le metteur en scène m'a sauvé la mise en me laissant faire à la place tous les plans où je portais un masque à oxygène, dans le poste de pilotage. »

Par l'intermédiaire de Moss, Steve entra en contact avec John Cooper, le directeur de l'équipe de courses de la British Motor Corporation, et s'acheta une Cooper Formule Jr, avec l'arrière pensée de la piloter sur la Côte Ouest, après son retour aux États-Unis.

Durant son séjour à l'élégant, et hyper-conservateur Hotel Savoy à Londres, Mc Queen s'attira les foudres de la presse à cause de sa « conduite outrageuse ». Voici comment il raconta l'histoire :

« J'avais invité des copains de course dans ma chambre, on se faisait frire des œufs sur une plaque chauffante, (ce que la direction déteste tout particulièrement) quand un rideau a pris feu. J'ai bondi dans le hall pour attraper un extincteur et j'ai bousculé deux dignes ladies anglaises. J'étais pieds nus, en short, torse nu, elles hurlèrent et se précipitèrent pour dire au directeur qu'un homme nu courait dans le hall. J'ai essayé de m'expliquer, mais il m'ont renvoyé de l'hôtel. »

Mc Queen termina son séjour en Angleterre dans une maison de quatre étages, à Chester Square, qui appartenait à un diplomate Lord Russel. « Où j'ai réussi à ne mettre le feu nulle part. »

Début 1962, après avoir terminé « The War Lovers », Steve revint en Californie où il s'engagea immédiatement dans une course de moto cross.

« J'avais déjà un peu couru sur de la cendrée, mais j'étais encore assez neuf quand même. J'ai eu un problème au départ de la course. Certains coureurs n'appréciaient pas le fait que je sois comédien. Ils ne croyaient pas à ma motivation, alors ils m'ont bloqué sur la ligne de départ. Je ne m'en suis tout de même pas mal tiré en terminant troisième dans la catégorie novices. »

Bud Ekins et Don Mitchell enseignaient à Steve la technique de la cendrée, tous deux avaient gagné de nombreux trophées attestant qu'ils étaient experts en la matière. (Ekins devint rapidement l'un des meilleurs amis de Steve.)

Le même mois (en mars 1961), Mc Queen courut à Sebring en Floride, avec Sterling Moss comme co-équipier dans l'équipe de John Cooper de la British Motor Corporation (BMC). Sebring était une course de renommée internationale et la performance de Steve démontra ses possibilités au volant de ces monstres de la vitesse.

« Pendant les vingt quatre heures de Sebring, j'étais co-pilote d'une Healy Le Mans, courant pour Cooper » racontait-il. « Au bout de sept heures nous étions en tête, en bonne voie de gagner un trophée, mais des ennuis de moteur nous obligèrent à nous arrêter. Malgré tout, j'estime avoir bien couru. »

Le dessinateur Donald Healy estime que Steve avait fait mieux que « bien ». La performance de Mc Queen l'avait fortement impressionné : « C'était exceptionnel. En tant que pilote, il aurait vraiment pu arriver au top s'il s'y était consacré. »

Un mois après Sebring (après avoir reçu sa Cooper Formule Jr), Mc Queen courut sur le circuit de Del Mar en

Californie. Il gagna les deux jours d'affilée. Plus tard, au volant de la Cooper à Santa Barbara, il gagna deux autres courses. Fier de son succès, il dit à ses copains qu'il envisageait sérieusement de devenir pilote professionnel. Pour Mc Queen, la course était devenue « une espèce de fièvre, qui me brûlait en dedans ».

En fait, il devait faire face à un énorme dilemme. Rester acteur ou accepter l'offre de Cooper et BMC et partir courir en Europe.

« Ils m'avaient accordé un week-end pour me décider. Je passais deux journées en ébullition, à essayer de savoir si j'avais envie de gagner ma vie sur les circuits ou bien si je préférais continuer ma carrière d'acteur. La décision était particulièrement dure à prendre, car à ce moment-là je n'arrivais pas à savoir si j'étais un acteur qui courait ou un pilote qui jouait! Mais j'avais Neile et les deux enfants. C'est ça qui a fait la différence. J'ai donc décliné l'offre de BMC. Mais j'étais vraiment au bord de laisser tomber ma carrière cinématographique. Je n'avais encore rien fait d'exception- nel pour le grand écran, et j'en avais marre d'attendre « le grand film », celui qui me permettrait d'exploser. Si j'avais été célibataire je pense que j'aurais choisi la compétition à plein temps. »

La décision de Mc Queen fut particulièrement bien inspiré puisque son « grand film » « La Grande Évasion » allait être tourné. Le metteur en scène John Sturges proposa à Steve le rôle d'un prisonnier de guerre effronté et insubordonné Virgil Hitls, alias « Le roi du Trou ».

Mc Queen se souvenait de l'explication de Sturges concernant ce surnom : « Hilts passe son temps à essayer de s'évader du camp de prisonniers. Les Allemands le rattra- pent à chaque fois et le jettent au trou. Mais ils n'arrivent pas à le briser. A chaque fois il recommence. »

« Je ne sais pas que dire Johnny... Je veux dire Jeez. J'ai tourné deux films sur la Deuxième Guerre Mondiale, et ce sont eux qui ont terminé dans les tranchées! »

« Oui mais celui-là il va gagner » l'assura Sturges. « C'est une histoire vraie, tirée du bouquin d'un type qui s'appelle Paul Brickhill. C'est l'histoire de 75 prisonniers de la RAF qui creusent un tunnel pour s'évader d'un camp nazi de haute sécurité, les Allemands les reprennent et exécutent 50 de ces pauvres types. J'ai un bon scénario et j'engage une partie de la fine équipe de " 7 Mercenaires ". Charles Bronson et Jim Coburn. Pour toi, ce sera un peu le bon vieux temps Steve! »

« Où est-ce qu'on va tourner? »

« En Allemagne, Bavière. Tout le film. »

« OK Johnny, je te dois quelque chose. Le seul bon film que j'aie jamais fait c'est les " 7 Mercenaires ". Tu peux compter sur moi. »

« The Great Escape » était l'un des films « d'équipe » de Sturges, sans grand premier rôle. James Garner (qui allait devenir un copain de course de Steve) David Mc Callum et Richard Attenborough étaient déjà engagés; Coburn, Bronson et Mc Queen se joignirent à eux.

Le scénario était basé sur le récit authentique de Brickhill, racontant la tentative d'évasion du Stalag Luft Norden, qui était particulièrement bien gardé. Considérée comme la plus grande évasion de prisonniers de la dernière guerre, cinq millions de nazis participèrent à la poursuite et à la reprise des évadés. Sturges rajouta un peu de fiction, mais le film suivit presque à la lettre le récit de Brickhill.

Mc Queen se souvient qu'il était responsable de l'un des changements majeurs de l'histoire, qui s'avéra par la suite être l'une des séquences dont on parla le plus. En lisant le script avec Sturges, il s'arrêta à un moment où Hilts monte dans un train lors de sa tentative d'évasion.

« J'ai une idée qui ajoutera un peu de jus » dit Steve.

« Raconte! »

« On oublie le train. Hilts prend un fil de fer le tend en travers de la route. Un nazi en moto arrive, se prend dans le fil de fer et tombe. Hilts se précipite, prend la moto, saute dessus et file à travers la campagne, les Allemands sur le dos. Il arrive devant une barrière de fil de fer barbelés où on pense qu'il est coincé. Mais il fait marche arrière et saute par-dessus la barrière avec la moto! Qu'est-ce que tu en penses? »

Sturges trouva ça très bien, et cette séquence fut ajoutée au script.

Le 30 mai 1962, Mc Queen quitta les États-Unis pour Munich, Allemagne de l'Ouest, rejoindre l'équipe de « La Grande Évasion ». Il allait toucher 100 000 dollars, et avoir le droit de faire son numéro de motard.

Les intérieurs furent tournés en studio à Munich, mais tous les extérieurs furent filmés dans une copie d'un camp nazi, spécialement construit pour l'occasion, en dehors de la ville, par une équipe de techniciens.

« Bud Ekins était notre cascadeur numéro un » dit Steve.

« On avait quatre motos pour ce film. Moi, je montais une Triomph TT Spécial 650. Peinte en kaki, avec un porte-bagages et une vieille selle, elle ressemblait à une BMW de l'époque de la guerre. On ne pouvait pas se servir de véritables BMW à cause de la vitesse voulue. Ces vieilles bécanes avaient un cadre rigide qui n'aurait jamais tenu le coup. »

La réaction des gens du cru, vis-à-vis d'Ekins, Mc Queen et des autres motards, amusait Steve. « La première fois qu'on a essayé les motos à fond la caisse, les Bavarois en sont restés bouche bée. Ils n'arrivaient pas à croire qu'une moto puisse aller aussi vite sur un terrain de montagne! »

Pendant la poursuite du film, Steve dévale la vallée du Rhin à toute vitesse, pourchassé par des motards nazis. Ce genre d'action amusait tellement Mc Queen qu'il décida de doubler lui-même ses poursuivants, portant casque et uniforme allemands, Ekins tressautant à côté de lui dans le side-car. «Ils ont coupé et remonté ces scènes, et donc à l'écran, je me regardais en train de me courir après! »

La cascade la plus dangereuse du film fut le moment où la moto lancée à fond devait bondir au-dessus du barrage de fil de fer barbelé. « Si j'avais décidé de faire ça moi-même, on n'aurait jamais terminé le film, disait Steve. C'est donc Bud Ekins qui m'a doublé. Ça m'a toujours un peu énervé, surtout quand les relations publiques du studio se sont mises à expliquer à tout le monde que je n'avais jamais été doublé en moto pendant ce film. »

« Le saut n'était pas aussi dangereux qu'il en avait l'air » raconte Ekins.

« En fait, ils avaient supprimé une section de barbelés, celle au-dessus de laquelle je devais sauter, et l'avait remplacée par de la ficelle autour de laquelle on avait noué des dizaines d'élastiques qui faisaient illusion. Dans le film on aurait vraiment dit du barbelé. Steve a toujours dit que j'avais fait cette cascade. D'ailleurs, quand à la télé Johnny Carson l'a félicité, Steve l'a repris. " Non ce n'était pas moi, c'était Bud Ekins. " Les gens du studio étaient plutôt contrariés d'un tel aveu devant le pays entier, mais Steve n'a jamais essayé de mentir concernant ce qu'il faisait ou ne faisait pas. »

En 1963, avant la sortie de « La Grande Évasion », Steve passa l'été à New York. Il commençait le tournage de « Love with the Proper Stranger » sous la direction de Robert Mulligan. Il jouait le rôle d'un trompéttiste, Rocky Papasano qu'un critique décrivit comme « un charmeur, volant de lit en lit, brusquement touché quand l'une de ses aventures passagères, Angie (Nathalie Wood), le fait redescendre sur terre en lui annonçant qu'elle est enceinte ».

Cette histoire d'amour, tendre et dure à la fois (essentiellement filmée dans les rues de Brooklyn) raconte les efforts de Rocky pour aider Angie à se faire avorter. Au dernier moment, bouleversé par l'abominable bonne femme qui allait pratiquer l'intervention (à l'époque illégale) il refuse de laisser faire Angie, et finit par l'épouser.

Jusque-là, ce rôle était, et de loin, le rôle le plus romantique que Steve ait jamais joué. Il fit preuve d'une telle sensualité, cool et virile, à la fois, d'humour et de tendresse que toutes les femmes s'enthousiasmèrent pour lui, l'élevant soudain au statut de sex-symbole.

A 33 ans, grâce à l'énorme succès de « La Grande Évasion », Mc Queen se retrouva considéré parmi les professionnels du cinéma comme « un tout premier plan ». « L'Évasion » lui permit de gagner le Prix de la Meilleure Interprétation Masculine au Festival du Film de Moscou. Newsweek n'hésita pas à dire qu'il était brillant... méritant un Academy Award pour « Love with the Proper Stranger »; Life lui accorda une couverture.

Il avait mis onze ans pour devenir une grande star, mais n'était malgré tout pas encore prêt à affronter le flot d'offres et de propositions qui lui arrivaient de toutes parts. « J'avais peur de la façon dont on se précipitait sur moi. Je me demandais d'où ils venaient tous! »

Il créa Solar Productions un peu par self défense. Avec sa propre société, Steve estimait qu'il aurait un certain contrôle artistique, qu'il serait plus fort. Et il annonça ses ambitions :

« Je veux tout savoir de ce métier. Je prends des notes. Je regarde le monteur passer le film dans la machine, je fais attention à l'endroit où il coupe, pourquoi et comment... Je pose des questions, j'étudie la technique au niveau des caméras, du son, de la mise en scène... et j'étudie aussi l'autre bout, la distribution. Solar tiendra debout. Ce ne sera pas tout simplement un moyen d'éviter des impôts. J'ai l'intention qu'elle soit une maison de production active, et je serai présent à chaque différente phase. »

Il avait fait un énorme pas en avant. Il n'était plus un simple acteur louant ses services, il devenait Steve Mc Queen, producteur.

DU CINÉMA AUX MOTOS

Avril 1970. J'avais rendez-vous aux Solar Productions. Quand je suis arrivé, Mc Queen n'était pas encore là. Son retard me donna l'occasion de me promener dans les différents bureaux qui occupaient tout l'étage supérieur d'un immeuble situé sur Ventura Boulevard, à Studio City, Californie. Je me souviens d'avoir été sidéré par le côté fonctionnel de son installation. Pas de fanfreluches. Pas de fenêtres aux verres teintés, pas de bureaux en chrome et liège avec des reproductions de Picasso aux murs. Cet endroit était conçu pour le travail.

La salle de conférence était décorée par les trophées de course de Steve (j'en ai compté plus de 20) et le département artistique avait sur les murs des grands posters, dessins et peintures de Steve sur une moto, prévus pour Yucatan qui ne fut jamais tourné.

Quand Mc Queen est arrivé, nous sommes allés dans son bureau. Confortable, mais sans prétention. Il n'était pas là pour impressionner ses visiteurs, mais pour travailler. Je lui demandai s'il éprouvait une satisfaction particulière à diriger sa propre société.

« C'est une vraie galère » me dit-il. « Être le boss ici, veut dire qu'en fin de compte, je suis le seul responsable, le seul à dire oui ou non, c'est comme jouer au Monopoly avec du véritable fric. Une mauvaise décision peut coûter des millions. (Il allait d'ailleurs en prendre une avec la participation de Solar dans " Le Mans "). Mais ici, j'ai l'outil qu'il me faut. Je fais mes propres affaires et comme ça, je ne me retrouve pas en train de tourner n'importe quelle merde parce que je n'ai pas le choix. Ici, je choisis. Quand j'ai raison, tout le monde en profite. Quand je me trompe, je suis le seul responsable. Comme disait le vieux Harry Truman " Les sous c'est moi ". Et c'est ça être le seul boss. »

Mc Queen détestait les interviews, mais il avait accepté de parler à un journaliste, Tedd Thomey, à condition que certaines clauses restrictives soient bien claires.

« Dave Foster, son attaché de presse, m'avait conseillé de faire preuve de discrétion en ce qui concernait les questions sur la vie privée de Mc Queen » dit Thomey. « On m'avait prévenu que si je disais n'importe quoi, on me jetterait dehors en me tirant par l'oreille. Mc Queen l'avait déjà fait à un journaliste sportif à Londres qui se montrait un peu trop curieux. Je promis donc à Foster que je me tiendrai bien! Thomey se rappelle leur discussion. »

« Nous nous sommes rencontrés chez lui à Palm Springs. Quand il est venu me serrer la main, Mc Queen ressemblait à un clochard. Ses cheveux avaient une espèce de couleur tabac, et on aurait dit qu'il les avait coupés au canif. Il ne s'était pas rasé, son menton et ses joues étaient couverts de poils. Il ne parlait pas, il grommelait, et ses yeux étaient franchement hostiles, durs. Il m'a fait l'impression d'un jeune délinquant, nerveux, et irrascible, qui n'avait jamais grandi. »

Ils parlèrent essentiellement des courses de Steve.

« Quand on abordait ce sujet, tout allait bien » dit Thomey. « Mais la seule chose un peu personnelle que j'ai tirée de lui, est quand je lui ai parlé de sa famille en lui demandant pourquoi il mettait leur avenir en danger, et le sien avec, en continuant de courir. » Thomey cite la réponse de Mc Queen.

« Arrêtez de dire ça. Cela ne rime à rien. En ce qui me concerne, je suis quelqu'un de naturellement agressif. Il faut que j'aie un exutoire. Je ne bois pas, je ne cours pas les filles et je ne balance pas mon fric au jeu à Las Vegas. Alors, je dépense ce trop-plein d'énergie en courant. Pour moi la compétition vaut largement les risques et les difficultés qu'elle comprend car grâce à elle je demeure un être humain. »

Après avoir terminé les dernières scènes de « Love with the Proper Stranger », Steve revint en Californie pour l'Enduro 1963 de Greenhorn. Cette course de motos est l'événement pour les 300 meilleurs pilotes du pays, qui viennent se défoncer sur ce circuit tuant des abords du désert de Mojave. Les concurrents couraient sur des pistes en sable, des cendrées, passaient à travers des vieilles villes minières, grimpaient sur des talus couverts de blocs de pierre et de cactus, traversaient un paysage aride désolé, sillonnaient les vallées et les montagnes de Rand Range, et passaient sur un territoire semblable à du gruyère, car entièrement creusé de vieilles galeries, de mines datant de l'époque de la célèbre ruée vers l'or. La course s'arrêtait la nuit. Pendant ce temps les pilotes dormaient dans leurs stands et en profitaient aussi pour faire de la petite mécanique ; resserrer des écrous et des vis, changer les pneus, nettoyer les filtres à air, et vérifier les rayons de roues qui avaient déjà énormément souffert.

Steve survécut parfaitement au premier jour de course, faisant glisser, déraper presque voler sa moto sur le circuit. Mais le lendemain, à peine à 20 miles de l'arrivée, alors qu'il était en tête de sa catégorie, Steve coula une bielle. (« J'ai enlevé une bougie et suis rentré au stand cahin-caha. »)

Mc Queen prétendait qu'il avait gagné les galons de pilote : « En leur montrant que je pouvais me taper de la boue. »

« En matière de sport on ne ment pas. On ne triche pas non plus. On joue cartes sur table, je me suis démis l'épaule, cassé le bras en deux endroits différents, et on dut me poser quatre points de suture au cuir chevelu, mais tous ces gens m'acceptaient tel quel. Ils ont fini par admettre que je n'étais pas là pour faire parler de moi, mais bel et bien pour gagner. »

Il parlait aussi des dommages que la compétition inflige aux mains des pilotes. « On se coupe beaucoup, et les gants ne servent pas à grand-chose, quand on doit s'accrocher comme on le fait. On roule à 70 miles, plein gaz. Quand soudain on se trouve pratiquement au bord d'un précipice, alors on se raidit, on serre les poignées aussi fort que possible, on essaye de rester en selle. Si on touche, on sait très bien qu'on va plier la bécane. »

Courant dans le District 37, d'après la juridiction de l'American Motorcycle Association (le district le plus compétitif pour les pilotes américains débutants), Mc Queen gagna suffisamment de points en un an pour passer de novice à amateur. « Sur 5 000 nouveaux pilotes chaque année » reconnaît un vétéran, « un seul sur dix, réussit aussi vite à passer dans la catégorie supérieure. Mc Queen était indiscutablement étonnant. »

A Nichols Canyon la famille commençait à se sentir un peu à l'étroit : Neile, deux enfants, un chien de race Malemute, et une écurie de voitures et de motos en pleine expansion comprenant une nouvelle Ferrari 12 cylindres Berlinetta (cadeau de Neile), sa Cooper, la Jaguar XK, une Cobra, une Land Rover, une énorme Limousine Lincoln (leur voiture de ville). Steve et Neile décidèrent donc de déménager, d'aller à un endroit plus spacieux.

Ils le trouvèrent dans les faubourgs chics de Los Angeles.

« Nous avons d'abord franchi un grand portail électrique puis avons contourné une colline avec un mur de pierre d'un côté et tous ces arbres ! » racontait Steve. « Quand on est arrivé en haut on est passé sous un arche de pierres, et tout d'un coup on s'est retrouvé au milieu d'une cour médiévale espagnole. J'avais les yeux qui me sortaient de la tête. »

Combinaison de style ranch, méditerranéenne et moderne, la propriété de deux étages trônait en haut de Brentwood's Dakmont Drive, avec vue au loin sur l'Océan Pacifique. Parmi les particularités de la maison se trouvaient une cheminée en marbre, une piscine olympique, une cabane de la taille d'un court de tennis, un pavillon (salle de jeu pour les enfants) et une piscine intérieure dans le salon en sous-sol. Elle coûtait plus de 250.000 $ (dix fois plus aujourd'hui).

« Ça faisait beaucoup de fric pour moi à l'époque » racontait Steve. « Mais Neile a eu le coup de foudre et ça m'a fait craquer. »

Même très pris par le présent Steve n'oubliait jamais le passé. Lors de la première année de leur mariage, Steve emmena Neile dans le Missouri, à la ferme de l'oncle Claude « Pour lui montrer comment c'était quand j'étais môme. » Puis en 1963, il retourna à la Boys Republic de Chino, apporter un support personnel à son ex-établissement pour enfants difficiles, et y créer la bourse Steve Mc Queen.

« Je vous aime bien les mecs » leur dit-il assis sur le lit de son ancienne chambre, entouré de jeunes qui n'arrivaient pas à dissimuler l'état de surprise dans lequel la présence de cette super star parmi eux les plongeait. « Moi aussi j'étais un petit dur, un peu comme vous tous, mais j'ai changé, et cet endroit m'a sérieusement aidé à me façonner. »

L'un des éducateurs de Chino raconte l'effet que fit la visite de Mc Queen sur les jeunes.

« Ils apprécient beaucoup sa présence. Ils l'écoutent, se confient à lui. Il ne les baratine pas, il leur dit la vérité, qu'il filait un mauvais coton jusqu'à ce qu'il change de direction. Alors, ils se disent que si lui a réussi à changer, peut-être qu'eux y arriveront à leur tour. Pour ces garçons, il était un exemple. »

Cette année-là, Mc Queen tourna un autre film « Soldier in the rain », une comédie avec Jackie Gleason. C'était le premier d'une longue lignée dans laquelle les Solar Productions étaient directement concernées. Steve avait choisi ce projet en espérant qu'un rôle un peu plus léger améliorerait son habituelle image de marque, un peu trop sévère.

« Depuis " The honeymoon machine ", je n'avais pas tourné de comédie » disait-il. « Il semblait qu'il était temps de faire quelque chose de différent. Mais, le film ne fut pas une réussite. En fait, je ne sais pas pourquoi car tous les éléments voulus y étaient. »

Sur le papier effectivement ça devait bien marcher. Ralph Nelson était un excellent metteur en scène, le scénario était fidèle au très bon roman de William Goldman, Gleason était en pleine forme dans le rôle du dur à cœur tendre Master Sergeant Maxwell Slaughter; quant à Tuesday Weld, elle était brillante, attirante dans un rôle qui mettait en valeur les facettes de son énorme talent. Cependant le côté dramatique du film faisait du tort au côté comique, et « Soldier in the rain » n'eut pas le succès financier escompté. Mc Queen tira très bien son épingle du jeu.

Dans l'une des scènes, il devait se battre contre un cascadeur au cours d'une méchante bagarre dans un bar. Dans la mêlée, Steve se retrouva écrasé sur une table. « Ce type m'a assommé. Pendant un instant, j'étais complètement out » raconte-t-il. « Malgré tout je préférais cent fois ce genre d'action aux scènes lourdement émotionnelles. Là, il faut réussir à sortir tout ce qu'on a à l'intérieur, à vider ses poches devant tout le monde. »

Steve passait son temps dans la salle de gym du studio, dès que son emploi du temps lui permettait, il boxait un punching-ball, soulevait des poids de 130 livres, et faisait des « pompes » à n'en plus finir pour se muscler la ceinture abdominale. Il était d'ailleurs très fier de raconter que l'un des cascadeurs l'avait complimenté sur sa musculature.

« Il m'a même dit qu'il n'avait encore jamais rencontré un acteur qui travaillait comme moi. »

La fascination de Mc Queen pour la mécanique refit surface pendant le tournage. Plusieurs scènes devaient se passer sur un parcours de golf, et Steve transforma le moteur du cart que la Paramount avait mis à sa disposition. « Je parie que c'est bien la première fois de ta vie que tu montes dans un Golf-cart qui fonce comme ça! » disait-il à Gleason qui détestait la vitesse.

Gleason trouva qu'il était facile de travailler avec Mc Queen. « Steve s'est complètement investi dans ce rôle » déclara-t-il. « Sachant pertinemment que la comédie est une chose sérieuse! »

Dans un métier où les gens étaient avides de nouvelles stars spectaculaires, Steve était tout à fait d'actualité. Son nom à la une d'un magazine était synonyme de vente. Un journaliste le décrivit comme étant « celui qui faisait rêver aussi bien les hommes que les femmes ». Reporters et journalistes se bousculaient pour l'interviewer, donnant une version « du méchant petit garçon devenu star » qui parfois tournait au grotesque. Newsweek le décrivit comme « un Peter Pan aux yeux bleus et aux cheveux fous... le prototype américain. Avec ses grandes oreilles et son visage ouvert, il ressemble à un jeune Dwight Eisenhower, après une première année d'études à San Quentin. »

Life le résuma comme étant « une surprenante combinaison du culot de Cagney et de l'air menaçant de Bogart... » Il parle l'argot du milieu dont il est issu, un monde de voyous, de traînards, de garçons de bain, de forains et de pilotes de course. Mc Call's parle de lui comme « d'un nouveau venu effronté, au visage de jeune dur, ses yeux ont déjà tout vu, il a un vocabulaire de voyou et la passion de la vitesse. »

Steve essaya de donner de lui une image un peu plus nature en parlant au journaliste Edwin Miller.

« Je ne suis pas uniquement un malade de vitesse. Je

prends ce métier sérieusement. Je dépends de moi-même. Quand j'étais gosse, j'ai appris à prendre soin de ma petite personne. Je n'avais personne à qui parler. J'étais seul. C'est là que j'ai appris à ne compter que sur moi. »

« Je viens de suivre des cours accélérés d'administration, afin de pouvoir négocier un contrat. Si on ne se tient pas au courant de tout, on est perdant. Il m'arrive d'appeler mon agent à deux ou trois heures du matin pour lui poser une question. Je prends des notes, je m'en souviens et le lendemain je suis prêt à négocier. Je suis un bon homme d'affaires. »

La méfiance instinctive de Steve s'intensifia encore plus à Hollywood. « L'hypocrisie de tout un chacun » le choquait et le déprimait.

« C'est dur de vivre. On rencontre un type qu'on n'a jamais vu auparavant, il se met à vous parler, il se met à poil devant vous, il dévoile tout, même son âme, et on est forcé de le croire, parce qu'il vous raconte des trucs qu'il ne dirait même pas à Dieu le père. Et puis, après on se rend compte que ce mec n'est rien d'autre qu'un fils de pute, et c'est terrible. Ça vous rend malade en dedans. »

Pour cette raison, Mc Queen gardait ses distances vis-à-vis de ses voisins. « Je ne voulais pas qu'ils viennent se mêler de mes affaires. Le fait qu'un mec habite à côté de chez vous n'en fait pas forcément un ami. Pourtant il y avait des exceptions... comme James Garner. »

La maison de James Garner était juste en dessous de celle de Steve, et les deux acteurs s'aimaient bien. « Ça a bien collé dès le départ » racontait Mc Queen. « On avait beaucoup en commun... tous les deux on aimait les engins rapides. Et puis, on riait ensemble. »

Le sens de l'humour de Garner fut mis à l'épreuve par Mc Queen.

« Je voyais bien que James prenait grand soin de sa baraque : herbe bien tondue, fleurs bien entretenues, jamais un bout de papier qui traînait. Alors juste pour le taquiner, je

me suis mis à balancer des boîtes de bière devant chez lui!
Au début, il n'arrivait vraiment pas à piger d'où elles
venaient. Quand il partait de chez lui, l'allée centrale était
impeccable, et quand il revenait elle était jalonnée de boîtes
de bière. Ça lui a pris un bon moment avant de comprendre
que c'était moi... après on s'est bien marré en voyant comme
il était vexé! »

En janvier 1964, Steve était à Bay City, Texas, pour
tourner « Baby, the rain must fall », version cinématographique de la pièce à Broadway de Horton Foote, « The
travelling Lady ».

Dans ce drame, Mc Queen interprétait le rôle d'un
ex-prisonnier Henry Thomas, devenu chanteur-guitariste.
Un homme bourré de problèmes qui n'arrive pas à supporter
femme et enfant. Lee Remick était la femme de Mc Queen.
Les extérieurs au Texas durèrent un bon mois.

Une fois de plus, dans « Soldier in the rain » Steve fut
blessé lors d'une méchante bagarre dans un bar. Un témoin
décrivit la scène. « C'était quelque chose, les tables, les
chaises et les demis de bière volaient dans tous les sens. Et
croyez-moi, Mc Queen était vachement dans le coup! »
Robert Mulligan, le metteur en scène, appliqua une poche
de glace sur la coupure à l'œil de Steve, ajoutant une
appréciation personnelle. « Quand il joue, il ne craint pas de
donner le meilleur de lui-même. Steve a vraiment le métier
dans le sang. »

« En attendant, j'ai hérité d'un œil au beurre noir! » dit
Mc Queen en grimaçant.

A l'heure du déjeuner Steve mangeait avec les techniciens, menuisiers et électriciens, estimant qu'il était plus
agréable de prendre son repas sur le plateau, plutôt que dans
les salons de la direction avec les autres vedettes. « On ne me
fiche jamais la paix là-dedans. Il y a toujours des gens qui
viennent me casser les pieds en me proposant des trucs. »

Tout comme le film précédent « Baby the rain must
fall » s'avéra être une nouvelle déception au niveau box-

office. Une critique, Joanna Campbell propose une explication : « Il n'y avait aucune unité de style et d'action dans le film. L'interprétation que donnait Mc Queen du personnage violent, était extrêmement brillante. Mais ce n'était pas cela que ses légions d'admirateurs voulaient. »

Anxieux de fuir ses déceptions professionnelles, Steve se lança à fond dans la compétition, rapportant en 1964, cinq coupes à la maison, toutes gagnées dans les courses du plus haut niveau. La plupart du temps, il conduisait une Triumph améliorée, mise au point par son ami Bud Ekins (Ekins avait un garage à Sherman Daks).

« Bud est vraiment l'un des meilleurs pilotes qui existent » déclarait Mc Queen.

« C'est aussi un homme d'affaires sérieux. Les gens ont tendance à prendre les motards pour des fous en blousons de cuir. Bien sûr on porte du cuir en moto, mais avec des vêtements ordinaires, on se ferait très mal en cas de chute.

La famille de Bud et la mienne sont très proches l'une de l'autre, on s'entend très bien. On les entasse tous dans un mini-bus, on accroche les motos à l'arrière et on s'en va courir dans le désert. Laisse-moi te dire qu'il n'y a rien de tel que d'être là-bas, le sable chaud, les cactus, c'est fabuleux. »

Mais à grande vitesse le désert de Mc Queen risquait d'être aussi mortel que superbe. « On se casse souvent la figure en moto quand on zigzague dans tous les sens. Je me suis retrouvé projeté en l'air tellement de fois que maintenant je sais retomber sur un coin plus confortable ! Il me suffit de tortiller du cul dans la bonne direction... »

Steve se souvenait d'un après-midi de double course à Hi Vista. Il était inscrit dans les Pacific West Coast Championship Scrambles : « Au quatrième tour, ils étaient plusieurs à s'être rentrés dedans. Voulant les éviter, j'ai heurté un arbre, me suis ouvert la bouche, et arraché quelques dents. Mais ce n'était pas grave, alors je suis reparti et j'ai gagné. Puis, j'ai couru la deuxième de l'après-midi, le visage tout gonflé couvert de bandages, et cette course je l'ai gagnée aussi! »

Cette année-là, Mc Queen n'avait qu'une obsession : les motos rapides. Il refusa plusieurs propositions de films pour pouvoir courir. Neile raconte : « Steve voulait à tout prix prouver qu'il n'était pas un pilote de deuxième plan, qu'il pouvait se battre avec les meilleurs. En septembre, il eut sa chance en courant les Six Jours du Kentucky Derby. »

Mc Queen avait été admis comme membre de l'équipe américaine, pour les Six jours Internationaux de Trial en Allemagne de l'Ouest. Cette course prestigieuse englobait les meilleurs pilotes professionnels : Anglais, Allemands de l'Est, Suédois, Soviétiques, Tchécoslovaques, Polonais, etc.

Neile devait rester en Californie avec les enfants jusqu'à la fin de la course, puis venir rejoindre Steve à Francfort. Steve partit pour Londres où l'équipe devait retrouver les motos. (La sienne était un 650 cc Triomph, aux pneus bosselés, et avec quelques options supplémentaires). Les quatre coéquipiers de Steve cette année-là étaient Bud et Dave Ekins, Cliff Coleman et John Steen. Ils rencontrèrent l'équipe britannique (qui étaient à l'époque la meilleure) et les pilotes sympathisèrent tout de suite.

Les Six Jours Internationaux furent courus pour la première fois en Grande-Bretagne en 1913, et attiraient toujours énormément de pilotes. En 1964, ils étaient 226, prêts à faire plus de 1 200 miles (200 miles par jour) à travers bois, montagnes, pistes rocailleuses et chemins escarpés, se battant à la fois contre le terrain et le chrono.

Le but de chacun était une médaille d'or, accordée aux pilotes qui réussiraient à terminer la course sans aucune pénalisation de temps. (Des médailles d'argent et de bronze récompensaient ceux qui n'avaient perdu qu'un minimum de points.) L'équipe gagnante aurait le privilège d'organiser la course chez elle l'année suivante. L'Allemagne de l'Est qui avait gagné l'année précédente, recevait.

L'un des participants expliqua la réglementation de la course. « Chaque pilote doit maintenir une moyenne calculée en fonction de la cylindrée de sa moto. On doit suivre un chemin fléché et faire tamponner une carte en route afin de prouver que l'on n'a pas pris de raccourcis. Il faut donc en permanence garder un œil sur la pendule et un autre sur le compteur kilométrique, afin de maintenir la vitesse appropriée à chaque instant. Le temps est marqué sur la carte à chaque contrôle, et si on perd trop de points pour cause de retard, la médaille s'envole. »

En Angleterre, les cinq Américains touchèrent un camion, sur lequel ils firent peindre le drapeau US. Ils chargèrent motos et outils et partirent pour l'Allemagne. « On a conduit toute la nuit » dit Mc Queen.

« Puis on s'est fait coincer quatre heures à la frontière. Cet arrêt était dû à l'intérêt qu'ils éprouvaient pour l'argent occidental. On a fini par arriver à Erfurt, et à nos dortoirs. Je peux vous assurer que c'était vraiment étrange de se retrouver derrière le rideau de fer, tout le monde nous épiant. »

La soirée avant la course, il y eut un défilé de tous les pays engagés dans un immense hall, de la taille d'un terrain de football. J'étais là, portant le drapeau américain, entre les Russes et les Allemands de l'Est, pour moi c'était un grand moment. J'étais fier d'être là. Pour le petit déjeuner au réfectoire, on nous a servi une tranche d'anguille froide, une espèce d'abominable gélatine, un bout de tomate verte, et une tasse de café tellement noir qu'on aurait pu y teindre nos chaussettes. C'est ce qu'un savant soviétique avait conseillé, afin que l'on soit en pleine forme pour la course. Est-ce que vous vous imaginez en train de manger de l'anguille au petit déjeuner ? »

Chaque pilote reçut un numéro, fixé à son engin. Mc Queen avait le 278. Bud Ekins le 250 (les plus grosses bécanes partaient les dernières et avaient les plus gros numéros). Sur la ligne de départ portant son casque à rayures, un blouson de cuir noir et des grosses bottes de moto, les mains gantées posées sur le guidon, des lunettes de course sur les yeux, Steve Mc Queen était très loin d'Hollywood. Ici on ne faisait pas spécialement attention à lui, il n'était qu'un pilote parmi tant d'autres. Ici, en rangs serrés, se trouvaient l'équipe tchèque avec leurs CA 250, les Jawas russes, les MZ d'Allemagne de l'Est, les BSA britanniques, les Husqvarnas suédoises, les KTM autrichiennes et les Triumphs de l'équipe américaine, chacune conduite par l'un des plus grands pilotes au monde.

Mc Queen avait dans sa poche arrière une trousse d'outils de première nécessité, car le règlement stipulait que chacun devait réparer uniquement avec les outils qu'il portait sur lui. Steve se souvient de tout dans les moindres détails.

« A la fin de la deuxième journée on était à égalité avec l'Angleterre pour la première place, en fait on menait aux points. A ce moment-là, je me dirigeais vers une médaille d'or. La dernière épreuve de la journée se courait sur une route ouverte, en forêt. Je roulais à côté du champion britannique. John Gills était un merveilleux coureur. Je restai à côté de lui, plein gaz sous la pluie.

On suivait la route, d'après la façon dont les arbres étaient plantés tout le long. Mais à un moment ça nous a fichu dedans car les arbres continuèrent... alors que la route tournait. On arrivait comme des bombes dans cette épingle à cheveux, à peu près à quatre-vingts degrés, et je me suis mis à déraper. Je suis sorti de la route, la moto d'un côté, moi de l'autre. J'ai remarqué les traces qu'avaient laissées les autres pilotes auxquels la même mésaventure était arrivée. Mes lunettes m'avaient coupé la joue, mais rien de cassé. J'examinai ma bécane. Le pot d'échappement était pété. Je pris un outil dans ma poche arrière et redressai le pot pour le remettre en état de marche.

J'étais dans tous mes états car si on a trois minutes de retard au contrôle, on perd toutes ses chances d'avoir une médaille d'or. Mais j'étais bon, et je suis arrivé dans les temps. »

Malheureusement le troisième jour, les chances de victoire de l'équipe américaine s'envolèrent quand Bud Ekins heurta un pont de pierres à grande vitesse, et se cassa la jambe. Au crépuscule du même jour, alors que la pluie faisait briller les routes, et transformait le circuit en bain de boue, la chance de Mc Queen en course s'arrêta net : « J'ai cassé la chaîne dans une côte très dure, j'ai réparé, mais un demi-mile plus loin un autre maillon s'est brisé. En le réparant j'ai pris quatre à cinq minutes de retard. Il fallait que je les rattrape avant le prochain contrôle, alors j'ai franchement appuyé sur l'accélérateur. »

Mc Queen allait de plus en plus vite, éclatant littéralement sa puissante Triumph 650 à travers la campagne allemande grise et détrempée, boue et pierres projetées en arrière par ses roues qui dérapaient. Il était « franchement limite » faisant feu de tout bois pour rattraper le temps perdu.

« Puis en haut d'un monticule bordé de spectateurs, au bord d'un ravin plein de sapins, un autre type en moto m'a coupé la route. Il ne m'avait ni vu ni entendu, il me fonçait droit dessus. Quand enfin il m'a entrevu il a paniqué. J'avais l'intention de le dépasser sur la gauche, et je commençais à m'engager, pensant qu'il me laisserait passer. Mais il s'est affolé, a viré à gauche et à la dernière seconde m'a balancé. Ma Triumph a volé de l'autre côté du ravin, à mi-chemin j'ai décroché ! La moto s'est écrasée dans les sapins, pendant que je rebondissais plusieurs fois avant de finir contre un rocher. J'avais le visage écorché, les genoux déchirés, mais j'étais vivant.

Par contre, ma moto était morte. La roue avant avait beaucoup souffert, le pneu était fusillé, les fourches étaient repliées sur le châssis. Je compris que pour moi c'était fini. Cette chute m'avait coûté la course. »

Les autres Américains terminèrent les Six Jours. Dave

Ekins et Cliff Coleman gagnèrent des médailles d'or et John Steen remporta une médaille d'argent. « On était plutôt en piteux état » résuma Mc Queen.

« Bud, une jambe cassée... Steen cinq points de suture au menton... Dave couvert de bleus après être tombé à près de 80 à l'heure, et moi, mes genoux et tout le reste! Malgré tout notre équipe avait mérité trois médailles. Et même si j'étais profondément déçu de n'avoir pu terminer la course, j'avais prouvé que j'étais capable de tenir ma place auprès de pilotes de classe internationale, et ça, c'était pour moi une énorme satisfaction! »

UNE MORT DANS LA FAMILLE ET UN TRIOMPHE A TAIWAN

On était en train de discuter tranquillement dans un petit restaurant de Ventura Boulevard quand soudain Steve leva la main, et fit signe de se taire.

« Écoute », dit-il en tournant la tête de façon à entendre de sa meilleure oreille.

J'entendais comme lui le bruit d'une moto qui montait ses vitesses.

Steve me regarda, un léger sourire aux lèvres. « Aucun restaurant ne m'a encore jamais empêché d'entendre passer une belle moto. Une Husqvarna 406 à 12 000 tours... ça c'est de la musique! » Ses yeux semblaient fixer un point au loin. « Mon truc c'est vraiment le cross. Je veux dire que j'aime le terrain, la terre. Je n'aime pas le bitume. En moto on est en prise directe avec un environnement naturel... on apprend à « lire », le terrain. Dans le désert si j'aperçois un lapin qui s'en va en courant, je peux lui courir après. Si je vois des pétroglyphes indiens sur un rocher, je peux m'arrêter pour les regarder. Pas de hâte. Pas de pression. Je peux rester là, tout seul, une heure ou plus, à regarder, sentir la terre autour de moi... avec un angle de vue de 360 degrés. Personne ne m'embête.

Il hésita un long moment, tandis que la vision du désert disparaissait de son regard. Puis il me sourit, un peu honteux. « Oui... de quoi étions-nous en train de parler ? »

Neile était allée rejoindre Steve en Europe, après les Six Jours. Elle l'avait retrouvé à l'aéroport de Francfort. Ils passèrent le week-end à visiter la vieille cité historique allemande, puis prirent le train pour Paris où ils louèrent une suite au Crillon. « C'étaient les premières véritables vacances de Steve » raconte Neile.

« Comme j'avais laissé les deux gosses en Californie, c'était une deuxième lune de miel. Les Français adorent le cinéma, et ils connaissaient Steve tellement bien, que l'on ne pouvait mettre un pied dans la rue sans être sumergés par une meute d'admirateurs. Alors, pour aller dîner il mettait une fausse barbe et des moustaches! Nous avons assisté à la première de l'un de ses films, et j'ai posé pour la couverture de Elle, le magazine de mode français, en portant une robe de chez Lanvin. On s'est bien amusés! »

Après Paris, ils visitèrent la Belgique, la France et l'Espagne, s'arrêtant dans de jolies auberges, appréciant la paix et la solitude. « A un moment on s'est perdus sur une petite route » raconte Neile, « mais c'était drôle de se perdre, drôle d'être seuls, libres, rien que nous deux. On avait vraiment besoin d'être ensemble ».

En janvier 1965, après un an loin des studios, Steve « reprit le harnais » (ce sont ses propres termes). Il signa pour « le Kid de Cincinnati » à la MGM. Le script était tiré d'une nouvelle de Richard Jessup et racontait l'histoire d'un jeune maître du poker, et ses efforts pour battre l'incontestable champion de ce jeu, brillamment interprété par Edward G. Robinson.

Robinson appréciait l'ironie de la situation, se rendant compte que derrière le film lui-même, il y avait un véritable conflit entre la jeune star et le vétéran. « A une certaine époque, au début de ma carrière, j'avais été un autre Mc Queen » dit Robinson. « Je jouais les mêmes personnages durs, effrontés, prêt à prendre les vieux routiers et à les battre sur leur propre terrain. Je m'identifiais fortement à Mc Queen, et je respectais beaucoup son talent. »

Ce respect était réciproque. Steve savait qu'il avait fort à faire car Robinson était un grand acteur. Il était tendu et nerveux avant les prises de vue. « Cela faisait un an que j'étais resté éloigné des caméras » dit-il, « or la profondeur, l'intensité qu'il me fallait pour ce rôle ne venait pas. Pendant les trois premières journées sur le plateau, j'ai eu l'impression de n'avoir jamais joué avant! Puis cela s'arrangea. Je me détendis et retrouvais tout mon jus. »

Presque tout le film fut tourné à la Nouvelle Orléans. Steve veilla à ce qu'une scène d'action s'inscrive dans le scénario : celle au cours de laquelle le Kid est coincé par une bande de durs à cuire. Il s'échappe en sautant à travers une fenêtre. Au cours de la poursuite il saute sur une voie de chemin de fer juste au moment où un train arrive. Comme il l'avait fait lors de presque toutes ses cascades, Mc Queen exigea de tourner celle-ci lui-même.

« Je devais courir au-dessus de trente-cinq traverses qui relient les rails entre eux » se souvenait Steve. « Alors, je suis allé demander au conducteur du " Sunset Limited " combien de mètres il lui fallait pour s'arrêter. Il m'assura qu'il lui était impossible de le faire sur une aussi courte distance. Là, j'ai compris qu'il ne me restait plus qu'à compter sur mon propre timing. »

La séquence en question eut beaucoup de succès. Le dernier saut de Mc Queen alors que le train arrivait en rugissant, l'évitant à quelques centimètres près, fut très commenté y compris parmi les techniciens : « Il faut être franchement dingue pour faire ce genre de cascade » dit l'un des membres de l'équipe présent à ce moment-là. « Moi je ne le ferais pour rien au monde. Mais on a bien vu que Mc Queen a pris un pied pas possible! Je suis prêt à parier qu'il l'aurait même fait gratuitement! »

Sam Peckinpah avait été choisi comme metteur en

scène par la MGM, mais au dernier moment on lui préféra Norman Jewison, qui obtint une superbe performance de Mc Queen et de Robinson. Les scènes de poker au cours desquelles se jouaient des sommes considérables, étaient criantes de vérité, challenger contre champion, le jeune contre l'ancien. Ces scènes orchestrées par Jewison afin d'obtenir une fantastique tension étaient remarquables, tout comme l'étaient d'ailleurs les interludes romanesques entre Mc Queen, Tuesday Weld et Ann Margret.

Avant la sortie du film, en regardant les rushes à la MGM, Mc Queen tremblait en visionnant les scènes d'action.

« J'ai envie de me suicider quand je regarde mes films » disait-il. « Quand je me vois faisant 10 mètres de haut sur l'écran, cela me donne des sueurs froides. A chaque fois je me dis " Ce truc va être un désastre au box office "! En l'occurence je me suis trompé! »

En effet, il s'était complètement fichu dedans. « Le Kid de Cincinnati » eut un énorme succès dans le monde entier. Le « Times » parla des extraordinaires performances de Mc Queen et Robinson.

Cet été-là, une fois le doublage terminé, Steve travailla une fois de plus avec John Sturges. Ils projetaient de faire un film sur les courses automobiles qui devait s'appeler « Day of the Champion ». Il s'agissait de l'histoire d'un pilote casse-cou de Formule 1 qui devient champion du monde des conducteurs « en dépit de sévères problèmes psychologiques ».

Le film devait se tourner en 1966 en Europe, pendant la saison des Grand Prix. Mc Queen (assuré pour 2 000 000 de dollars) avait la vedette. La Warners accepta de financer le projet, mais Mc Queen et Sturges investirent 25 000 dollars bien à eux pour les dépenses de pré-productions. Une partie de cet argent était destinée à monter une caméra sur une voiture de course, afin d'obtenir un effet réaliste de vitesse à Riverside. (« Il fallait montrer à la Warners à quel point ce genre de film peut être excitant ».)

Avec en poche un scénario d'Edward Anhalt, Sturges et Mc Queen partirent pour l'Europe cet été à la recherche de pilotes et d'extérieurs. Stirling Moss (qui s'était retiré après un dramatique accident en 1962) fut engagé comme conseiller technique, et il les rejoint à la fin du mois de mai pour le Grand Prix de Monaco à Monte-Carlo.

Steve assista au Grand Prix de France en juin, et au Grand Prix d'Allemagne de l'Ouest en août. Il obtint des contrats exclusifs lui permettant de filmer les deux courses la saison suivante, pour servir de toile de fond à « Day of the Champion ».

Mc Queen, était en compétition directe avec le metteur en scène John Frankenheimer, pour les scènes de courses Européennes en 1966. Soutenu par la MGM Frankenheimer se préparait à tourner lui aussi, un film sur les courses « Grand Prix » avec James Garner, le pote de Steve, en vedette. La MGM avait un budget de huit millions de dollars pour cette superproduction en cinérama. Étant donné que les deux films racontaient l'histoire de deux pilotes américains qui devenaient champions du monde, la rivalité entre les studios étaient intense.

« On voulait battre la MGM à plate couture » disait Sturges.

« Mais Frankenheimer avait une tête d'avance, et Steve deux films à faire avant de pouvoir tourner " Champion ", alors on a dû abandonner. Steve était très malheureux car il rêvait de faire le tour des circuits européens dans ces merveilleuses voitures de Grand Prix. »

Le premier film de Steve parlait d'un personnage qu'avait interprété Alan Ladd dans les « Carpet Baggers », Max Sand, plus connu sous le nom de Nevada Smith. Les Solar Productions estimaient avoir un atout en main en tournant « Nevada Smith » avec Steve dans le premier rôle. (Son premier western depuis « The Magnificient Seven ».)

Sand est dépeint comme étant le jeune fils amer d'une mère américaine, mais de sang indien, et d'un père blanc, qui poursuit les assassins de ses parents. Le rôle exigeait une grande dextérité aussi bien avec les poings, les armes à feu que les armes blanches. Au cours du film Sand est capturé, envoyé comme prisonnier à la chaîne, travailler dans les marais. Il finit par s'échapper pour atteindre son ultime vengeance. Le rôle de Mc Queen était très dur, épuisant. Peu de comédiens étaient aussi physiquement qualifiés que lui.

Les extérieurs de « Nevada Smith » furent spectaculaires et authentiques. L'action commençait à Mammoth, Californie du Nord, près de Banner Peak et de Mount Ritter, se poursuivaient à Baton Rouge en Louisiane, pour une série de prises de vue dans les "bras" sauvages d'Atchafalaya Basin et se terminaient dans l'enceinte de la prison de Fort Vincent. Seul et épuisé par la pression de ce rôle exténuant, Mc Queen téléphona à Neile pour lui demander de le rejoindre. Elle lui répondit qu'elle devait rester avec les enfants. « Amène-les avec toi », lui dit. « Non, certainement pas dans un endroit aussi dangereux. » Neile raconte leur dispute :

« A chaque fois qu'on était loin l'un de l'autre, pendant un certain temps, on se disputait comme des fous au téléphone. De vrais marathons. Ni l'un ni l'autre ne voulant raccrocher avant que la dispute s'achève. Le résultat étant qu'on avait des notes de téléphones dingues! Cette fois-là, Steve était vraiment furieux, il venait de tourner dans l'eau sale, de se battre contre des sangsues, des araignées et des serpents de marais. Il exigeait de savoir pourquoi je n'étais pas là-bas, afin de lui donner le réconfort dont il avait besoin. Pourquoi, est-ce que moi je serais installée dans le luxe, en train de prendre le thé avec mes amies, alors que lui se battait dans les marécages? J'ai cédé et lui ai dit que je ferai mes bagages le soir-même. »

Ainsi Neile était sur le plateau (une chaloupe en l'occurence) quand Steve avança, de la boue jusqu'aux aisselles, dans le Two O'Clock Bayou. Mais il était souriant. Sa « vieille » était là, et ça le rendait heureux.

Le lendemain du retour des Mc Queen à Hollywood, un coup de fil alarmant les pressa de repartir pour San Francisco : la mère de Steve était gravement malade à l'hôpital Mount Zion. Agée de 55 ans, elle venait de faire une énorme hémorragie cérébrale.

A leur arrivée on avertit Steve que sa mère était entrée dans un coma profond. Ses jours étaient en danger, sans grand espoir de rémission. Mc Queen dit aux médecins qu'il resterait sur place, espérant qu'elle revienne à elle. Steve et Neile veillèrent toute la nuit, mais la situation était désespérée. Le lendemain, le 15 octobre 1965, Julia Crawford Mc Queen mourut sans avoir repris conscience.

Alors qu'il prenait des dispositions pour faire ramener le corps, par bateau, à Los Angeles, afin de l'enterrer au Forest Lawn Memorial Park, les amis de sa mère lui racontèrent comment elle avait gardé toutes ses coupures de presse et chéri les photos de ses petits enfants. Une ou deux fois par an, Steve lui avait envoyé les plus récents clichés de Chad et Terri (souvent sans le moindre mot). Il ne lui avait pas parlé, ni au téléphone ni de vive voix, depuis des mois. « Il lui avait tout de même envoyé de quoi s'offrir une Volkswagen neuve » se souvient une amie de sa mère à San Francisco. « Elle adorait cette petite voiture... se baladait partout avec... et racontait à qui voulait l'entendre que c'était son fils qui la lui avait offerte. »

Pendant l'enterrement Steve n'essaya pas de cacher ses larmes. Il n'avait pas eu la dernière occasion de dire à sa mère qu'il regrettait que les choses n'aient jamais bien tourné entre eux; il aurait voulu lui dire qu'il lui pardonnait sa souffrance, mais il n'avait pas pu le faire. Il avait attendu trop longtemps. Le choc de sa mort finirait par s'effacer, mais pas la culpabilité.

Mc Queen reprit sa carrière. Un mois plus tard, il était en route pour Taiwan, afin de s'atteler au film le plus ambitieux de sa vie, la monumentale et spectaculaire production « La canonnière du Yang Tsé » (The Sand Pebles) tirée du roman de Richard Mc Kenna.

Le 22 novembre le tournage réel commença sur l'île de Taiwan (anciennement Formose). Cinq kilomètres carrés du Port de Keelung à Taiwan, furent méticuleusement reconstruits par les techniciens du studio, afin de ressembler à Shangaï dans les années 20. Le studio fit aussi construire pour 25 000 dollars une réplique du San Pablo, une cannonière de 150 pieds, en parfait état de marche, y compris un très ancien moteur à vapeur, pesant 20 000 kilos. A cause de certains détails de ce genre, plus le salaire des vedettes, et les retards dus au mauvais temps, le budget de 8 000 000 de dollars, atteint rapidement 12 000 000 de dollars. Mc Queen recevait 650 000 dollars.

Dans « La Cannonière » Mc Queen avait le rôle principal celui de Jake Holman, un marin à l'humeur changeante, un dur, officier mécanicien servant sur la cannonière US qui remontait le Yang Tsé Kiang, en Chine. La mission du bateau était de protéger la vie des missionnaires américains.

Solitaire, incompris et tenu à l'écart par ses camarades de bord, le job de Holman consistait à s'arranger pour que le vieux moteur à vapeur continue à tourner vaille que vaille. Il rencontre une jeune institutrice, Candice Bergen, dans l'une des missions et malgré lui, en tombe amoureux.

Il fi_it par décider de quitter la Marine et de travailler avec elle au cœur de cette Chine, déchirée par la guerre. Mais c'est trop tard. Les troupes nationalistes, au cours d'une action d'arrière-garde, attaquent la mission. Holman fait le sacrifice de sa vie, afin de permettre à la femme qu'il aime et aux autres Américains de s'échapper, grâce à la cannonière qui les attend.

La toile de fond était authentique, mettant en cause de jeunes révolutionaires qui en 1926, partant d'une révolte intestine, avaient fondé la République Chinoise.

Robert Wise, le producteur-metteur en scène de « La Canonière » était un vieil ami. Responsable de la première apparition de Mc Queen à l'écran, il raconta cette histoire, entre deux scènes à Taiwan.

« Après avoir donné sa première chance à Steve dans " Somebody up there likes me " je ne me doutais pas un seul instant que je le retrouverai en Orient, comme star d'une aussi énorme et coûteuse superproduction. Mais il faut dire la vérité, il était l'homme idéal pour interpréter Jake Holman. Je n'ai jamais encore vu un acteur aussi doué pour la mécanique! Il apprend tout ce qu'il faut savoir pour faire marcher le moteur du bateau, comme Holman le faisait dans le script. Jake Holman est une forte personnalité qui ne plie pas devant l'adversité, un type farouchement décidé à préserver sa propre identité. Tout comme Steve. »

Richard Grenna, l'autre star du film, qui jouait le rôle du capitaine du bateau, était mystifié par Mc Queen. « Les premières fois où je lui ai parlé, il employait un tel jargon que j'avais l'impression de conserver avec un guerrier zoulou » disait Grenna. « On a finit par bien s'entendre mais je l'ai trouvé extrêmement méfiant. En amitié, il n'avait pas envie de se laisser envahir. Il fallait maintenir toute relation suivant ses propres conditions. »

Un autre membre de l'équipe tenait un journal intime du tournage. De Mc Queen il dit : « On arrive pas à le saisir. En tant qu'acteur, il cherche désespérément à faire impression, mais en ce qui concerne sa vie privée il veut toujours aller plus vite que les aiguilles d'une montre, comme s'il voulait brûler la chandelle par les deux bouts. »

Bouleversés par le nombre de gosses sans abri, de petites filles sous-alimentées qui traînaient dans les rues de Taiwan, Mc Queen et Robert Wise firent don de 12 500 dollars chacun, à un missionnaire, le père Edward Wojnaik, afin de lui permettre d'acheter un terrain sur lequel construire une maison, où abriter les jeunes femmes sans ressource. Comme à chaque fois qu'il s'occupait d'une œuvre de bienfaisance, Mc Queen refusa toute publicité concernant sa contribution.

Afin de maintenir son corps en parfaite forme physique, il fit venir cinq caisses d'équipement de gym, de

Californie. A bord du San Pablo, il installa une salle de culturisme fixant un punching-ball au plafond ainsi que des poids, des haltères et des poulies.

Au cours d'une scène dans laquelle il défendait une mission à lui tout seul, se servant de plusieurs armes lourdes, y compris un fusil Browning automatique. Mc Queen fit très forte impression sur Wise grâce à sa connaissance des armes.

Steve aimait vraiment les armes à feu. En Californie il en avait une impressionnante collection dans sa tanière : plus de deux douzaines de revolvers, des pistolets de duel et des fusils. L'une des plus belles pièces de sa collection était un fusil de chasse italien, un Beretta d'une valeur de 700 dollars. Quand on l'interrogea sur le pourquoi de toutes ces armes, il répondit : « Je suis fasciné par la fabrication et le mécanisme des armes. Un beau revolver est une œuvre d'art, tout comme l'est le moteur d'une Ferrari. »

Neile qui avait refusé de partager l'affiche d'un film avec Marlon Brandon, afin d'accompagner Steve en Extrê-me-Orient, eut l'occasion de faire preuve de son talent de danseuse à Taiwan. Alors que le leurs deux enfants allaient à l'école de la base navale, elle proposa d'aller donner un spectacle pour les troupes chinoises en garnison sur l'île de Quemoy, au large de la côte de la République Populaire de Chine. Ayant fait le déplacement en hélicoptère, elle dansa devant 600 soldats en délire, dans l'auditorium KDC, installé à 600 pieds sous terre. « Je me suis beaucoup amusée » dit-elle « et ils se sont beaucoup amusés. Tout a merveilleusement bien marché. Danser pour moi ce n'est jamais du travail. Je danse aussi naturellement que je respire ».

Par contre, sur cette île Steve ressentit une certaine frustation en ce qui concernait sa passion de la vitesse. Un matin alors que Neile était encore à Quemoy, il loua une voiture avec un chauffeur qui connaissait bien les environs. Ils partirent faire un tour sur les routes étroites de l'île, (essentiellement des chemins de terre battue servant aux troupeaux de vaches). « Je prends le volant » dit Steve au chauffeur, et il fonça à toute vitesse. La police locale mit rapidement un haut-là à son excursion, accusant son guide d'avoir laissé « l'Américain » faire des excès de vitesse.

« Je suis entièrement responsable » admit Steve.

Ils discutèrent, s'engueulèrent, incapables de décider des mesures à prendre. Ce sauvage d'Américain avait-il l'intention de continuer à rouler comme un fou, ou bien acceptait-il de ralentir un peu ? Steve répondit en sortant un petit vélo du coffre de la voiture. Il monta dessus et pédala jusqu'à l'hôtel à une vitesse de croisière de quinze kilomètres à l'heure !

Quand les Mc Queen étaient partis en Extrême-Orient, ils s'attendaient à y rester environ deux mois. Mais c'était sans prévoir que toute l'équipe aurait à se battre contre des barrières de langage, des insectes tropicaux, des maladies, des renversements politiques et la mousson. Les deux mois finirent par en faire quatre. La majeure partie du tournage dépendait des marées, or elles étaient absolument imprévisibles. Le manque d'eau était aussi un énorme problème. Steve et Neile en souffrirent tous les deux. Mc Queen perdit beaucoup de poids à cause d'une maladie tropicale.

Taiwan était aussi un endroit dangereux. On avait prévenu les Mc Queen que la région était infestée de serpents appelés vipères de bambous. Leurs morsures étaient fatales. « Sur place les gens se servaient d'oies pour les combattre » raconta Steve. « Alors, nous avons acheté une oie afin de protéger la maison que nous louions. Elle s'appelait " Ha Ha " et a fait un sacré boulot pendant que nous y étions. »

Les Mc Queen quittèrent leur petite maison exiguë des rivières de Taipeh et vinrent s'intaller à Hong Kong pour les deux dernières semaines du tournage.

Au bout de pratiquement sept mois, totalement épuisants, « The Sand Pebbles » fut enfin mis en boîte et en mai

1966 Steve et Neile se retrouvèrent à Hollywood. Il proclama que c'était :

« Le film le plus dur que j'ai jamais tourné. Je me suis tordu le cou deux fois, j'ai été malade, j'ai respiré des gaz lacrymogènes, travaillé comme un dingue et j'ai terminé épuisé. Alors, croyez-moi quelque que soient les péchés que j'ai pu commettre, j'ai largement payé pour me les faire pardonner! Tout ce que je souhaite c'est que ça donnera quelque chose de valable. »

Le résultat fut que Steve Mc Queen obtint une nomination pour l'Academy Award, et les meilleurs critiques de sa carrière.

A 36 ans, il était arrivé en haut de l'échelle.

LA HAUTE SOCIÉTÉ DE BOSTON

Mc Queen parlait, vautré sur un canapé profond, dans le living-room de sa maison de Palm Springs. Habillé de sandales, d'un short délavé et d'un tee-shirt italien de laine bordeaux, il était bronzé, détendu. D'humeur contemplative. Le sujet : ses enfants.

« Je veux qu'ils grandissent sans connaître cette haine qui me consumait quand j'étais gosse. Je n'ai pas l'intention de mener leurs vies à leur place, mais je veux tout de même leur montrer comment on prend les virages, si tu vois ce que je veux dire ? »

Il se leva, s'ouvrit une boîte de bière et se réinstalla.

« Mes gosses doivent apprendre que nous avons tous le choix de décider qui nous sommes et ce que nous allons devenir. Je suis contre la drogue. La drogue tue. Pourquoi se bousiller la tête avec ce genre de truc ? La vie elle-même est un « voyage ». Le secret est qu'il ne faut jamais s'ennuyer. Il faut toujours trouver des trucs qui vous passionnent.

« Chad aime bien faire de la moto. Comme moi. Il a de la jugeotte. Il s'en sortira. Terri ressemble beaucoup à sa mère, très futée. Elle est deuxième à l'école. Elle aussi elle arrivera. Je suis fier des deux. »

111

Il se tut, tête baissée un court instant. Puis il me regarda intensément. « Ils savent bien que leur vieux les aime. C'est plus que j'ai jamais pu dire ! »

Après la longue épreuve de « La Cannonière » Steve fit monter toute la famille dans son van et ils partirent pour « une région sauvage, où personne ne peut te joindre, où ton agent ne peut pas téléphoner, où tes producteurs ne peuvent pas t'envoyer de scénarios ; où les oiseaux, les écureuils et les lapins se foutent éperdument que tu sois une star ».

Cette région comprenait le Montana et le Canada. Les Mc Queen faisaient du camping sous le ciel étoilé à côté de sources limpides, dans d'immenses forêts profondes. Neile raconte leur escapade :

« On a vu des ours et des opossums, et plein de biches et de cerfs. On pêchait, on découvrait des cascades, des lacs cachés, et tous les matins on se réveillait dans nos sacs de couchage sous le ciel bleu, transparent. C'était une fabuleuse façon de se retrouver en harmonie avec la nature, après tous ces mois de mousson en Extrême-Orient. »

En ce qui concerne Steve le voyage fut gâché par un incident de chasse.

« Je n'ai jamais été très porté sur la chasse, mais on avait besoin de viande alors j'ai pisté un chevreuil et j'ai tiré... en plein cœur. Je vois encore l'expression de son regard et j'entends encore son bêlement. Comment ai-je pu faire une chose pareille ? me suis-je demandé. J'en étais malade. »

Steve n'a jamais supporté de voir souffrir une bête, pas même un insecte, disait Enest Havemann, un journaliste qui avait passé une semaine chez les Mc Queen en 1964. Un matin alors qu'ils prenaient leur petit déjeuner ensemble, Steve était contrarié.

« Il regarda autour de la table, Neile et les deux enfants et dit : « Quelqu'un de la famille a écrasé une sauterelle hier soir, seulement il ne l'a pas tué. Ce matin la pauvre bête bougeait encore dans la poubelle. Elle souffrait. Alors, la prochaine fois assurez-vous de l'avoir bien tuée, d'accord ? »

Mc Queen ne plaisantait pas. La mort de cette sauterelle l'avait vraiment ému.

La déception de Steve de ne pas pouvoir tourner « Day of the Champion » s'estompa un peu en été, quand on l'invita à venir essayer sur route toute une gamme de voitures de sport, sur le circuit de Riverside en Californie pour l'organisation Time Life. L'article qui suivit dans Sports Ilustrated eut un tel retentissement que la rédaction de Popular Science demanda à Steve de tester pour eux des motos de cross. Mc Queen accepta de prendre six motos rapides et d'aller les essayer sur un circuit particulièrement accidenté « jusqu'à leur faire cracher leurs poumons » pour les lecteurs de Popular Science. Il sélectionna une BSA 650 cc Hornet, une Norton Metisse 750 cc quatre temps, une 650 cc Triumph Bonneville, une Honda 450, une Montesa La Gross et une Greeves Challenger 250 cc deux temps.

Le circuit de six miles comprenait des passages sablonneux, des rochers, des grands creux et de véritables tremplins de saut. « J'arrivais à pousser des pointes à 70 m.p.h. sur les passages les plus rapides » dit-il. « On a donc vraiment pu se faire une opinion sur ces bécanes. » Des six, Steve préféra la Triumph Bonneville 650 cc, qui était le genre de machine sur laquelle il avait déjà souvent couru.

Il parla de son propre véhicule hybride, qu'il avait monté lui-même en se faisant aider par Bud et Dave Ekins : « On s'était servi d'un quatre temps 650 cc Triumph, et d'un châssis Rickman. Metisse ultra-léger. Elle avait une puissance supersonique ! »

Pendant que Steve s'occupait fébrilement à essayer motos et voitures, cet été-là Neile, (encouragée par l'accueil qu'elle avait reçu pour son numéro à Taiwan) accepta de reprendre le rôle principal de « Pajama Game ».

« J'avais déjà joué cette pièce tellement souvent à Broadway » dit-elle « que j'avais un peu l'impression de revenir chez moi ». Les deux petits Mc Queen étaient ravis de voir leur mère danser et chanter sur scène, mais au bout de la deuxième semaine Steve se mit à regretter sa présence à la maison. « Il devint plutôt nerveux » et une fois de plus Neile rangea ses chaussons de danse au placard.

Un proche de la famille explique l'attitude de Steve :

« Il a l'impression qu'avec Neile à ses côtés il peut faire face, il arrive à se battre contre ce qu'il considère comme un monde hostile. Il est instinctivement méfiant, hyper-réceptif aux moindres contrariétés, réelles ou imaginaires. Les étrangers l'emmerdent. Il déteste tous ceux qui lui forcent la main. Cependant, et c'est là une caractéristique très importante de sa nature, il est profondément concerné par les chiens battus, par tous ceux à qui la société n'a pas donné leur chance. Il s'identifie à eux, essaye de les aider. »

Alors, tous les trois mois, après s'être bien assuré que personne n'en saurait rien, Mc Queen remplissait le van familial de nourriture, couvertures et médicaments puis se dirigeait vers Four Corners (région totalement désolée où l'Arizona, le Nouveau-Mexique, le Colorado et l'Utah se rejoignent) afin de porter ces choses aux pauvres Indiens Navajos.

Il s'intéressait aussi à la protection du territoire et entreprit un film à ce sujet « The Coming Roads ».

La réussite du travail que Steve avait fait avec les jeunes de la Boys Republic à Chino, l'amena à faire partie du comité de direction de l'Advisory Council of the Youth Studies Center de l'Université de Californie du Sud. Mc Queen était très fier d'être le seul acteur à qui incombait un tel honneur, mais il admit sans peine qu'il avait un peu le trac à l'idée d'assister à son premier comité de direction. « Je n'avais jamais mis les pieds sur un campus universitaire » dit-il. « Mais je me retrouvais là, moi issu de l'école primaire au milieu de tous ces doctes professeurs. C'était pour le moins curieux, mais il me semble que je leur ai bien plu. »

La première mondiale de « La Canonnière du Yank Tsé » était prévue pour décembre 1966 à New York. Avant

114

de partir pour l'Est, les Mc Queen donnèrent une somptueuse soirée dans leur maison de Brentwood. James Garner et Paul Newman les deux superstars amis de Steve, se mêlèrent à Bud Ekins et aux autres copains de course. La soirée fut une réussite, et Steve s'amusa tout en buvant très peu.

« Il faut que je garde la tête claire » avait-il dit à Newman. « Il faut que je finisse de lire tout un tas de scénarios. Devine combien de scripts de merde j'ai lu au cours de ces derniers trois mois ? »

« Dis-moi ! »

« Cent deux ! Il en arrive tous les jours ! »

Newman donna une tape amicale sur l'épaule de Mc Queen : « T'en fais pas mon pote, c'est quand il n'en arrive plus que c'est grave ! »

« La Canonnière » eut un énorme succès, et consolida le statut de superstar de Mc Queen. Cette année-là, il reçut comme récompense la médaille d'or de Photoplay et fut cité par l'Association de la Presse Étrangère comme étant l'acteur préféré du monde entier « World Film Favourite ». Les propriétaires de salles au Japon l'élurent « Acteur étranger le plus populaire » pour la deuxième année consécutive.

Mais la récompense la plus honorifique fut sa nomination à l'Academy Award, comme meilleur acteur en 1966. Ses distingués rivaux cette année étaient Paul Scofield (A man for all seasons), Richard Burton (Who's afraid of Virginia Woolf?), Michael Caine (Alfie) et Alan Arkin (The Russians are coming, The Russians are coming!).

Scofield l'emporta, mais la nomination de Mc Queen prouva son talent d'acteur sérieux. Charles Champlin critique du Los Angeles Times félicita chaudement Steve pour sa performance dans la « Canonnière ».

« Il a perdu devant Paul Scofield, dont l'interprétation de Sir Thomas More était indéniablement pleine de majesté. Mais en un sens Scofield avait déjà répété et approfondi ce rôle des centaines de fois sur scène.

Alors que Mc Queen au milieu des innombrables difficultés du tournage en extérieur, avait créé Jake Holman de bout en bout, étincellant de vie et d'inspiration. »

« J'ai fait beaucoup de difficultés avant de tourner " La Canonnière ", dit-il aux journalistes. " Mais j'aurai beaucoup de chance si je trouve encore un autre rôle aussi bon. " Puis il sourit. " Neile prétend que j'aurais été absolument invivable si j'avais rapporté l'Oscar à la maison. Elle est ravie que j'ai perdu! "

Ayant assisté à plusieurs réunions du Youth Council à l'Université, Mc Queen s'y ressentait maintenant plus à l'aise. Il accepta donc en janvier 1967, une invitation d'Arthur Knight, professeur et critique qui lui proposait de parler à une classe de cinéma de l'USC. Mc Queen emmena avec lui Frank Conroy, un journaliste qui préparait un grand papier sur lui pour « Esquire ». Plutôt ce jour-là Conroy avait joué avec les enfants de Steve, chez eux. Il était très impressionné par leur adresse. A six ans, Chad était déjà un vétéran, et Terri était tout aussi douée.

« Au moins, ils ont appris à la maison », dit Mc Queen avec un sourire. « Moi j'ai appris à me débrouiller à Indianapolis, je m'amusais au lieu d'aller à l'école. »

Steve, de toute évidence était fier de ses deux rejetons. « Ils sont encore trop petits pour se servir de bats normaux aussi je leur en fais faire sur mesure. Chad aime bien faire des trucs très compliqués et Terri n'est pas mauvaise non plus. Mais je ne les mettrai pas encore en compétition avec les Minnesota Fats! »

Pendant la session de l'USC qui se tenait au théâtre de Fox, Mc Queen était très à l'aise avec les étudiants, comme l'a remarqué Conroy : « Une fois sur scène il représentait vraiment quelque chose pour ce public, le sens d'une certaine puissance et de la retenue en même temps, il les charmait, les faisait rire, ressentant ce qu'il appelait « Les bonnes vibrations » qui venaient de ces gosses.

Jonglant avec les questions des étudiants, Steve répondit à comment il choisissait un scénario plutôt qu'un autre, au milieu de la marée de scripts qu'il recevait : « Je recherche des personnages et des situations qui me vont bien » leur dit-il. « Mais même quand j'ai l'impression que ça colle, il reste encore un travail énorme à faire. Chaque scénario est un ennemi qu'il faut vaincre. Je laisse une part de moi-même dans chaque rôle. »

Finalement le film que Steve choisit pour suivre « La Canonnière » fut une histoire criminelle, mettant en scène « un prétentieux plein aux as bien décidé à baiser la société ». Son titre était « l'Affaire Thomas Crown » et le tournage était prévu à Boston et à Cape Cod.

Le même mois le Saturday Evening Post publia un article sur Mc Queen. « Un perdant qui gagne gros. » L'auteur, Trevor Armbrister décrit Steve comme étant « un non-conformiste futé, qui sait exactement ce qu'il veut, et n'hésite pas à sortir des chemins battus pour l'obtenir. Il est impulsif, impatient et manque totalement d'humilité. Il est honnête, sincère... et d'une loyauté absolue pour ses amis. »

Armbrister le cite : « J'ai joué beaucoup de perdants, mais maintenant c'est fini. Cela m'a pris longtemps avant de réaliser que je n'étais pas moi-même un perdant. »

En mars 1967, Steve Mc Queen laissa l'empreinte de ses pieds dans le ciment frais du Grauman's Chinese Theater à Hollywood. Il devenait ainsi la 153e star à le faire. Il apprécia l'honneur qu'on lui faisait, mais admit « toute la mise en scène me cassa les pieds. Je veux dire que l'on ne peut pas refuser ce genre de truc, mais j'avais un peu l'impression d'être un éléphant en train de faire son numéro au milieu de la piste de cirque »!

Au moment de partir tourner « Thomas Crown », Steve était à nouveau enchanté de s'échapper des contraintes de Hollywood. « J'avais vachement envie de m'évader et partir pour Boston » dit-il. « Une fois que j'ai embarqué Neile et les gosses, fin prêts, j'étais à moitié crevé. Alors, dès que j'ai reçu le coup de fil me disant d'arriver, j'ai foncé! »

Dans « l'Affaire Thomas Crown », Mc Queen interprète un self made man, millionnaire de Boston, que son propre succès ennuie, et qui égaye sa vie en mettant au point le hold-up « parfait ». Travaillant dans l'ombre en tant que chef d'un gang de professionnels, il réussit un casse de 2 500 000 dollars dans une banque, et se retrouve rapidement aux prises avec une jeune et brillante employée d'une compagnie d'assurance, enquêtant sur l'affaire. (Le rôle était tenu par Faye Dunaway toute auréolée de la gloire de Bonnie and Clyde.) Elle est tout à fait décidée à prouver sa culpabilité. L'affrontement de ces deux personnalités, puis leur histoire d'amour illumina l'intrigue de ce film sardonique et profondément anti-establishment.

Quand on engagea Mc Queen pour interpréter ce jeune aristocrate, joueur de polo et un tantinet blasé, certains doutèrent fortement qu'il arrive à être convaincant en tant qu'intellectuel précieux. « On me conseilla de refuser » dit Steve.

« On m'a dit que ce serait un peu comme si on voulait faire une robe du soir avec une serpillière. Mais j'ai répondu : Minute. Le bonhomme veut battre l'establishment sur son propre terrain. Bien sûr, c'est un rebelle de la haute, mais il est tout de même mon genre. Et vous allez vous rendre compte que l'habit peut faire le moine. »

On prit les mesures de Mc Queen, afin de lui faire des costumes et des smokings à 400 dollars pièce. Il échangea ses baskets contre des chaussures italiennes faites à la main. Une collection de chemises en soie et de cravates de Bosten firent « l'habit ». Personne n'était aussi ravi de sa nouvelle image de marque de jeune dandy que sa femme. (« Neile m'a dit que pour la première fois de ma vie, j'avais l'air d'un gentleman! »)

« Tommy Crown portait un insigne Phi Beta Kappa » disait Steve. « Alors, il m'en fallut un. Finalement j'ai emprunté celui du décorateur du film. Il ne me restait plus qu'à me mettre au volant de la Rolls de Crown pour me sentir tout à fait chez moi. »

Mais tout n'était pas aussi facile que ça. D'abord, il fallut que Steve apprenne à jouer au polo. « Pour moi le polo était un peu du latin. J'ai mis trois longues semaines avant de piger » racontait-il. « Il fallait que je me lève encore plus tôt le matin afin de me rendre au terrain de polo, où je m'entraînais deux heures avant le début du tournage. Puis, le soir une fois la dernière scène dans la boîte, j'y retournais jusqu'à ce qu'il fasse nuit! »

Steve avait très souvent eu l'occasion de monter à cheval, que ce soit dans « Au nom de la loi » ou dans les autres westerns qu'il avait déjà tournés mais jamais encore en se servant d'une selle anglaise. « J'étais habitué à la selle de western » reconnaît-il.

« La première fois que le cheval s'est arrêté un peu sèchement, je me suis retrouvé sur son cou, accroché à ses oreilles. Lui, il connaissait le jeu, moi pas. Il allait à gauche, j'allais à droite – sur les fesses! On guide un poney de polo avec les genoux afin de se garder les mains libres pour le maillet. J'ai fini par comprendre le jeu et à m'amuser vraiment en fonçant de haut en bas du terrain. Mais croyez-moi, à force d'essayer de rester sur cette selle j'ai eu ampoules sur ampoules... »

Les scènes de polo furent tournées au très élégant Club de Myopia Hunt, près de Hamilton, Massachussetts. Steve appréciait beaucoup le fait qu'il jouait contre des « Gens de la Haute » dont le sang bleu coulait depuis maintenant trois siècles.

Mc Queen dut aussi apprendre à piloter un planeur. Au départ dans le scénario il devait faire du ski nautique, mais Mc Queen et Norman Jewison estimèrent que le planeur collait mieux à la personnalité d'un aristocrate Bostonien.

« Sans moteurs, ces engins volent un peu où les vents les poussent » disait Steve. « Un atterrissage d'une parfaite précision est impossible. Notre équipe technique avait installé ses caméras dans un champ où j'étais censé me poser. Hélas, un coup de vent m'a entraîné, j'ai loupé l'endroit prévu, et me suis retrouvé dans un champ de pommes de terre. Rien de cassé, mais mon amour-propre par contre en a pris un sale coup. »

Plusieurs scènes d'action comprenaient un buggy, véritable petit bolide au moteur gonflé que Steve avait en partie conçu. Quand l'engin arriva dans les dunes de sable de Cap Cod, pour les extérieurs, Steve émit quelques doutes quand à son efficacité.

« On s'était servi d'un châssis VW raccourci, et d'une carrosserie en fibre de glasse sur lesquels nous avions monté un turbo Corvair 180 hp. Il avait une gueule et marchait l'enfer quand on réussissait à bien le lancer sur le bord de l'énorme cuvette de sable, haute de 190 pieds. Jusqu'à 80 m.p.h. – une merveille – il suffisait de chatouiller le volant pour le garder en ligne. Il était même facile de faire lever les roues avant et d'avancer sur les seules roues arrières. Mais à cette vitesse j'avais l'impression qu'on m'arrachait la peau du visage, la tirant derrière les oreilles! Et puis, il n'y avait pas de stabilisateur. Si on se retournait on s'écrasait on rebondissait dans le sable. »

McQueen affirmait que Faye Dunaway méritait bien la médaille du « Purple Heart » pour avoir accepté de monter avec lui dans ce buggy.

« A l'arrière on avait deux énormes pneus qui rendaient l'engin difficile à conduire. Nous avons fait un saut très spectaculaire, pour les caméras, juste au bord d'une grande dune, c'était dingue, les roues arrières se cognant en l'air. Quand je l'ai regardée, Faye avait les yeux exorbités, et le plancher portait encore les traces de ses talons hauts. »

Pour l'une des séquences filmées près de l'océan, Jewison voulait que Steve, au volant du buggy avance droit vers la mer, et qu'au tout dernier moment il donne un grand coup de volant. « Ça sera une scène énorme » dit Jewison.

Faye collée à ses côtés, Mc Queen s'élança sur le sable allant vers les vagues, le moteur rugissant. Tout alla bien jusqu'au moment où il devait tourner. « J'ai donné un coup de volant, et rien » dit Mc Queen.

120

« L'engin refusait de tourner. Puis la boîte de vitesse se coinça et nous, on fonçait vers l'océan à toute vitesse. Dans le film on aperçoit juste le petit buggy orange disparaître dans l'eau! Faye en sortit dégoulinante mais souriante. Sacré bonne femme! Il a fallu démonter entièrement le moteur pour le dessaler.

Faye Dunaway était très impressionnée par le fait que Steve faisait beaucoup de choses qu'aucune autre star n'acceptait de faire. « Il prend vraiment des risques » dit-elle. « Et ça on s'en aperçoit en regardant le film. »

Au cours d'une autre de leurs nombreuses scènes ensemble, Steve et Faye jouaient une partie d'échecs, étonnante mais parfaitement académique. (Chaque coup était la répétition d'une partie jouée en 1899 par deux experts Zeissl et Walthonoffen, à Vienne.) Cette séquence était hautement érotique, Jewison en avait fait un jeu amoureux, l'échiquier devenant le champ de bataille de l'amour. « Mc Queen et Dunaway fumaient littéralement à l'écran » commenta un critique.

Une autre scène dont on parla aussi beaucoup par la suite, fut celle de baiser entre les deux stars, qui impliquait un travail très complexe de caméra.

« J'étais sensé être en train de mordiller amoureusement Faye » expliqua Steve, « puis elle m'en faisait autant. La caméra par-dessus, par-dessous, nous tournant autour afin de créer une ambiance sexy. Cela dura huit heures, avec une pause pour déjeuner. Pendant une semaine on a eu mal aux lèvres... »

Mais il y eut des problèmes familiaux au cours du tournage de « Thomas Crown ». Les Mc Queen avaient loué une maison pour l'été, dans un quartier habité par la bonne bourgeoisie des faubourgs de Boston. Ils l'avaient fait pour leurs enfants, estimant qu'une « vraie maison » leur donnerait le sens des proportions et qu'ils se sentiraient moins déracinés. « Cependant » raconte Neile, « cela ne marcha pas très bien. Terri copina avec des gosses assez vieux pour savoir qui était Steve, et ce fut la fin de notre quiétude. Tous les enfants du voisinage se précipitaient sur Steve à chaque fois qu'il rentrait à la maison, pour lui demander un autographe. Cela causa pas mal de perturbations, et pour la première fois nos enfants se mirent à considérer leur père comme quelqu'un d'à part. Et cela les conduisit à se conduire, eux, comme s'ils étaient différents, ce qui était mal. On ne voulait absolument pas qu'ils perdent leur équilibre. C'est tellement facile de gâcher un enfant à Hollywood. Cet été à Boston me terrifia, c'est là que j'ai compris à quel point il est difficile d'élever des enfants normalement quand leur père est une idole. »

En tant que Tommy Crown, Steve était gentleman jusqu'au bout des ongles. Depuis « Love with the Proper Stranger », Mc Queen n'avait jamais été présent à l'écran d'une façon aussi romantique. Il était raffiné, élégant avec une lueur diabolique dans le regard, et les femmes se précipitaient pour le voir. Les « Belles of Memphis » un groupe de femmes universitaires du Sud, choisit Mc Queen comme « l'homme le plus sexy d'Amérique ». Il était devenu l'idole romantique de millions de femmes dans le monde entier. Son image de marque de sex symbol national se retrouva encore plus agrandie par cette dernière production.

Jak Holman, le marin aux cheveux coupés en brosse, dégoulinant de sueur de « La Cannonière du Yang Tsé » était devenu Thomas Crown l'élégant jeune homme au sang bleu de Boston. Cette transformation était remarquable et peu d'acteurs à Hollywood auraient pu le faire avec autant de facilité.

« L'Affaire Thomas Crown » était la preuve vivante que la diversité de son talent d'acteur était bien plus impressionnante que lui-même ne voulait le reconnaître.

BULLITT

En parlant de Mc Queen avec des gens du métier, je l'ai souvent entendu décrire comme étant un « solitaire », un homme qui n'avait pas d'amis intimes, pour lequel seuls femme et enfants comptaient. Ces appréciations venaient du fait qu'il avait peu d'amis dans le monde du cinéma, et qu'il donnait donc l'impression d'être encore plus un reclus qu'il ne l'était vraiment.

Le partenaire en affaires de Steve, Bob Relya disait que Mc Queen « avait besoin d'être aimé plus qu'aucun autre type qu'il ait rencontré... mais c'était à sens unique. Il voulait que les gens l'aiment, mais il s'imaginait que lui n'avait pas besoin de les aimer ».

Un après-midi Steve et moi parlions d'amis et d'amitiés, dans un garage du Nord d'Hollywood, et il approuva quand j'évoquai son image de solitaire.

« Ouais, plein de gens me voient comme ça. Steve ermite. » Il sourit. « Mais je nie pas du tout que je préfère rester éloigné de cette foule bizarre, bidon de Beverley Hills et de leurs soirées d'un snobisme grotesque... Ça ne me plaît pas, c'est pas mon truc. Ils passent leur temps à se vanter de tout le fric qu'ils gagnent, parlent du tabac que fait ton dernier film, de ta cote dans les studios... un vrai cirque. Moi, j'ai des amis, des vrais, sur lesquels on peut compter quand c'est pas le pied. Ils travaillent dur et ne font pas de concessions. Si ça se trouve ils ont un garage comme celui-ci, ou pilotent des motos de course, ou tiennent une petite boutique, peu importe. Un de mes copains, Elmer Valentine, est le patron du Whisky à Gogo de Sunset Strip. On va monter un restaurant espagnol ensemble. Ces gens-là sont sincères, ils vous aiment pour ce que vous êtes. Bien sûr, certains de mes amis travaillent dans le métier comme Bob Relyea et Jack Reddish qui sont avec moi à Solar, et puis ce vieux Johnny Sturges, mais mes proches sont des gens en qui je peux avoir confiance. Ils m'aident à garder la tête froide. Quand je joue comme un pied, ils me le disent! Ils ne m'épargnent jamais! »

Il s'arrêta, réfléchit, puis sourit.

« Quelque chose de drôle? »

« Je me souviens de la façon dont mes copains motards m'avaient chambré au sujet d'une série de photos que j'avais faites, pour un magazine féminin. J'avais dû poser avec des mannequins, genre squelettique, et on m'avait fait porter des trucs à la mode avec des chaînes autour du cou et des bracelets en or... Quand mes copains ont vu les photos ils ont hurlé de rire. « Tu le sais que tu es chou, comme ça mon petit Mc Queen! » Je t'assure qu'ils ne m'ont pas fait de cadeaux. C'était bidon, ils le savaient, je le savais mais ils n'avaient pas du tout l'intention de laisser passer ce genre de plan! »

Il s'arrêta encore, devenant plus sérieux. « Des types comme ça, quand il y a une vraie merde, ils donneraient leur sang, leur vie, pour toi... comme moi je le ferais pour eux d'ailleurs. On n'en rencontre pas souvent... alors quand l'occasion se présente on s'y accroche parce qu'on sait que c'est pour toujours. »

Après son rôle d'escroc millionnaire de « l'Affaire

Thomas Crown », Mc Queen passa de l'autre côté de la barrière, d'escroc il devient flic dans « Bullitt ». Il jouait le rôle d'un flic dur, insubordonné, le lieutenant Frank Bullitt, qui enquête sur la mort d'un patron de la Mafia.

Cette nouvelle production qui était censée devenir le plus grand succès de Mc Queen, était financée par Warner Brothers, mais sous l'entière responsabilité des Solar Productions. Pour d'autres films précédemment tels que « Soldier in the rain », « Nevada Smith » et « La Canonnière » la maison de productions de Mc Queen avait fonctionné à l'arrière-plan. Avec « Bullitt », il contrôlait tout.

Steve amena avec lui Robert Relyea en tant que producteur de l'exécutif. Jack Reddish comme directeur de production, et s'arrangea pour faire engager l'Anglais Peter Yales comme metteur en scène.

« J'avais beaucoup aimé la façon dont Yales avait tourné la poursuite en voiture de « The great Bank Robbery » qu'il avait mis en scène en Angleterre » dit Steve. « On avait écrit une sacrée poursuite pour Bullitt et j'estimais qu'il était l'homme qu'il nous fallait. Alors on a fait venir Yales pour son premier film en Amérique.

La somptueuse Jacqueline Bisset fut engagée comme partenaire féminine de Steve (rôle beaucoup plus décoratif que conséquent) et Steve prit l'un de ses copains des « Magnificient Seven », Robert Vaughn pour jouer un homme politique corrompu, ennemi du flic. Avec ce rôle fort, dans lequel il se défonçait, Vaughn donna ce que beaucoup de critiques considèrent comme la meilleure performance de sa carrière.

Le script était vaguement basé sur un roman de Robert Pike « Mute Witness », mais Mc Queen jamais satisfait du scénario passa son temps à le modifier pendant le tournage. La version finale fut complexe, parfois même légèrement incompréhensible, mais Yales et Mc Queen donnèrent un tel rythme à l'action, que finalement le public n'eut pas l'air de se soucier de la logique de l'histoire. Un critique surpris, résuma la situation :

« Au milieu du film je me demandais vraiment qui était qui et avait fait quoi, et pourquoi! Les Maffiosi apparaissaient et disparaissaient tellement vite, que Frank Bullitt lui-même, visiblement ne savait plus où il en était. Mais comme notre héros, au regard d'acier, passait son temps à foncer dans les rues accidentées de San Francisco, à avoir les 707 qui se posaient pratiquement sur lui, sur les pistes de l'aéroport, toujours aussi invulnérable, j'ai pris le parti d'abandonner toute logique et de me détendre dans mon fauteuil, appréciant le film d'une façon toute viscérale. Dans ce cas, le mot " Thriller " est une hyperbole, c'est un euphémisme. " Bullitt " est un film que l'on doit vivre et non pas analyser. »

Mc Queen hésita avant d'accepter ce rôle.

« Je n'avais jamais pensé jouer un rôle de flic. Quand j'étais môme, les policiers m'avaient toujours emmerdé. Il m'avait semblé, une fois pour toutes, que moi j'étais d'un côté de la barrière et eux de l'autre. Je ne m'étais jamais senti à l'aise avec eux. Mais ici à Frisco, j'ai vu l'autre côté de leur boulot, et ça m'a drôlement ouvert les yeux. »

Afin de se mettre dans la peau du personnage, Steve tourna dans une voiture de police avec deux flics de San Francisco. « Ils étaient droits, honnêtes et faisaient un boulot ingrat. Ils ont vraiment gagné mon estime. »

L'une des scènes d'action majeures du film devait être tournée sur l'aéroport, par une nuit glaciale et venteuse. Bullitt avait coincé son bonhomme et lui courait après dans le noir, arrivant sur une piste au moment où un gigantesque 707 devait décoller. Ce soir-là, il frôla la mort de près en plongeant sur le tarmac, évitant de justesse l'aile de l'avion qui rugissait en prenant son envol.

Yales avait souhaité engager un cascadeur, mais Mc Queen avait refusé.

« Je ne te laisserai pas faire ça, Steve! »

« Bien sûr que si » coupa Mc Queen. « Mais enfin Pete, ça n'est pas pire que la cascade en train que j'avais faite, dans

126

le " Kid de Cincinnati ". C'est uniquement une question de minutage, de savoir quand il faut que je me remue les fesses. Crois-moi, je peux le faire. »

Yales soupira. « Bon, eh bien on va bien voir je suppose? » Et il fit signe au pilote du 707 qui attendait.

Il y eut un instant de suspense, et le gros avion se mit à bouger. Comme il prenait de la vitesse, Steve fonça directement sur lui en partant du côté opposé de la piste. Les réacteurs faisaient un bruit littéralement assourdissant au moment où Mc Queen plongea adroitement sous l'aile en mouvement, se jetant à plat sur la piste, il échappa de justesse aux jets de chaleur (240°) qui sortaient des réacteurs.

« Les vibrations m'ont un peu tordu le cou » dit-il plus tard. « Au moment de tomber il faut ouvrir la bouche et se boucher les oreilles. Ça m'a un peu bousculé, mais ça va. » Il se tourna vers le metteur en scène. « Ça collait Pete? On y croyait? » Yales assez secoué l'assura qu'on y avait vraiment cru!

Émus par les risques que prenait Steve, les directeurs de la Warner menacèrent d'annuler définitivement la poursuite auto, à moins que sa mise en scène ne puisse être complètement contrôlée... par eux. Yales et Mc Queen refusèrent catégoriquement, persuadés que le film y perdrait de son authenticité. Le fait de glisser dans une rue factice en studio, et de rebondir sur des coins de trottoir en caoutchouc n'apporterait rien. Il fallait prendre le public aux tripes.

« On voulait un truc qui pète. Qui fasse hurler le public » dit Mc Queen. « Cela impliquait que l'on tourne au cœur même de la ville. Il est absolument impossible de faire semblant en ce qui concerne ces satanées collines de San Francisco. J'ai dit aux types de la Warner qu'on bousillerait tout le film si on truquait la poursuite. »

Le studio capitula, mais ils expliquèrent clairement que l'assurance prenait de tels risques que l'on poursuivrait la Solar en cas de morts ou de blessures graves.

« L'un des avantages que l'on a en étant son propre producteur » déclara Mc Queen, « est que l'on peut faire les choses comme on l'entend. On peut de moins en moins tromper les spectateurs de nos jours. Maintenant, ils veulent du vrai, de l'authentique. Et ça, on ne l'obtient pas en tournant dans un vieux hangar. » Steve s'occupa de tous les détails.

« Avec Max Balchowsky, un dessinateur de châssis, on a apporté quelques modifications aux deux voitures concernées : une 6T 300 Mustand (on pensait qu'un flic comme Bullitt pouvait s'en offrir une!) et un Magnum Dodge Charger 440 que conduisait les méchants. »

Balchowsky devait préparer ces voitures afin qu'elles tiennent le coup durant l'incroyable poursuite dans les rues de San Francisco, où elles étaient particulièrement malmenées. On consolida les suspensions sur la Mustang, on monta des amortisseurs Kono aux ressorts particulièrement solides, on raccourcit le villebrequin du Dodge, on rajouta une suspension Nascar à l'arrière et des amortisseurs Bonneville. Les deux voitures furent équipées de freins à disques et de stabilisateurs.

« Je voulais Bill Hickman dans la Dodge » dit Mc Queen. « Bill est un excellent cascadeur, un vrai pro, et je savais que je pouvais compter sur lui, alors dans le film, il jouait le méchant au volant du Dodge Charger, tandis que moi, Frank Bullitt je lui courais après dans la Mustang. »

La municipalité de San Francisco était loin d'être emballée à l'idée de cette poursuite dans les rues de leur ville. « La première fois, on s'est fait jeter dehors du bureau du maire » admet Steve. « Il trouvait qu'on donnait le mauvais rôle aux flics. »

Lors de la deuxième visite, Mc Queen lui expliqua que le film n'était en aucun cas dirigé contre la police, quant à la poursuite elle n'allait pas durer longtemps et serait parfaitement contrôlée.

‹ Ils finirent par accepter de bloquer la circulation en ce

qui nous concernait, mais ils ne se rendaient absolument pas compte de ce qu'on allait faire avec ces bagnoles! Même nous on ne savait pas encore ce que ça allait vraiment donner! »

Les extérieurs comprenaient plusieurs des collines les plus pentues de la ville, ainsi qu'une course le long du front de mer, se poursuivant à plein gaz sur l'autoroute et se terminant par plusieurs tonneaux avant la spectaculaire explosion finale.

« J'avais fait écrire cette explosion à la fin de la poursuite » dit Mc Queen. « La Dodge quittait l'autoroute à fond la caisse, entrait dans une station service, et là, tout pétait! »

Plusieurs grands cascadeurs furent engagés afin d'assurer un certain réalisme, mais comme Mc Queen était le boss, il décida de faire sa propre conduite lui-même.

« Neile aurait fait un foin de tous les diables si elle avait su ce que je faisais » reconnut Steve. « Je ne lui ai absolument pas parlé de cette poursuite. Elle était à Los Angeles avec les gosses et je me disais que si elle ne savait rien, elle ne se ferait pas de mauvais sang. »

On ne voyait que deux voitures dans « Bullitt », mais en fait, il y en avait quatre, car chaque voiture avait sa doublure. Les « doublures » étaient aussi minutieusement mises au point. Si une voiture était abîmée, il y en avait donc une autre de disponible immédiatement, en attendant que la première soit réparée. (Il s'avéra que ces voitures furent très utiles.)

On en était au stade final des préparations quand un matin, Steve reçut une lettre recommandée de Ken Hyman, de la Warner Bross. Cette note interdisait à Mc Queen de se servir de sa moto pour aller et venir du plateau, tant que le tournage du film ne serait pas terminé.

« Au lieu de signer le récépissé, j'ai gribouillé quelque chose d'obscène et renvoyé la lettre » raconte Steve. « Personne à cet instant n'avait le droit de m'empêcher de faire de la moto. En fait, en y pensant c'était complètement idiot. » Il voulait dire qu'il estimait aberrant qu'on lui interdise de faire de la moto, alors qu'il était en train de préparer le tournage d'une poursuite au cours de laquelle il risquerait sa vie, au volant d'une Mustang gonflée, à travers les rues de la ville, à plus de 100 m.p.h.

Il était impossible de répéter, et personne ne savait à quoi s'attendre, quels seraient les problèmes ce matin-là dans la ville basse de San Francisco. Les rues adjacentes étaient soigneusement bordées par des cordons de policiers équipés de walkies-talkies, et plusieurs cascadeurs étaient prêts à intervenir dans un croisement de quatre rues, un peu plus bas pour le grand accident.

« OK, on tourne » cria Yales, et Hickman dans un rugissement poussa sa Dodge à fond, Mc Queen fonçant derrière lui dans la Mustang. Tout de suite derrière eux, et conduit avec tout autant d'énergie, arrivait le V8 Chevy, portant Fraker et sa caméra.

Un reporter décrivit la scène.

« On voyait brusquement dévaler le Charger, la Mustang et le Chevy, tous à fond au milieu du croisement, laissant des traces de caoutchouc sur le bitume avant de disparaître de l'autre côté de la colline. Les passants restaient bouche bée, en état de choc! »

Normalement ce genre de scène se tourne en une seule prise, car le bruit des moteurs attire le monde, rendant la situation encore plus dangereuse. « Parfois, on devait s'y reprendre à deux fois » dit Steve, « mais la plupart du temps, il fallait qu'on prenne nos marques dès la première prise. On ne pouvait pas surveiller tout le monde à la fois, il devenait difficile de ne pas avoir quelqu'un dans le champ. Et puis, il fallait que ça continue à faire vrai, avec le nombre de personnes qu'il y a ordinairement sur les trottoirs, sans foule qui ne serait pas crédible ».

« Arrêter les voitures après une telle course devenait un véritable problème », racontait Mc Queen. « Je freinais en catastrophe vers 80-90, l'arrière de la voiture chassait et les Firestone F 100 chauffaient sérieusement. »

Mc Queen se rendit compte que même sa grande expérience des circuits ne l'avait pas préparé à ce genre de conduite.

« Au cours d'une scène, je devais prendre un virage rapide dans une rue étroite, effleurer une voiture en stationnement et m'enfuir. Mais quand je suis arrivé dans le virage, j'ai été beaucoup trop vite et suis rentré plein pot dans la voiture en question, je l'ai complètement rayée de la carte, rebondissant même sur une autre garée à côté. Rien de tout cela n'était prévu, mais on a eu un peu plus de réalisme !

Bill Hickman eut aussi ses problèmes. Alors qu'il descendait, à fond, la colline, la pédale de frein du Dodge Charger, cassa net. Hickman fit déraper la voiture jusqu'au bas de la colline dans un hurlement de pneumatiques, évitant de justesse de rentrer dans le groupe formé par la police et les techniciens. « L'une de nos caméras fut détruite au passage quand Bill la heurta » dit Mc Queen, « et on a gardé ce passage. La Dodge arrive en crabe, traverse l'écran et brusquement tout devient rouge. C'était la caméra qui éclatait. »

Huit caméras enregistrèrent l'action. Deux d'entre elles furent placées à l'intérieur de voitures, toutes deux 35 m/m avec magasins de 200 pieds, peintes en noir afin que l'on ne puisse pas les apercevoir.

Les voitures souffrirent beaucoup plus que Mc Queen lui-même l'avait prévu. Chaque choc en arrivant au bas des rues à pic abîmait sérieusement les carrosseries. « Arrivé au croisement, le bas de caisse frottait et j'entendais un bruit sourd dans la voiture. Je me garais, faisais le tour de la voiture, et à chaque fois c'était la même chose, le carter d'huile éclaté, et l'huile répandue partout. On nettoyait la chaussée, changeait le carter, on remettait de l'huile, et on repartait ! »

Il fallait vérifier soigneusement les voitures après chaque course car un boulon ou une roue mal serrée risquait de nous coûter la vie. Tous les soirs l'équipe se réunissait devant un tableau noir avec une pile de plans de la ville, afin de décider où se passerait l'action du lendemain. Puis, le matin Steve se faisait réveiller par téléphone et à ce moment-là, on lui disait où retrouver les autres. « Un matin, on ne m'a pas appelé et j'ai dormi très tard » dit Mc Queen. « Quand je me suis réveillé, je me suis demandé ce qui se passait. J'ai téléphoné un peu partout, on m'a dit où se passait le tournage, alors j'y suis allé en moto... et là, qu'est-ce que j'ai vu ? Ce vieux Bud Ekins, descendant la colline au volant de MA Mustang, portant MA veste et MES lunettes de soleil ! Je me suis précipité sur Peter Yales et Bob Relyea en hurlant à la mort. Très calmement, ils m'ont dit de la fermer et de m'asseoir, car je ne devais plus tourner les dernières séquences de la poursuite. C'est à ce moment-là que j'ai découvert toute l'histoire. »

Un ami intime des Mc Queen avait très innocemment raconté à Neile les risques que Steve était en train de prendre. Elle revint immédiatement de Los Angeles, et supplia Relyea de ne pas laisser son petit mari conduire la Mustang pour les derniers sauts de la course poursuite, dans Chestmut Street. Relyea avait accepté de laisser Bud Ekins prendre la place de Steve. Quand on lui a expliqué ce que ressentait Neile, Steve fit machine arrière et accepta de se laisser doubler par son vieux motard de copain.

Ekins décrit la cascade. « J'arrivais à 60 miles et là je décollais pour un saut de dix mètres. L'atterrissage était délicat, je savais pertinemment que si une roue éclatait, la voiture serait déséquilibrée, elle basculerait et descendrait toute la rue en faisant des tonneaux ! »

Les voitures avaient de plus en plus besoin que l'on prenne soin d'elles ! Les poignées des portes de la Mustang lâchèrent, deux pare-chocs cassés, ainsi que la direction. Quand Ekins sortit de la voiture après la dernière prise, la porte lui resta dans les mains.

« C'était comme dans les vieux films muets » dit Steve. « Les voitures tombaient en morceaux, et on les réparait pour la prochaine prise de vue. »

Neile ignorait tout des séquences sur le front de mer et sur l'autoroute. Donc on ne lui avait pas promis que Steve ne les tournerait pas lui-même. Alors, Ekins reprit son Dodge et Mc Queen le volant de la Mustang.

« Sur l'autoroute, c'était aussi dingue que sur les collines » dit Steve. « Bill Fraker avait installé sa chaise et une caméra sur la Chevy et il fonçait à 114 miles à travers la ville à deux mètres de moi, des bouts de bitume volant derrière nous. »

La police avait interdit la circulation sur ce tronçon d'autoroute et toutes les voitures autour d'eux étaient conduites par des cascadeurs. L'action voulait que Hickman frôle un camion, rebondisse sur un rail de sécurité et se lance avec Mc Queen dans une folle course-poursuite, pendant laquelle les deux véhicules lancés à plus de 100 miles à l'heure se cognent sans arrêt, chacun essayant de faire sortir l'autre de la route.

Peter Yales était responsable d'une partie du tournage, il s'installa à l'arrière de la Mustang avec une caméra portative.

Mc Queen admira le calme de son metteur en scène : « J'étais franchement en train de pousser la Mustang à fond la caisse, et Pete à l'arrière, hurlait en me disant d'aller plus vite, ou encore de cogner la bagnole de Bill encore plus fort ! »

Pendant cette scène, il fallait qu'un motard affolé, panique complètement en voyant les deux voitures lui arriver dessus. Il devait perdre le contrôle de sa bécane et déraper longuement droit sur la Mustang. « Bud Ekins était sur la moto » dit Steve.

« Quand il m'a raconté qu'il allait faire cette cascade, j'ai commencé par refuser. « Tu vas te faire envoyer ad patres et ta femme ne me le pardonnera jamais ! » Mais il était tellement têtu qu'il réussit à nous convaincre que tout irait bien, alors on l'a laissé faire. Mais, je vous jure que je n'ai jamais eu autant la trouille qu'en le voyant balancer sa BSA juste devant nous. Quand il a sauté, il a dérapé au moins une bonne vingtaine de mètres sur l'asphalte! »

L'explosion de la station-service devait être le point final de la poursuite. Pour cela, on installa des fausses pompes à essence, dans lesquelles le Dodge devait rentrer, en y ayant précautionneusement fixé des charges de nitro-glycérine. La Mustang de Mc Queen devait donner l'impression de pousser le Dodge dans la station-service, au moment du choc un expert en explosifs ferait exploser les charges afin que pompes et voitures prennent feu. Il fallait que le minutage soit parfaitement respecté, car après l'explosion, il devenait impossible de recommencer une prise de vue.

« Carey Loftin vêtu de ma jaquette conduisait la Mustang » dit Steve.

« Loftin était un véritable vétéran. Il n'y avait rien qu'il ne sache faire. De toute façon, là on lui avait dit qu'il devait rouler sur l'autoroute, côte à côte avec le Charger. Les deux voitures donnaient encore l'impression de faire la course. Puis au dernier moment, il devait faire un truc qui faisait traverser la route au Dodge, l'envoyant renverser les pompes à essence. A cet instant, la nitro explosait et on devait en avoir terminé. »

Mais les choses ne se sont pas tout à fait déroulées comme prévu. Le Dodge a mis trop longtemps avant de traverser la route, a loupé les pompes puis est rentré directement dans la station-service. Mais le spécialiste a tout de même appuyé sur le détonateur, et tout a explosé au moment prévu. « Si on fait vraiment attention en regardant le film, on s'aperçoit effectivement que le Dodge a dépassé les pompes. Mais en fin de compte le résultat obtenu était bon. »

« On en avait enfin terminé avec notre poursuite » raconte Peter Yales. « On a tourné trois semaines dans San

Francisco pour obtenir douze minutes de projection, une fois le film monté. Mais le résultat valait largement tous les problèmes et risques encourus. On s'est tous rendu compte qu'on tenait un truc énorme. »

Pour les remercier, Mc Queen organisa une projection de « Bullitt », non monté, pour le directeur de la police de San Francisco et ses adjoints. Il leur fit d'ailleurs très forte impression en leur faisant une démonstration d'art martial chinois. « Ce type est vraiment rapide comme l'éclair » dit de lui l'un des officiers de police.

A cause de l'augmentation du prix de revient du film, la Warner 7 Arts mit un point final à son accord avec Mc Queen. En mai, les dépenses avaient atteint la somme de 5 000 000 de dollars! Le studio dénonça son contrat et toute forme d'association à venir avec les Productions Solar. Mc Queen devrait donc se trouver un autre associé. « On s'en foutait » dit Steve. « On savait tous que " Bullitt " allait marcher. Personne, concerné de près ou de loin avec ce film, n'a jamais douté qu'il allait rapporter énormément d'argent. »

Même Neile était ravie, en dépit des craintes qu'elle avait ressenti lors des cascades et de la conduite « sportive » de Steve. « Et puis » disait-elle « c'est notre premier film à " un million de dollars " ». Le salaire de Steve représentait toujours vingt pour cent du budget, or « Bullitt » coûta cinq millions. Alors qu'un journaliste lui demandait quels étaient les projets de son mari, Neile répondit en souriant :

« C'est très simple, Steve a l'intention de bâtir un empire. »

« Bullitt » était le cinquième énorme succès d'affilée, de Mc Queen au box-office. A ce stade de sa carrière le fait de bâtir un empire était plus que possible, cela devenait une réalité.

LE GREDIN DU MISSISSIPI

On parla de Chino, de ce qu'il avait vécu, de pourquoi il y retournait, de ce qui le poussait à y retourner.

« Tu sais, même autant d'années après, je peux encore ressentir la chaleur de la buanderie! » Steve se passa les doigts de sa main droite doucement sur le front. « La transpiration m'aveuglait presque... et la vapeur était mortelle là-dedans. » Il me regarda avec un petit sourire rentré. « J'y retourne tous les quatre mois. Je leur parle, je joue avec eux. On bouffe des glaces ensemble... Pourquoi ? Mais parce que je leur dois tout. Je paye mes dettes. Eux me disent que je leur fais beaucoup de bien. C'est possible, mais laisse-moi te dire que... » Il se pencha sur moi. « Si je pensais, si je croyais vraiment qu'en y retournant comme j'y vais, je réussirai à aider l'un de ces mômes qui, comme moi était sur la mauvaise pente, à revenir dans le droit chemin, ça me vaudrait largement tous les déplacements. Rien qu'un seul. »

Je lui répondis qu'incontestablement il avait dû en aider plus d'un, grâce à ses visites.

« Ouais... peut-être... » Il alluma une cigarette. « Il faut bien renvoyer l'ascenseur de temps en temps, pas se contenter de prendre. C'est ce que j'essaie de faire à Chino. Je rends un peu. Comme aux Indiens de Four Corners, c'est pareil. Je suis dans une position où je peux aider, alors je le fais. »

Son expression s'assombrit, il fronça les sourcils, le regard durci. Nerveusement il tripotait sa cigarette.

« Qu'est-ce qui ne va pas ? »

« Ce qui m'ennuie c'est que les journalistes disent que je fais ça pour faire parler de moi. Pour avoir mon nom dans les journaux. Ils me posent des questions sur Chino, je leur réponds et après ça se retourne contre moi. Je me servirais de l'école pour faire parler de moi. C'est dur. J'ai envie de cogner quand je lis ce genre de truc. Ça me fait chier ! »

« Ce n'est pas vraiment un problème, ça mis à part, de faire parler de toi. »

« Mais oui, bien sûr, seulement, ils ne me croient pas. Ils n'arrivent pas à comprendre que j'y retourne uniquement parce que je suis persuadé que je peux donner un coup de main à un pauvre môme mal loti. »

« Tu ne devrais pas les écouter. »

« Il y a plein de trucs que je ne devrais pas écouter » dit-il en écrasant sa cigarette. « Allez viens on va aller bouffer un morceau. La colère m'ouvre l'appétit ! »

Et comme le disait Steve « on s'est éclaté ».

Peu de temps après avoir terminé « Bullitt », Mc Queen accepta de donner une interview à Katie O'Sullavan du magazine Coronet, chez lui à Brentwood. Elle écrivit :

« La propriété des Mc Queen est franchement impressionnante, de la cour d'honneur, façon plazza, avec tous ses pots de géraniums multicolores, en passant de l'étincelant carrelage espagnol à l'intérieur, jusqu'à l'exquise rampe d'escalier délicatement sculptée, sans oublier la magnifique collection d'œuvres d'art anglaises, italiennes, espagnoles, ni les merveilleux tableaux aux murs. »

A ce propos elle cita Mc Queen.

Avril 1947. Steve (au centre, en haut) a 17 ans. Après bien des "bêtises", il s'engage et devient conducteur de tank dans la deuxième division des Fleat Marine Forces.

Avec Neile Adams, sa première femme, une comédienne qu'il épouse en 1955. Leur mariage dure quinze ans et Neile lui donne trois enfants, un garçon Terry, et deux filles Leslie et Chadd.

Steve devient Josh Randall, le cow-boy de "Au nom de la loi", un personnage de légende qu'aucun téléspectateur dans le monde entier n'a pu oublier.

Il rencontre Ali Mac Graw, la vedette de "Love story". C'est l'amour passion et pour tous les deux un second mariage, le 13 juillet 1973. Steve a 43 ans, Ali dix ans de moins.

Au restaurant avec l'actrice Candice Bergen qui fut longtemps l'une de ses meilleures amies.

Avec Terry Leslie, sa petite fille qu'il adorait et qui a aujourd'hui vingt-neuf ans.

Passionné d'automobile, pilote émérite, en 1970 il vient en France sur le célèbre circuit pour tourner "Le Mans".

Pour "Le Mans", de Lee Katzin, l'acteur se préoccupe du réglage des caméras pour que la vérité de la course soit respectée.

Egalement grand fanatique de la moto, il n'a bien sûr pas été doublé pour cette scène périlleuse de "La Grande Evasion", de John Sturges (1962).

Invité à Paris en septembre 1964 par Télé 7 Jours, dont le tirage a doublé depuis... Steve a apporté le célèbre fusil à canon scié de Josh Randall qui est vendu aux enchères au profit d'œuvres de charité, Gilbert Bécaud l'achète.

Steve ne s'est pas fait prier pour expliquer le maniement de l'arme au chanteur qui l'a toujours conservé en souvenir de cette soirée.

D'une photo à l'autre, Steve fume jusqu'au bout ses cigarettes. Parfois jusqu'à trois paquets par jour. D'où son cancer du poumon dont il mourra.

*Le visage
inoubliable de
Josh Randall et dans
les yeux de Steve son
éternelle mélancolie de
cow-boy solitaire.*

A la fin de sa vie, il voudra jouer "Un ennemi du peuple", une adaptation de Ibsen, et se laissera pousser une barbe gigantesque. Mais pour ses admirateurs il reste un acteur au visage lisse et sympathique.

Un homme qui a toujours décidé de sa vie et qu'aucun réalisateur n'a pu contraindre à tourner une scène qu'il n'appréciait pas.

"Les Sept Mercenaires", de John Sturges (1960), avec Yul Brynner.

"Une certaine rencontre", de Robert Mulligan (1964) avec Nathalie Wood.

"Le Kid de Cincinatti", de Norman Jewison (1965).

"La Canonnière du Yang Tsé", de Robert Wise (1966).

"L'Affaire Thomas Crown", de Norman Jewison (1968), avec Faye Dunaway.

Les visages d'un pilote automobile plus vrai que nature dans "Le Mans", son film-fétiche sorti en 1971.

Dans "Bullit", de Peter Yates (1968), avec Robert Vaughn.

"Papillon", de Franklin Schaffner (1979), avec Dustin Hoffman.

"La Tour infernale", de John Guillerman (1979), avec Paul Newman.

"Tom Horn", son avant-dernier film, de William Wiard (1979).

"Le Chasseur", son dernier film, de Buzz Kulik (1980).

Sa dernière photo au Mexique, en 1980, avec Barbara Minty, sa troisième femme qui le soutiendra jusqu'au bout. Déjà, sur son visage le masque de l'agonie et de la mort.

« Ce tableau représentant une petite fille Mexicaine, est de Montoya. Neile l'a acheté. En matière de peintures, elle ne connaît que ce qu'elle aime, et moi encore moins. Mais c'est celle-là notre préférée.

Ici, on a un peu l'impression de vivre à la campagne, tout en étant tout près de la ville. J'aime les arbres, et on a toutes sortes de pins. (Jack, Monterey et Chinois.) On a aussi des animaux sauvages, des biches, des renards, des opussums. Et puis bien entendu les enfants passent leur temps à nous ramener des chats et des chiens perdus. Il y a de la place pour tout le monde. »

La dernière remarque de Steve était l'écho d'une réflexion de Neile parlant de son éternel besoin de venir en aide aux déshérités : « Dès qu'il rencontre quelqu'un ayant un problème, il se sent obligé de faire quelque chose pour lui. Steve passe son temps à s'occuper des autres, parfois même jusqu'à l'extrême. »

La course poursuite de « Bullitt » avait réveillé en Steve le goût de la compétition automobile. Il choisit pour faire sa rentrée le Stardust 7-11, un marathon hors pistes, très exigeant, se passant en juin 1968 à Las Vegas, Nevada.

« Je me suis trouvé une petite merveille pour cette course » dit Steve à la presse. « Une Baja Boot, moteur Chevrolet. 450 chevaux sous le capot. 4 roues motrices. Suspension indépendante. Et douce avec ça! Je monte à près de 100 miles sur le sable. Et croyez-moi ça déménage! » Bud Ekins avait accepté de lui servir de co-pilote-navigateur.

Les dangers encourus lors de la 7-11 étaient tellement grands qu'ils auraient dû paralyser tout automobiliste qui se respecte, or 137 candidats s'étaient inscrits cette année-là pour s'attaquer au désert d'Armagosa. Sponsorisé par la National Off Road Association, le tracé du circuit représentait une énorme boucle de 320 miles de long, s'étirant du Nevada, le long de la frontière Californienne, à travers collines, vallées et lacs desséchés pour revenir à Las Vegas. Les candidats devraient faire deux fois le circuit. Le départ étant donné au Stardust Raceway près de Las Vegas.

Quand Steve et Bud Ekins ont poussé leur Boot sur la ligne de départ à 12 heures la course avait déjà commencé pour les plus petites cylindrées; les toutes premières étaient parties à 11 heures. Neil était là avec la femme de Bud Ekins. Il se souvient qu'elle lui avait recommandé : « Et surtout, tâche de ne pas aller trop vite! »

« Non, mais qu'est-ce qu'elle raconte? » rétorqua Steve. « C'est une course, tu sais, et le principe dans ce genre de truc, c'est justement d'aller le plus vite possible! »

Comme il attachait sa ceinture de sécurité, Neile le regardait en souriant, une lueur d'inquiétude dans les yeux.

On baissa le drapeau et la Boot partit dans un nuage de fumée, fonçant vers le premier poste de contrôle.

Avant d'atteindre « Check point Charlie », près de Ash Mcadows, à environ 100 miles de Las Vegas, Steve devait traverser une partie du désert sans route carossable, faire son chemin le long de la frontière californienne sur des vieux dépôts de lave tranchantes, qui cisaillaient les pneus, couper à travers deux lacs asséchés remplis d'énormes caillasses, mais où l'on pouvait traitreusement s'ensabler.

Arrivant par l'autoroute du Nevada, Neile et Betty attendirent une longue journée, guettant Steve et Bud dans leur grosse voiture rouge.

Des nouvelles inquiétantes arrivaient au poste de contrôle : un motard avait fait une mauvaise chute et s'était cassé le poignet; une jeep avait pris feu, plusieurs voitures s'étaient retournées, et beaucoup d'autres étaient accidentées ayant mal supporté le terrain rocailleux.

« Quelqu'un avait-il aperçu la Boot? »

« Ouais, moi je l'ai vue » dit un pilote de Jeep tout en essuyant son visage couvert de poussière avec une serviette humide. « Je sais qu'il a passé la frontière, car à environ 15 miles de ce côté j'ai aperçu Steve qui bombait comme un malade! »

Le soleil se couchait derrière les montagnes et la nuit tombait sur le désert. Vers 9 heures du soir un commissaire de course leur annonça que Steve et Bud étaient coincés à 32 miles de là, sur des rochers. Une roue était cassée, mais les pilotes étaient sains et saufs.

Mc Queen raconta l'incident : « On fonçait, très contents de la voiture et de nos chances de l'emporter quand on a aperçu une grosse roue qui roulait à côté de nous. Elle nous appartenait! L'axe avait pété. C'était foutu. Alors, on s'est assis par terre en attendant qu'on vienne nous secourir. »

Steve parut dans un show télévisé en octobre, à moto cette fois, faisant une démonstration pour Ed Sullivan, et l'emmenant faire un tour dans un Buggy qu'il avait lui-même conçu.

Cette émission était strictement business, Mc Queen étant directement concerné par la Solar Engineering, société qu'il avait créé afin de fabriquer des engins, de l'équipement, et des kits pour motos. Le buggy qu'il présentait dans le Ed Sullivan show était entièrement équipé par la Solar, et Steve annonça qu'il mettait sur le marché un nouveau siège de sécurité pour véhicules hors pistes. « Cela a commencé quand un de mes amis a plié son buggy et s'est abîmé le cou » dit Mc Queen.

« Le siège n'avait pas tenu le choc. Alors, je me suis dit que je pourrais peut-être en concevoir un plus au point. Alors, j'ai fait faire quelques dessins, j'ai pris un énorme morceau de terre glaise et je me suis mis au travail. Après, en partant du modèle d'argile, j'ai fait couler un moule plus rationnel, on a créé un revêtement spécial pour l'habiller et on l'a baptisé le " Baja Bucket ". Depuis on le vend aux pilotes de course, et je suis fier de dire qu'en cas de tonneau, il a déjà sauvé plus d'une vie. »

En tant qu'acteur, Steve estima qu'il était temps de faire quelque chose de nouveau. Il ne voulait pas, après « Bullitt », tourner un autre « thriller ». « Parce que c'est ça que les gens attendaient de moi, or j'aime bien surprendre, préserver un certain suspense en fait. On s'encroûte à toujours faire la même chose. Il est temps que je « m'enlargisse » un peu.

Steve décida donc de « s'enlargir » en acceptant de jouer Boon Hogganbeck, dans une version filmée du roman de William Faulkner « The Reivers ». Le film devait être tourné dans le Sud, mis en scène par un vieil ami des Mc Queen, Mark Rydell.

« Après " Soldier in the rain ", je m'étais promis de ne plus jamais m'attaquer à un rôle comique » dit Steve.

« Et pourtant, je me retrouvais là, dans le Mississipi en train de sourire et de faire le pitre. C'était peut-être la bonne chose à faire après « Crown » et « Bullitt », mais en fin de compte ça ne m'a pas beaucoup plu. »

En fait Rydell éprouva des difficultés avec Steve. « Cela venait surtout de ce qu'il n'était pas très à l'aise dans son rôle » dit Rydell.

« J'ai eu un véritable problème dans les scènes avec Steve et Rupert Grosse, qui jouait le rôle de son ami. Dans les rôles légers, Mc Queen proclamait qu'il devait être purement instinctif, et il n'avait pas tort car dès la deuxième prise, il n'était plus drôle du tout. Il se renfermait, on n'en tirait plus rien. Crosse était tout le contraire, c'était à la deuxième prise qu'il était le meilleur. Alors, j'ai résolu le problème en doublant Steve pendant les neuf premières, et en le faisant entrer pour la dixième quand Crosse s'était bien échauffé. »

« Ça a parfaitement bien marché! »

Les banquiers de la Cinema Center Corporation financèrent le film, mettant même un avion à sa disposition, un Jet de la production.

Ce film racontait l'histoire de deux gredins, qui en 1905, volent une voiture neuve, une Winton Flyer pour une équipée sauvage partant du Mississipi jusqu'à Memphis, Tennessee. Le jeune Lucius (joué par Mitch Vogel) les accompagne, et le voyage devient pour ce garçon une espèce d'initiation à la maturité car Bonne, qui n'aime que s'amuser, lui fait découvrir certaines des choses de la vie.

A Memphis, ils échangent la Winton volée, contre un cheval de course, qui ne galope vite que si on le nourrit de sardines. Ils engagent l'animal capricieux dans une course à l'hippodrome local, et cette séquence est le grand moment de cette comédie légère et nostalgique.

Les scènes tournées sur des petites routes de campagne, le furent autour de Carolton, Mississipi, une région qui a très peu changé depuis le début du siècle.

« L'un de nos plus grands problèmes venait de la véritable star du film » dit Steve. « Où, en 1968, peut-on trouver une Winton Flyer 1905 en parfaite condition, qui supporte allègrement de traverser des trous plein de boue, de sauter un fossé et de rouler gaiement sur une route cahoteuse? La réponse est nulle part, il ne reste donc plus qu'à la construire. »

Mc Queen alla rendre visite à son ami Van Dutch, spécialiste des créations automobiles, dans son atelier. « Il nous a fabriqué notre Winton » dit Steve.

« Entièrement fabriqué tout seul, le châssis d'alu, tout. Quand il nous l'a montrée, on n'en est pas revenu. Elle était superbe, jaune vif, avec des cuivres étincelants, une réplique authentique de l'originale Flyer 1905, mais avec en plus, sous le capot un moteur moderne. On en avait franchement besoin sur les pistes du Sud. »

Dans le film, Mc Queen conduit la Winton dans une marre de boue, et essaie de l'en sortir. Étant comme toujours un perfectionniste, Steve se retrouva couvert de boue de la tête aux pieds, avant la fin de la scène.

L'extraordinairement comique course de chevaux de Memphis fut en réalité tournée en Californie au ranch Walt Disney.

Les affiches publicitaires du film montraient une photo de Mc Queen portant un chapeau de cow-boy en paille, de longs cheveux bouclés, souriant largement en train de mordiller un épis de maïs. Sous la photo se trouvaient ces mots : « Vous allez adorer Boone! »

Steve était loin d'être ravi par cette « campagne – genre retour à la terre ». « Sur la photo, je ressemblais à l'idiot du village. Mais on ne peut pas tout surveiller! »

Le film n'obtint tout de même pas le phénoménale succès au box office de « Bullitt », mais cette charmante petite comédie, intelligemment tournée fut bien reçue par le public qui apprécia l'habile et énergique prestation de Mc Queen. Cette fois, il tint parole : « The Reivers » fut son dernier rôle comique.

Steve rapporta du Mississipi plusieurs flacons d'eau de vie de contrebande. (« Ce truc, c'était de la dynamite liquide! »)

Quand il entendut dire qu'une délégation soviétique visitait les États-Unis, sous les bons auspices du Département d'État, et souhaite rencontrer des vedettes du cinéma américain, Steve les invita chez lui en même temps que de nombreuses autres célébrités de Hollywood. Il les accueillit gaiement, tendant à chacun un flacon d'eau de vie, en leur disant « Cul sec! »

Lui-même prit une longue goulée de sa bouteille. Les Russes soucieux de ne pas offenser leur hôte, en firent autant. Au milieu d'un concert de toux et de crachements, les Russes les larmes aux yeux, rouges comme des coquelicots, sourirent faiblement à Mc Queen, en qualifiant l'eau de vie « de boisson américaine supérieure ».

En novembre, faisant un effort pour atténuer la tension conjugale créée par sa passion pour les courses, Steve décida de donner une somptueuse soirée-surprise pour Neile au Candy Store, l'une des discothèques à la mode de Hollywood. Le prétexte était leur douzième anniversaire de mariage, et des dizaines d'invités vinrent les aider à le célébrer.

Pendant la réception, alors qu'ils dansaient ensemble, Neile dit à Steve que « s'il désirait que leur mariage dure plus longtemps, il faudrait qu'il sorte davantage avec elle, qu'il voie d'autres gens que ses copains de circuits ». Mais la compétition était le gros problème de leur ménage et Neile n'arriva pas à le persuader d'abandonner son sport préféré.

Invité à Londres en juin 1969 pour rendre hommage à l'Académie Royale d'Arts Dramatiques, Steve se servit de cette invitation comme excuse pour assister à la course des 24 heures du Mans, en France, avec son équipe caméra de la Solar. Ils tournèrent 30 000 pieds de « pellicule de base » pour un film qu'il avait l'intention de tourner sur cette compétition internationalement connue.

Le fait de n'avoir pu faire « The day of the Champion » l'ennuyait encore, et la course du Mans offrait à Steve une nouvelle chance de concrétiser un vieux rêve. « Je voulais vraiment traiter la compétition comme cela n'avait encore jamais été fait » dit-il à la presse.

« Pour dire vrai, je voulais réaliser le meilleur film jamais encore fait sur ce sujet! »

Mc Queen comprit vite qu'il lui allait être difficile de trouver les capitaux nécessaires à une telle aventure.

« C'est pourquoi, j'avais emmené mon équipe avec moi cette année-là. La pellicule qu'on allait rapporter montrerait l'intensité dramatique... Et puis, on voulait aussi que les officiels du Mans nous fassent confiance. On voulait leur faire comprendre qu'on était des pros, qu'on saurait ne pas les gêner et que l'on respectait le sport et la course. »

Steve reconnaît que jusqu'alors, il ne s'était pas encore rendu compte de l'extraordinaire tension, de la fièvre du Mans, avant d'en être lui-même témoin. « C'est absolument fantastique. Quand le compte à rebours commence, avec toutes les voitures alignées devant les stands bourrés de monde... on peut pratiquement ressentir des vibrations. »

Steve fit affaire avec le CBS/Cinema Center Film pour financer la production en association avec Solar. Le film devait commencer un an plus tard (en juin 1970) et cette fois

Steve était bien décidé à ce que rien ne l'arrête, il n'avait pas l'intention de revivre les frustrations de « Day of the Champion ».

Mais ses amis étaient soucieux : « Qu'est-ce que va dire Neile quand tu vas aller en France tourner un film sur les courses de voitures? »

Mc Queen n'avait pas de réponse : « Je ferais face à ce petit problème quand ce sera le moment voulu. »

Il allait s'agir d'autre chose que d'un petit problème. Ce film allait être l'élément final qui allait détruire son mariage.

LA QUEUE DU TIGRE

Et c'était comment là-haut?

« Quand on est largué comme un vulgaire colis » dit Steve. « Ça fait vraiment un curieux effet. Sur une portion de route, il y a six poteaux télégraphiques à moitié enterrés sur lesquels on doit rebondir. Je pense que c'est fait uniquement pour que l'on se redresse en hurlant! Mais c'est ce grand saut qui vous hante! »

La carrière de Mc Queen progressait presque aussi vite que sa jeep trafiquée. En septembre, il reçut une autre distinction. Pour cela il dut aller à Washington où on lui remit le trophée de Star de l'année 1969, décerné par l'Association Nationale des Salles de spectacles, représentant 10 000 cinémas aux États-Unis. Ce prix reflétait parfaitement le fabuleux succès de « Bullitt » (« Les gens y retournent deux ou trois fois » raconta Steve « pour voir notre poursuite dingue à travers les rues. »)

Mc Queen se sentait toujours aussi profondément concerné par « les gosses à problèmes ». Cet automne, il avait été très ému en apprenant que deux jeunes garçons avaient été envoyés dans une prison pour adultes. Un juge de Floride, avait condamné Donald Douglas, 14 ans et Richard Copas, 15 ans à trois ans d'internement dans un établissement de haute sécurité. Leur crime : casse avec effraction, avec préméditation.

« Ces gosses ne devraient pas être dans un tel endroit! » dit Mc Queen à Neile.

Il téléphona aux autorités de Floride offrant d'aider, mais on lui répondit qu'il n'y avait rien à faire, que les gamins resteraient en prison jusqu'à ce que l'on connaisse le résultat du jugement en appel, et que cela risquait de prendre des mois.

Steve appela alors le secrétaire d'État à la Santé de l'État de Floride, James Bax, et lui déclara qu'il était prêt à se porter personnellement garant des deux jeunes et qu'il s'occuperait de les faire entrer à la Boys Republic de Chino. Bax, lui dit qu'ils étaient déjà hors d'atteinte dans la prison pour adultes de Lake Buller.

Mc Queen refusa d'abandonner. Il contacta le Gouverneur de Floride, Claude Kirk. « Il faut les faire sortir de là. Vous le devez! » dit-il à Kirk. L'intervention de Steve fut efficace. Une semaine plus tard, il reçut des nouvelles de Bax. Le Gouverneur avait fait une chose sans précédent, il était allé à Lake Buller chercher les adolescents. « Il les a pris sous sa protection jusqu'à ce qu'ils entrent dans notre établissement de réhabilitation pour jeunes délinquants. « On dirait bien que vous avez gagné, Steve » lui dit Bax.

Mc Queen était satisfait, il savait que l'on allait traiter équitablement les gosses, et qu'ils auraient leur chance comme lui en avait eu une à Chino, de bien se débrouiller plus tard dans le monde adulte.

« Ça paye parfois d'être une superstar » dit-il à Neile. « En tant que John Doe je n'aurais absolument rien pu faire pour eux. Mais ils ont écouté Steve Mc Queen! »

« Quand Steve faisait ce genre de chose, cela nous rapprochait beaucoup » disait Neile. On ne peut pas s'empêcher d'aimer un homme qui se sent aussi concerné par les jeunes en détresse. Mais à chaque fois que les choses s'arrangeaient entre nous, il s'inscrivait dans une course, et on se retrouvait au point de départ, on se criait dessus. »

Cette fois-ci, en automne 1969, les hurlements concernaient la Baja 1000, la course hors route la plus dure de toutes. Des hélicoptères des informations, s'apprêtaient à suivre les pilotes, alors qu'une équipe des actualités allait filmer la course.

On appelait très justement la péninsule Baja du Mexique, « le terrain de jeu du diable ». Avec l'Océan Pacifique à l'ouest et le Golf de Californie à l'est, cette longue spatule de terre désolée est sûrement très proche de l'enfer. Ce ne sont que rochers, poussières et chaleur proprement infernale. Le tracé commençant à Ensenada, à environ 70 miles au sud de la frontière internationale, comprenait huit postes de contrôle, avant d'arriver à La Paz, au total 832 miles, 20 heures par jour au volant pour chacun des pilotes des camions gonflés, des buggies, jeeps et d'un curieux assortiment de voitures musclées. »

James Garner l'ami mais néanmoins rival de Steve conduisait une Olds Cutlass V 8, spécialement préparée pour la compétition, ce qui ajoutait un peu de piment à la course. Un vieux copain de Mc Queen, Harold Daigh, conduisait avec lui la Boot à moteur Chevrolet. (Quand on lui à demandé s'il était nerveux, Daigh a haussé les épaules : « Cela pourrait être pire, je pourrais aussi jouer à la roulette russe, avec toutes les balles dans le barillet! »)

Démarrant à 8 heures du matin, devant une foule serrée de spectateurs enthousiastes, les 247 participants partaient toutes les 60 secondes d'Ensenada pour le tronçon le plus rapide de la course (la route était presque entièrement pavée). C'était la puissance pure qui comptait le plus sur ces 90 miles, et Steve fonça dans un style éblouissant.

Il y eut un drame très peu de temps après le premier poste de contrôle quand une Ford Bonco fit plusieurs tonneaux. Les deux pilotes furent tués; un autre accident eut lieu un peu plus tard lorsque deux conducteurs d'un buggy furent grièvement blessés, transportés immédiatement à l'hôpital en hélicoptère.

Mc Queen poussa le Boot à fond, dans les routes de montagnes, dérapant savamment dans les épingles à cheveux bordées de précipices de 500 pieds de haut. Le revêtement de la route s'arrêta brusquement pour faire place à un chemin défoncé, cahotant et rempli de nids de poule.

« Dans les passages rapides » dit-il « il nous arrivait de décoller d'environ 50 à 70 pieds! Le Boot est tellement doux à conduire que parfois il nous arrivait d'en faire un peu trop. Même sur les passages accidentés, je maintenais un bon 60, or quand on se paye une grosse pierre à cette vitesse-là, on peut casser un essieu ou encore plus! »

Les voitures souffraient beaucoup, pneus déchirés, axes de transmission cassés, directions faussées, radiateurs percés par les cailloux. 97 seulement arrivèrent à La Paz; 150 restèrent en chemin.

La piste devenait de plus en plus accidentée en avançant vers le deuxième poste de contrôle. Après El Rosario, baptisé « le poste avancé », on attaquait la région sauvage du Baja.

Après avoir fait poinçonner sa carte, Steve fonça comme l'éclair vers Rancho Santa Juez, 86 miles plus bas dans la péninsule rocailleuse. La piste traversait maintenant une région d'une sécheresse impressionnante. Mc Queen dévala cette région infernale slalomant entre les rochers et les cactus géants, les lunettes couvertes de poussière, la bouche pleine de sable. Il fonçait, continuant à maintenir une solide position de leader dans la catégorie la plus rapide. Il pouvait gagner. Entre autres, il voulait battre James Garner, persuadé que son Boot pouvait faire mieux que l'Olds de Garner à La Paz.

Mais juste avant d'arriver au troisième contrôle le Boot se mit à ralentir. La transmission automatique faisait un bruit particulièrement inquiétant. « J'ai l'impression qu'on a perdu une vitesse » dit Daigh.

Steve approuva : « Ouais, on est foutu! »

La boîte de vitesse ayant rendu l'âme, le Boot se trouva hors course. Après 238 miles de compétition, ils durent laisser la voiture à Rancho Santa Juez, et prirent un avion privé pour rentrer à Los Angeles. Le vainqueur, en 20 heures 48 minutes, était une Ford Bronco.

James Garner finit deuxième de sa catégorie.

En février 1970, Mc Queen fit encore la « une » des magazines du spectacle. Un sondage effectué par l'agence Renters dans 41 pays lui accorda le titre de Golden Globe World Film Favorite. Son cachet était passé à plus d'un million de dollars par film, et il recevait un véritable flot de propositions de scénarios. Il les refusa toutes.

« Je vais faire ce truc sur Le Mans » dit-il aux journalistes. « On va le tourner en France cet été. »

« Et après Le Mans? »

« Yucatan » leur dit-il.

« On tournera au Mexique. Il y a près de mille ans les Indiens couvraient les Mayan de bijoux avant de les jeter dans des puits sacrés. La légende veut tous ces bijoux sont encore au fond, sur les squelettes. Notre histoire aura pour personnage central un type qui va faire sa propre chasse au trésor, au Mexique, en moto. Bien entendu, je serai le type à la moto... Alors il va falloir que je m'entraîne très sérieusement! »

La voiture prévue pour la France était une Porsche Spyder 908, 3 litres. Le modèle de course qui avait presque gagné Le Mans en 1969 alors que Steve y était spectateur. Il avait été très fortement impressionné par la puissance de la 908, et grâce à CBS avait réussi à acheter l'ex-voiture d'usine, pour son écurie personnelle de Solar. « Le Mans est une course très rapide » expliqua Steve.

« Il fallait donc que je me familiarise avec une voiture comme la 908, afin de pouvoir ressentir ce qu'est vraiment une course comme celle-là. Dans la plupart des films de Hollywood, sur les courses automobiles la vedette est doublée, mais je refuse absolument que l'on me double au Mans. Si je n'arrive pas à me débrouiller avec la 908, il n'y a plus aucune raison de tourner ce film. »

Quand il réalisa à quel point la mise au point et l'assistance de la Porsche demandaient d'avis autorisés, Steve engagea Richie Ginther ex-star des Grands Prix. L'un des pilotes les plus talentueux de la compétition internationale, Ginther s'était retiré des circuits en 1967. « Rich est un type très intelligent » dit Steve. « Il connaît les Porsches car il en a conduit pendant des années. Lui mettant la 908 au point, je sais qu'il saura en tirer le maximum. Le reste dépendra de moi. »

Pour la tester, Mc Queen décida d'engager la Porsche dans une course du Sports Car Club of America (SCCA) à Holtoille, en Californie du Sud. Au volant du petit bolide blanc, à la suspension hyper-basse, Steve gagna la course haut la main, laissant le second à une bonne minute derrière lui.

Cette victoire encouragea Steve à s'inscrire à Riverside, Californie, pour une course beaucoup plus dure. « Pour gagner à Riverside? Il faut beaucoup de chevaux sous le capot à cause de la ligne droite longue d'un mile » dit Steve. « Là, on peut aller aussi vite que votre moteur et vos nerfs vous le permettent. »

Riverside était un circuit mortel, qui ne pardonnait rien. Un tête-à-queue, à n'importe quel moment, pouvait avoir un résultat fatal.

Comme Steve l'avait demandé, Neile était présente ce week-end, dans la tribune officielle, nerveuse, apeurée. Elle l'avait regardé établir un nouveau record du tour, et gagner la course préliminaire du samedi. Mc Queen était détendu, confiant et satisfait de la voiture, mais Neile n'arrivait pas à rester cool. Elle avait le pressentiment qu'il allait au-devant de gros ennuis dans la course du dimanche, et elle avait raison.

« Dimanche, après le septième tour, j'étais en tête » narra Mc Queen.

152

« On montait les vitesses comme au Mans à cause de la longue ligne droite, qui nous amenait à 160 en quatrième. Je sortais du neuvième virage et passais de troisième en quatrième devant les stands avant de m'engager dans la première grande courbe. J'étais en plein dans le virage, quand la boîte de vitesse m'éclata dans la main. Neile qui a tout vu, m'a dit qu'il y avait des pièces de métal noir volant dans tous les sens. La quatrième en sautant avait fait un énorme trou dans le carter. »

Steve réussit à immobiliser la Porsche fumante sur un bas-côté et à s'extraire de la voiture. « Je pense qu'il va nous falloir une nouvelle boîte de vitesse » dit-il en relevant son casque et ses lunettes, à ses mécaniciens plutôt secoués.

« Je me suis rattrapé de l'échec de Riverside, en gagnant ma prochaine course à Phoenix. A ce moment-là, j'étais en tête des SCCA pilotes, menant aux points dans la Class A Sports Car Championship, mais je n'ai pas terminé la saison. Je mourais d'envie de revenir aux deux roues, alors je descendis à Lac Elsinore, environ 70 miles au Sud-Est de Los Angeles, afin de participer à la course annuelle. »

Ce circuit était particulièrement accidenté. Il commençait par une route pavée sinueuse, zigzaguait environ un demi-mile, avant d'enjamber deux fossés, de traverser un terrain pierreux, des passages de désert, des cuvettes sablonneuses, puis de grimper à flanc de montagne avant de replonger dans la ville d'Elsinore. Là, le circuit passait par les rues pavées de la ville, traversait les voies de chemin de fer et après une épingle à cheveux à 180° longeait le parc municipal, avant de revenir à la route de départ.

Dix tours à faire avec cinq cents pilotes en course.

Une foule incontrôlable d'environ 40 000 personnes, était venue assister à ce Grand Prix de Lake Elsinore. Beaucoup d'entre eux s'étaient installés dans les virages, à quelques centimètres seulement des voitures. Un pneu éclaté, une flaque d'huile, la moindre erreur, et une voiture risquait de foncer dans le public.

Pour Mc Queen, couché sur le guidon de sa Motocross Husky 405 cc, Elsinore était un nouveau challenge.

« Ouais, j'en voulais vraiment ce jour-là » dit-il. « Je veux dire que j'étais fin prêt! »

Au milieu de 500 engins, sur le circuit accidenté de 10 miles, Steve ne mit pas plus de trois tours avant de se retrouver avec les pilotes de tête. Mais les ennuis l'attendaient au quatrième tour. « C'était une chose stupide, ma faute en fait » admit Mc Queen.

« Quand on tourne avec les dix meilleurs pilotes, comme je le faisais, tout le monde se tirant la bourre, on ne s'aperçoit même pas que les trous deviennent de plus en plus profonds, au fur et à mesure des tours. Je sortais d'une partie sablonneuse, et m'apprêtais à décoller pour un grand saut sur un dos d'âne, le genre de saut qu'on pense qu'on va réussir... mais qu'on loupe! Ma moto a buté, s'est enfoncée, et moi je suis passé, cul par-dessus tête au-dessus du guidon et j'ai terminé mon vol plané dans la foule. Je n'ai fait de mal à personne, si ce n'est à moi. Je me suis cassé le pied en six endroits différents. »

Mc Queen ramassa sa moto, monta dessus, donna un coup de kik et repartit.

« J'en voulais, alors j'ai fini les six derniers tours avec mon pied cassé. Ça n'allait pas trop mal dans les passages rapides où je pouvais me servir de la selle... mais dans les passages accidentés où il fallait que je me dresse sur les cale-pieds, c'était assez dur! De toute façon, j'ai fini dans les dix premiers, mais je me suis bousillé le pied! »

Normalement une telle blessure n'était que routine pour Steve (« Quand on fait de la moto, on se casse des os! ») mais cette fois, c'était sérieux. Il n'était plus sûr de pouvoir se qualifier pour la plus grande course de sa vie : deux semaines plus tard, il devait participer aux 24 heures de Sebring, au volant de sa Porsche 908.

Sa performance allait faire parler de lui dans le monde entier.

UNE COURSE INOUBLIABLE

Rimcrest. Au sommet de la montagne. Il est un peu plus de midi sous un soleil de feu.

Mc Queen, torse nu, appuyé sur le pare-choc de sa jeep raconte la fin de sa carrière de pilote.

« Cette course en 70 à Sebring était ma dernière grande course » dit-il. « Le Mans mis à part bien sûr, quand on a tourné le film. Sebring et Le Mans sont les deux plus grands événements du genre au monde. Après ça, il ne me restait plus rien à faire. »

Il réfléchit un instant, passant sa main doucement sur le pare-choc de la jeep, un peu comme un jockey flatterait l'encolure de son meilleur cheval.

« Et puis, j'avais perdu Neile. J'avais été trop loin, peut-être beaucoup trop loin. »

Il s'éloigna de la jeep, marchant nerveusement sous le soleil, faisant très attention à ce qu'il disait. Il pesait chaque mot.

« Les gens me demandent si on a peur en course. Pas les gens intelligents, eux ne posent pas ce genre de question. Si on a un brin de jugeote on sait pertinemment que tout le monde a peur en course. Surtout avant le départ, quand on est tout noué en attendant que l'on abaisse le drapeau, avec toute la course devant soi, c'est à ce moment-là qu'on a la bouche sèche et la tête qui cogne. Dès qu'on roule on a bien trop à faire pour avoir peur. On est en pleine action, on pense au prochain virage, à la vitesse à laquelle on va le prendre, à quand freiner, on écoute tourner le moteur, et puis tout le reste. Mais la peur peut vous sauter brusquement à la gorge, quand on cafouille une vitesse comme je l'ai fait à Riverside. Quand la voiture se met à déraper ou à se retourner, quand on ne sait pas comment on va s'en sortir, là, c'est mauvais. Mais Dieu, qu'il y a de bons moments en course. Comme à Sebring... ça c'était quelque chose! Une course inoubliable!

Situé au centre de la péninsule de la Floride, Sebring était un terrain d'atterrissage pour les énormes bombardiers B17 durant la Seconde Guerre Mondiale. En 1950, l'endroit devint un circuit automobile où l'on organisa la course d'endurance de l'international Manufacturers'Championship.

En mars 1970, pour son vingtième anniversaire, tous les as du volant se retrouvèrent sur la ligne de départ. La course durait douze heures sur un circuit difficile de 5,2 miles. Ils étaient tous là : Dan Gurney sur Matra, Jo Siffert et Pedro Rodriguez sur Porsche, Piers Courage et Masten Gregory sur Alfa Roméo, Jacky Ickx et le grand champion d'Indianapolis Mario Andretti sur Ferrari.

La Porsche blanche 908 Spyder de Mc Queen, avec le millionnaire amateur de sport Peter Revson comme co-pilote, s'était qualifiée en faisant le quinzième temps. Les officiels de Sebring regardaient cet équipage avec un certain mépris : que pouvait-on attendre d'une Porsche pas assez puissante, conduite par une vedette de cinéma, qui avait la prétention d'appuyer sur les pédales avec un pied gauche cassé? Comment pouvait-il espérer se battre contre les meilleurs pilotes et les voitures européennes les plus rapides? « J'avais beaucoup à prouver là-bas » admit Steve. « D'une certaine façon, c'était la course la plus importante de ma vie. »

Steve avait décidé d'établir un roulement de deux heures aux commandes de la 908 « afin de voir où j'en étais et de me rendre mieux compte du comportement de mon pied cassé ». Il portait ce qu'il appelait en plaisantant « sa botte de Frankenstein », un revêtement de cuir, renforcé, fait sur mesure pour couvrir son plâtre. On avait collé du papier de verre sur la pédale d'embrayage.

« Les observateurs de Sebring m'épiaient tels des éperviers pendant que je m'entraînais » raconta Mc Queen. « Quand ils ont vu que j'arrivais à manier la voiture, ils m'ont qualifié pour la course. Mais c'était limite, j'avais bien failli ne pas réussir. »

Tout en boitillant sous un soleil chaud et humide, Mc Queen s'approcha de sa 908 et se glissa à l'intérieur de l'étroit cockpit. Une fois installé il attacha les ceintures de sécurité et ajusta son casque.

Deux par deux les voitures suivaient celle dans laquelle l'ex-champion du monde Phil Hill ouvrait le circuit. Puis on abaissa le drapeau, et 68 pilotes faisant hurler leurs moteurs foncèrent vers le premier virage, après la ligne droite des stands.

En vitesse et puissance la 3 litres Porsche 908 de Mc Queen ne pouvait en aucun cas rivaliser avec les Ferrari 5 litres, 512 d'usine, ou les fantastiques 4,5 litres 917 Porsche. Même dans la catégorie des 3 litres, celle de Mc Queen, les Matra 6501, Alfa T33 et les Ferrari 312 pouvaient potentiellement faire mieux que la 908.

« On comptait sur le fait que beaucoup de ces plus grosses, plus puissantes voitures s'élimineraient d'elles-mêmes au cours des Douze Heures, ayant poussé trop fort dès le départ » dit Steve. « Notre plan était de maintenir une bonne moyenne afin de conserver toutes nos chances, et de faire un gros effort dans les dernières heures. »

Mario Andretti au volant de sa puissante Ferrari 512 disputait la première place à Jo Siffert sur Porsche 917, tous deux talonnés par Vic Elford, lui aussi sur 917.

Une heure s'écoula du temps officiel, plus que onze à tirer!

Au cours de la deuxième heure sous le soleil de Floride, bien sanglé dans le cockpit de sa 908, Mc Queen faisait son trou sur le circuit de cinq miles, dépassant Fiat et Lancia, se faufilant dans les chicanes, rétrogradant dans les épingles à cheveux, à fond dans les lignes droites, tirant le maximum du moteur à injection de la Porsche, apprenant à reconnaître le moindre défaut du revêtement de la piste. « La douleur dans ma jambe gauche devenait sévère » reconnut-il.

« Mon plâtre s'était fendu, je ne savais pas si j'arriverais à continuer, cependant je ne voulais pas passer le volant à Pete avant d'avoir terminé mes deux heures. Pourtant la douleur gênait ma concentration. En course, et en particulier lors d'une course d'endurance comme celle de Sebring, la concentration est primordiale. Il n'est pas question de laisser son esprit vagabonder, sinon c'est l'accident. J'essayais donc de rester aussi concentré que possible, mais des choses bizarres me traversaient la tête, des flashs, des visions sur les lignes droites. Je compris qu'il fallait que je rentre, c'est ce que je fis, et Pete me remplaça. »

Steve trempa son pied douloureux dans une cuvette de glace, but « environ cinq litres d'eau » et fit recoller le plâtre. « Puis j'essayai de me reposer. Je savais que j'avais encore beaucoup de conduite pénible devant moi » dit-il.

La course était dure aussi bien pour les hommes que pour les mécaniques.

Une MGB perdit une roue dans une courbe rapide et se retourna dans la ligne droite des stands, pendant la troisième heure une 512 fut heurtée par une Lancia et cinq voitures s'encastrèrent les unes dans les autres, près de l'épingle à cheveux. Une Porsche 917 perdit une roue dans l'accrochage. A la cinquième heure un accident mit en cause Chuck

Parsons et sa Ferrari 312 et un employé du circuit qui était en train de ramasser des débris d'un précédent accident. Parsons essaya de l'éviter, mais le côté de sa Ferrari faucha l'homme au passage. Il eut la jambe grièvement entamée, mais il survécut.

Après six heures alors que le soleil glissait dans le ciel surchauffé de Floride, la foule surexcitée vit que l'on affichait les résultats de la mi-course. La 908 de Revson-- Mc Queen était première de sa catégorie et quatrième du classement général. Trois voitures seulement les devançaient, la fougueuse Ferrari d'Andretti étant en tête.

Une rupture de joint avait mis Jacky Ickx hors course. Quant à Dan Gurney, l'un des grands favoris, il avait des ennuis de moteur ce qui l'obligea à rétrograder.

La nuit tombait sur Sebring, et les voitures passant devant les stands n'étaient plus que de longues traînées de sons et lumières. La tension montait. « Après neuf heures, on était aux trois quarts de la course » dit Mc Queen.

« Andretti menait toujours, suivi par Pedro Rodriguez sur Porsche 917 et Maston Gregory sur Alfa T33. Notre 908 tournait comme une horloge, et la douleur de ma jambe n'était pas terrible. En fait, je m'améliorais à chaque tour depuis la tombée du jour. Je tournai à sept secondes de Pete Revson. Je comprenais mieux le circuit, ce que je pouvais faire ou ne pas faire, à quelle vitesse je pouvais rentrer dans les virages. Mais Pete et moi étions très prudents, on ne voulait pas trop en demander à notre voiture. »

A deux heures de l'arrivée, l'Alfa de Gregory recula, et la 908 de Revson-Mc Queen progressa de deux places, arrivant à l'étonnante deuxième position derrière les grands Andretti-Marzario sur Ferrari.

La tension augmenta. Une annonce des haut-parleurs fit se précipiter la foule le long des barrières. Tout le monde cherchait le leader. Où était Andretti?

Incroyable mais vrai, la Ferrari n'était plus en course. Après dix heures et demie de course, la voiture d'Andretti avait dû s'arrêter pour ennuis de transmission. « A ce moment-là, on a commencé à se dire qu'on allait peut-être gagner le gros lot » se souvint Mc Queen. « Pete était au volant pour le rush final, superbe. »

Il restait moins d'une heure à courir quand l'autre Ferrari 512, conduite par Vacarella fut rappelée au stand... Mario Andretti se glissa rapidement derrière le vol. Faisant preuve de tout son talent, avec une voiture saine répondant à ce qu'il lui demandait, Andretti se rapprocha aussitôt de Revson.

Alors qu'il ne restait plus que 22 minutes à courir, le puissant bolide italien dépassa la 908 et reprit la première place. Il prit lui-même 30 secondes d'avance. A ce moment-là, il semblait hors de question que la 908 de Revson, nettement plus lente, puisse remonter Andretti.

Et pourtant...

Nouvelle annonce des haut-parleurs. La voiture d'Andretti n'était plus là. Il cafouillait, manquant d'essence dans l'avant-dernier tour. La foule en délire hurlait, tous les regards convergeant vers le stand de Mc Queen.

« Ça y est, vous avez gagné Pete et toi! » hurla le mécano en donnant une claque dans le dos de Steve. Mc Queen secoua la tête. « Ce n'est pas encore terminé! »

Loin de là. Andretti passa au réservoir de réserve et roula jusqu'aux stands Ferrari. En quelques secondes dramatiques, il repartait avec suffisamment d'essence pour pouvoir terminer.

Ses phares déchirant la nuit, Pete Revson allait aussi vite que possible au volant de sa Porsche blanche comme un fantôme, allant vers la victoire, quand Mario Andretti revint très fort, poussant la Ferrari rouge dans ses derniers retranchements.

Revson avait repris quelques précieuses secondes, mais l'écart était trop grand. La Porsche 908 n'était vraiment pas assez puissante pour doubler la Ferrari d'Andretti.

La foule assista à l'arrivée au finish la plus spectaculaire qu'il y ait jamais eu sur le circuit de Sebring en vingt ans. Mario Andretti gagnant de justesse au moment où l'on abaissa le fameux drapeau à damiers.

Terminant deuxième du classement général, Mc Queen et Revson avaient brillamment gagné leur catégorie des 3 litres, avec un tour d'avance sur l'Alfa T33, de Gregory Hazemans. La coupe que Steve apprécia le plus, fut la Hayden Williams Sportsmanship Cup, qui lui était décernée pour son « incroyable performance avec une jambe dans le plâtre ».

Épuisé, Andretti était heureux d'avoir gagné. « Je n'ai jamais conduit aussi dur de ma vie, même quand j'ai gagné Indianapolis. C'était une course d'une intensité fantastique et j'ai de la chance d'avoir gagné. »

Mc Queen était-il déçu?

« Bien sûr que non » dit-il en souriant. « On ne s'attendait à rien contre toutes ces grosses machines. On essayait juste de gagner dans notre catégorie, pas au classement général. C'est merveilleux, merveilleux! »

Comme le résume un journaliste sportif : « Il a fallu que le grand champion, au mieux de sa forme, s'y prenne non pas avec une, mais avec deux Ferrari d'usine, pour réussir à battre une seule Porsche 908, dont le co-pilote était une vedette de cinéma estropiée! »

LES 24 HEURES DU MANS

On parla des femmes, des problèmes sentimentaux et sexuels auxquels les superstars devaient faire face.

« Peu de mariages à Hollywood durent aussi longtemps que dura mon premier » dit Steve. « Bien sûr, Neile a beaucoup supporté de moi. Émotionnellement elle était plus forte que la plupart des femmes que j'ai connues. Je suppose que c'est ce qui a fait la différence. Mais je lui en ai fait voir. »

« Tu veux dire avec d'autres femmes ? »

« Surtout avec les courses. Je lui promettais d'arrêter, et je ne le faisais pas. Tous ces dangers, ces risques... Et puis je dois le reconnaître, je ne suis pas un type spécialement facile à vivre. J'ai des états d'âme, je deviens susceptible quand je tourne un film, ou quand je m'occupe de Solar, ou n'importe quoi d'autre. Je rapporte tous mes problèmes à la maison. Quand je suis avec une femme, c'est elle qui prend tout. Ouais, Neile en a vraiment vu des vertes des pas mûres ! »

« Et les autres femmes... Elles ne te courent pas après ? »

« Bien sûr que si. Parfois c'est même... chiant » Il sourit. « C'est même étonnant les trucs qu'elles font pour y arriver... soudoyer un portier d'hôtel pour monter dans la chambre, se cacher toute nue sous le lit... Et elles ne prennent pas spécialement de gants pour arriver à leurs fins. Parfois, c'est même un peu gênant. Les femelles sont parfois très agressives. »

« Quand tu tournais Le Mans en Europe, j'ai lu une interview que tu as donnée à un journaliste à Londres, sur les femmes. Je vais t'en lire des passages pour voir comment tu réagis aujourd'hui. D'accord ? »

« Vas-y. »

« Il te cite : " Parfois c'est très difficile de dire non. Il y en a qui sont très belles et je ne suis pas un saint. Le mariage est une chose bien difficile quand on est une figure publique. On se trouve en permanence exposé à toutes sortes de rumeurs concernant d'autres femmes. " Fin de citation. Tu as quelque chose à dire ? »

« Oui, ce que j'ai dit à cet Anglais est parfaitement vrai. Les gens vous espionnent, c'est une pression énorme. La plupart des mariages dans ce métier ne durent pas à cause de cette pression. Mais moi, je ne suis pas un cavaleur. Je suis l'homme d'une seule femme à la fois. C'est ma femme un point c'est tout, après chacun fait ce qu'il veut. Peu importe ce que l'on peut lire dans les journaux à scandales, je ne suis pas le genre d'homme à coucher à droite, à gauche quand j'ai quelqu'un dans ma vie. C'est pas mon truc ». Il sourit encore. « Et puis, je suis trop passionné de motos. Tu en connais toi des femmes qui voudraient me suivre dans le désert ? C'est le seul endroit où elles me foutent la paix ! »

« Les femmes-motards, ça n'existe pas ? »

« Quelques-unes ». Il ricana. « Si, j'en ai connu une qui m'a fait sortir de la route. Je ne m'étais pas rendu compte que c'était une fille avec son casque et ses cuirs, alors je l'ai poursuivie comme un fou, j'allais lui rentrer dedans, quand j'ai vu son rouge à lèvres ! Mais la plupart des femmes-motards s'intéressent plus à leurs bécanes qu'à courir après des mecs. »

« C'est " Le Mans " qui a détruit ton premier mariage ? »

« On peut dire que ça été la goutte d'eau qui a fait déborder le vase. Je ne pense pas que Neile ait réussi à accepter de me voir forcer à plus de 200 à Mulsanne ». Il respira profondément. « J'ai tout mis sur le tapis pour ce film, ma carrière, mon argent, mon mariage et même ma vie. Tout ! »

Avec John Wayne et Paul Newman, Steve Mc Queen était l'une des trois plus grandes stars du box office en 1970. C'est probablement pourquoi il a réussi à faire financer un film, dont tous les experts disaient très justement qu'il serait une véritable bombe.

Une semaine après la remarquable performance de Steve à Sebring, les journaux professionnels d'Hollywood annoncèrent que John Sturges allait mettre « Le Mans » en scène et que le tournage était prévu cet été, en France.

« John est vraiment l'homme de la situation » dit Steve aux journalistes. « Il est passionné de voitures rapides, il a lui-même une Porsche 911 T, il sait tout sur la compétition. »

En avril 1970, les gros titres des journaux annonçaient : « Mc Queen court les 24 Heures du Mans avec Stewart » Steve avait pris des accords avec le champion du monde Jackie Stewart, avec qui il devait piloter une Porsche 917 d'usine, au Mans. Stewart et lui couraient sous la banière de l'équipe John Wyer Gulf-Porsche.

« On va piloter l'une des voitures les plus rapides au monde » déclara Steve « et on a des chances de tout ramasser ! »

Mais Gordon Stulberg du Cinema Center Films, le directeur financier de la production était catastrophé de savoir que Steve allait courir. « Il est absolument fou ! Nous ne pouvons en aucun cas le laisser faire. Nous avons l'intention d'annuler tous nos projets s'il ne change pas d'avis. »

Steve était coincé. Sachant qu'il n'avait aucune chance de se faire financer ailleurs, il fut forcé d'annuler son engagement au Mans. Fou de rage, il refusa d'en parler en public ou même avec ses amis et associés.

Un de ses copains raconte : « Pendant une semaine Steve n'adressa la parole à personne. Il arborait une expression qui disait clairement « un mot de plus et je vous tue ». Je ne l'ai jamais vu aussi furieux. Personne n'osait l'approcher. »

Mc Queen se calma quand le Cinema Center accepta d'acheter une Porsche 197 usine, d'une valeur de 70 000 dollars, pour le film. Ils finirent par accepter qu'il pilote lui-même, sur le circuit du Mans, au cours des différentes cascades de la production. Ils acceptèrent aussi de financer sa Porsche 908, en tant que voiture caméra pendant la course, mais à condition que Mc Queen ne pilote pas lui-même.

Steve était euphorique quand il décolla pour Le Mans, à mi-juin. Neile et les enfants restaient en Californie, ils devaient venir le rejoindre plus tard, mais pour l'instant seule la course comptait.

Le Mans se trouve dans une région agricole à environ 180 km à l'ouest de Paris. C'était là, le 8 août 1908 que s'était tenue la première exhibition aérienne en Europe. Le site connut une renommée internationale, en 1921 lors d'une course automobile, quand le champion américain Jimmy Murphy, gagna le Grand Prix de France au volant d'une Dusenberg qui ressemblait à un bateau ! Deux ans plus tard, en 1923, un flot de véhicules hétéroclites, dans un nuage de fumée s'élança sur la ligne droite pour les premières 24 Heures du Mans. La plus grande course d'endurance au monde venait de naître.

Commençant à 4 heures de l'après-midi le samedi pour se finir à 4 heures le dimanche, la course est particulièrement dangereuse (Mario Andretti va même jusqu'à dire que c'est la course la plus dangereuse au monde, plusieurs pilotes y ont laissé leur vie).

La plus grande tragédie eut lieu en 1955 quand une Mercedes faucha une petite Healey : les deux voitures plongèrent dans le public de la ligne droite, tuant 83 personnes en plus de Pierre Levegh, le pilote de la Mercedes. Après ce drame, la piste à cet endroit-là fut élargie, et récemment on a fait poser un rail de sécurité tout le long du circuit.

Mc Queen se trouva aux prises avec de sérieux problèmes à propos de sa Porsche 908 (pilotée pour Solar par l'Allemand Jonathan Williams), car les officiels du Mans refusaient de laisser courir une voiture équipée de caméras. Mc Queen leur démontra que les trois caméras seraient fixées à la carosserie et feraient donc partie intégrale du chassis (l'une d'entre elles était sous une bulle sur le capot), il n'était donc pas possible que des pièces détachées tombent sur le circuit.

« Il fallait qu'on ait le métrage exact de la course » expliqua-t-il.

« Il fallait qu'on puisse avoir toutes les scènes de foule, sinon au tarif des figurants, il devenait impossible de réunir une foule de 500 000 personnes! Il était donc indispensable que l'on puisse filmer précisément le public tout le long du circuit. »

Steve gagna. La voiture de la Solar eut l'autorisation de courir. Le stand de Mc Queen fut équipé aussi bien en bobines de pellicules, qu'en choses plus classiques telles essence, huile et pneus pour la 908.

Mc Queen n'était pas satisfait de l'état du circuit de 8,4 miles. Plusieurs sections étaient trop sombres pour permettre l'utilisation des caméras couleur. Les officiels enchantés lui donnèrent l'autorisation de laisser son équipe modifier l'éclairage du Mans. Entre autres, les ouvriers de la Solar ont entièrement repeint les stands, et ajouté des poteaux électriques aux endroits clés comme Tertre Rouge et Maison Blanche.

Les 24 Heures en 1970 furent fidèles à leur réputation de course meurtrière. Quatre des Ferrari 512 s'étaient empilées dans le passage difficile de Maison Blanche. Jacky Ickx (vainqueur en 1969), courant sous la pluie et deuxième au classement général essaya de faire passer sa Ferrari 512 dans une chicane et d'éviter les autres. N'y arrivant pas, il écrasa la pédale de frein, ses roues arrières se coincèrent, et la Ferrari rouge dérapa vers un talus, où elle tua un commissaire de piste.

Ce fut une victoire Porsche, Hans Herrmann et Richard Attwood l'ayant emporté avec leur 917. 17 seulement des 51 voitures engagées terminèrent les 24 Heures, et la 908 de Mc Queen-Solar habilement pilotée par Linge et Williams, finit dans le peloton de tête. En dépit de nombreux arrêts pour recharger les caméras, elle termina deuxième de sa catégorie et huitième au classement général.

Normalement en dehors de la durée de la course, le circuit du Mans est ouvert au trafic, étant donné que plusieurs kilomètres de route nationale en font partie, mais cette année-là, la société de Mc Queen le loua entièrement. Le village Solar fut erigé sur l'enclos réservé au public, conçu pour pouvoir loger les 150 personnes faisant partie de l'équipe. Le village s'étira sur 100 000 pieds carrés, et l'on amena des kilomètres de fil électrique et de canalisation d'eau à travers la campagne française. On construisit un restaurant pouvant servir 300 couverts à chaque repas. Plusieurs pilotes professionnels furent engagés afin de doubler les comédiens pendant les scènes de course.

« On a vraiment pris des as » dit Mc Queen. « Mike Parkes était notre conseiller, il pilotait pour nous ainsi que Jacky Ickx, Joe Siffert et Mastern Gregory. »

L'atmosphère de fête foraine du Mans faisant obligatoirement partie du tableau, Mc Queen dut louer toutes les baraques et les manèges installés autour du circuit tous les ans afin d'en recréer l'ambiance, derrière les tribunes. Quand Neile arriva en France avec les enfants, Steve avait loué une grande maison de trente pièces en pleine campagne, près du Mans. Neile apprécia beaucoup la beauté calme du paysage, des champs où paissait le bétail, mais elle ne supporta pas les rugissements des voitures.

« Elle n'est venue qu'une fois sur le circuit » raconte un membre de l'équipe. « Je l'ai vue regarder Steve en train de dévaler la ligne droite de Mulsanne à près de 200 à l'heure, elle était tendue, les traits tirés. Puis, elle retourna à sa voiture et s'en alla. On ne l'a plus jamais revue. »

Neile refusa de revenir. Si Steve insistait il aurait le droit d'emmener les enfants sur le circuit, mais elle ne quitterait pas la villa pendant toute la durée de son séjour en France. Mais combien de temps cela allait-il durer ? Elle n'en savait rien.

Le 1er juillet 1970, Army Archerd du Daily Variety annonça que les Mc Queen venaient de se séparer, et que Neile avait décidé d'emmener les enfants visiter l'Europe. Quand les journalistes interrogèrent Mc Queen en lui demandant où en était son mariage, il leur répondit par un « No Comment » catégorique, par contre ils cherchèrent à en savoir davantage concernant son prochain film, il accepta de parler.

« Je tiens fondamentalement à éviter le côté bidon qu'ont eu jusqu'à présent tous les films sur la course. L'automobile est un sport noble, et j'ai vraiment envie de lui rendre justice. Bien sûr, il y aura des accidents dans le film, car au Mans, il y a toujours des accidents. Mais ce film sera totalement honnête, sans compromis. »

Steve était le seul acteur de la production à faire toute sa propre conduite.

John Skow qui couvrait le tournage pour Playboy, lui demanda pourquoi il voulait ainsi risquer sa vie. « Personne ne pourra faire la différence, savoir si c'est vous ou un autre sous le casque ! »

« Le public le saura » répondit Steve. « C'est ce qu'ils attendent de moi. Et qui plus est, moi je le saurai. Ce qui compte c'est de jouer cartes sur table, ne pas tricher. »

« Vous montez à combien avec la 917 à Mulsanne ? »

« Je peux faire du 240, mais je ne la prends pas à fond. La plupart du temps je tourne aux environs du 225. »

« Et John Sturges, qu'est-ce qu'il en pense ? »

« Johnny pense que je vais plus vite que nécessaire ! »

« Et vous ? »

« Possible. »

Steve éprouvait une grande satisfaction à piloter la Porsche. Montée à la main à l'usine de Stuttgart, la 917 était un vrai pur sang : 12 cylindres, moteur à injection, 600 chevaux, refroidissement par air. « Je n'ai jamais conduit aussi vite » admit Steve.

« La première fois que j'ai pris Mulsanne, la petite courbe au bout de la longue ligne droite à 215 miles à l'heure, j'ai vraiment senti les poils se dresser dans mon dos. Dans presque toutes les voitures on sent ce qui va se passer avant que cela se produise, et on a le temps de s'ajuster, mais cette Porsche a toujours un temps d'avance sur vous, c'est elle qui décide. Il faut être particulièrement vigilant pour la maîtriser. »

La Porsche 917 de Mc Queen mise à part, Solar aligna une écurie de course d'un million de dollars. Quand on demanda à Enzo Ferrari s'il était possible d'utiliser certaines de ses voitures d'usine, il répondit : « Qui va gagner, Ferrari ou Porsche ? »

Quand on lui dit que c'était une Porsche, il refusa de prêter les voitures. Solar cependant réussit à trouver des particuliers qui acceptèrent de fournir leurs Ferrari. Mc Queen s'arrangea aussi pour que l'on fixe une coque de Ferrari sur deux Corvette-Lola, pour les scènes d'accident.

Parmi les voitures achetées ou louées pour « Le Mans », il y avait quatre Porsche 917, deux 908, des 911, un assortiment de Lolas, Alfa et Matra, et cinq Ferrari. Chaque voiture avait un moteur de rechange, des trains de pneus pluie et sec, et des roues de secours. (Un avion était aussi à la disposition de la production au cas où l'on ait besoin de pièces détachées en provenance de Stuttgart, Allemagne de l'Ouest, ou de Modène, Italie). Mc Queen avait fait venir Haig Alltounian, l'expert d'Indianapolis, comme chef mécanicien.

La voiture caméra était une décapotable Ford GT 40, modifiée, avec un moteur V8, 4,7 litres, pilotée par un cascadeur, Rob Slotemaker. Une caméra tournée vers l'arrière était fixée au milieu du chassis. Dans le siège baquet passager rempli de mousse Alex Barbey, le chef opérateur, avait installé une caméra Mitchell 35 mm, avec objectifs adaptés à la Panavision.

La conduite de cette Ford GT 40 était extrêmement délicate, car elle devait rouler à côté des voitures de course à pleine vitesse sur d'étroits passages de route, prendre les extérieurs dans des courbes conçues pour une seule voiture.

Mc Queen refusait tout trucage, il fallait donc conduire à vitesse réelle devant les caméras. Une séquence difficile voulait qu'il dépasse une Ferrari 512, à l'intérieur d'un virage, sur piste mouillée. Mc Queen en parle :

« La marge était trop petite, pas de place pour l'erreur. J'avais mon pneu avant gauche sur la ligne blanche, à environ 30 cm du rail de sécurité. Je m'étais dit que si ça ne passait pas, il faudrait mieux coller au rail de sécurité plutôt que de rebondir sur la route et risquer de me faire heurter par la voiture caméra. »

A un moment du tournage, Steve frôla le désastre. Fonçant dans la côte de Mulsanne, au volant de la 917, il devait dépasser une voiture à environ 200 m.p-h, la GT le collant, enregistrant l'action. Les trois voitures avançaient donc de front quand soudain ils virent arriver devant eux, un énorme camion de la Solar. On avait dit au chauffeur que les prises de vue étaient terminées ce jour-là, et la dernière chose à laquelle il s'attendait, était de se trouver nez à nez avec trois voitures de course. Dans un geste de panique, le chauffeur jeta son camion contre le rail alors que les coureurs l'évitèrent de justesse. Personne ne fut accidenté ni blessé. Mais ce n'était pas passé loin, pas loin du tout!

« Ce film est un colossal danger à tous les niveaux » dit Mc Queen à la presse.

« Si je me ramasse sur le circuit, toute l'opération part en quenouille, et moi avec. Les compagnies d'assurance m'assigneront pour tous les frais de production, or là, on parle en millions. Déjà, si je perds le film, c'est moche, mais ils peuvent très bien débarquer saisir ma maison, mes voitures, tout ce que j'ai. »

Tous les jours le talent de Steve au volant lui valait un peu plus de considération. « Il conduit rudement bien » dit Mastern Gregory, le vétéran que Steve avait battu dans sa catégorie, cette année-là à Sebring. « Steve est un vrai pro. Peut-être pas encore au plus haut niveau, mais il pourrait le devenir avec un peu plus de compétition. Mike Parkes était d'accord. « C'est un excellent pilote. Quand on tourne à Mulsanne on réagit exactement comme si on était vraiment en course, et Steve ne nous lâche pas d'un poil! »

Avant de monter dans leurs voitures, les pilotes se mettent toujours des boules de cire dans les oreilles afin d'assourdir le hurlement des moteurs. Steve n'en mettait qu'une « dans l'oreille droite. J'étais complètement sourd de la gauche. Je n'entendais rien du tout. »

La tension montait entre le metteur en scène et la star. John Sturges était faché que Mc Queen ait engueulé l'un des pilotes, et l'ait renvoyé.

« Pourquoi as-tu fait ça Steve? »

« Ce bâtard est allé raconter dans un journal de Londres, qu'il me doublait, ils ont publié l'histoire. Je l'ai foutu dehors. »

« En tant que metteur en scène, tu aurais du m'en

parler. Peut-être que le journal ne l'a pas cité correctement. »

« Mais non, il l'avait dit, alors dehors. C'est un menteur, et je ne travaille pas avec des menteurs! »

Mais les frasques de Mc Queen aggravèrent encore plus la tension. Célébrant le 4 juillet à sa façon, Steve fit exploser d'énormes pétards sous la Porsche 911 de son metteur en scène. Un nuage de fumée sortant de sous sa voiture inquiéta Sturges, qui se précipita pour voir ce qui se passait. Il aperçut alors Mc Queen en train de hurler de rire. La plaisanterie n'était pas très fine et la longue amitié Mc Queen-Sturges commençait à s'éroder.

Sturges était aussi concerné par le script. Le premier jet du film ne lui plaisait pas et il se disputa avec Mc Queen à ce sujet.

« Mais où est le côté humain? » demanda-t-il. « Pour l'instant on a des voitures, encore des voitures, toujours des voitures! »

« Le Mans, c'est exactement ça John! »

« Ça ne suffit pas. Il faut absolument qu'on ait une forte histoire émotionnelle, pour faire pendant aux scènes de course. Et pour l'instant il n'y en a pas. »

Deux des directeurs du Cinema Center Films, soucieux eux aussi, approuvèrent Sturges. Ils vinrent au Mans, examinèrent le dernier script, et grognèrent concernant les 40 000 dollars par jour que coûtait la production. (Mc Queen avait explosé le moulin de sa 917, cela s'était encore ajouté aux dépenses du film.) Après de nombreuses discussions, les dirigeants de la CCF décidèrent d'arrêter le tournage pendant deux semaines.

L'un des assistants, écœuré en parle en termes acides.

« On tourne pour huit millions de dollars un film pour faire plaisir à Mc Queen! Il nous a tous fait venir ici, au milieu de la France, afin qu'il puisse jouer au héros en pilotant sa grosse Porsche sur le circuit du Mans. On a des kilomètres de pellicule sur les bagnoles et à peu près trois centimètres de dialogue. Si vous me demandez mon avis, tout cela me fait bien marrer! »

Le Cinema Center Films allait-il annuler la production? « Le Mans » allait-il suivre le même sort que « Day of the Champion »? Steve rassura toute l'équipe et leur promis que le film serait terminé, que la CCF continuerait à financer la production. Que l'arrêt du tournage n'était que provisoire.

Pour John Sturges c'était définitif. Il déclara qu'il n'avait plus l'intention de continuer à travailler sur un film dont le scénario n'était pas fini. « Je me mis à la recherche de Steve pour discuter avec lui une dernière fois du scénario » dit Sturges « mais il était parti pour l'Angleterre, sans même prendre la peine de me prévenir. Là, c'était trop! Alors j'ai fait mes valises, pris une place sur le premier vol et suis retourné aux États-Unis. » A Londres, les Mc Queen se retrouvèrent. Neile avait accepté (uniquement à cause des enfants) d'essayer de venir à bout de leurs problèmes conjugaux. Steve l'avait à nouveau fortement impressionnée par ses qualités humaines. Il avait tenu à visiter l'hôpital pour enfants de Great Ormond Street, allant de lit en lit, bavardant un instant avec chaque enfant. Il s'était préalablement arrangé pour qu'aucun journaliste ne soit présent et que personne n'en parle. Avant de revenir au Mans, il fit vendre aux enchères l'un de ses pistolets de collection, afin d'offrir la somme recueillie à la Fondation Française pour orphelins.

Au cours de la première semaine d'août le tournage reprit. Lee H. Katzin remplaça John Sturges. Katzin qui s'était fait une réputation en mettant en scène des drames télévisés, acceptait le point de vue de Mc Queen en ce qui concernait le déroulement du scénario.

« Steve savait pertinemment comment il voulait que ce film soit mené » dit Katzin. « Il désire quelque chose qui ressemble à un documentaire, réduisant l'importance du dialogue et des personnages, pour donner à la course le rôle principal. »

Les journaux professionnels rapportèrent que Solar Productions avaient annulé tout futur contrat avec le CCF. On cita Mc Queen : « J'ai combattu les conventions toute ma vie... Les gens du CCF avaient marché avec nous pour ce film, mais ils voulaient plus de contrôle sur les films à venir alors, j'ai dit non. »

Au fur et à mesure du tournage la liste des accidents inérents à ce genre d'entreprise s'allongea. Plusieurs membres de la production découvrirent les dangers de la conduite rapide. Il y eut tellement de voitures privées cassées, qu'entre les prises on décida de créer un nouveau club : « Le Mans Daredevil Driving and Beer Society » (Association des trompes la Mort, buveurs de bière!) pour faire partie du club... il suffisait de casser sa propre voiture sur le circuit! »

De graves accidents eurent lieu pendant le tournage. Le pilote Derek Bell était en train de rétrograder sa Ferrari (65 000 dollars) à Mulsanne, à environ 200 m.p.h. quand de la fumée se mit à sortir de la voiture, le circuit électrique avait mal fonctionné, et la Ferrari prenait feu. Avant que Bell puisse stopper, le réservoir à essence explosa, le transformant en torche. Le règlement du Mans stipule que tous les pilotes doivent porter des combinaisons ignifugées, capables de résister à l'essence en feu pendant 15 secondes. Ce règlement sauva la vie de Bell, il était vivant quand on réussit à l'extraire de la voiture, mais son visage et ses mains étaient grièvement brûlés. La Ferrari n'était plus qu'une carcasse en feu.

Pendant un autre après-midi de tournage, sur une autre section du circuit, David Piper (qui conduisait une voiture similaire à la 197 de Mc Queen) heurta le rail dérapant follement avant de heurter à nouveau le rail 100 mètres plus loin. La Porsche se disloqua en mille morceaux, on retrouva les roues dans un champ de laitues, à 50 m de là. Piper fut emmené d'urgence à l'hôpital avec une triple fracture ouverte de la jambe droite. A Londres, les médecins tentèrent désespérement de la sauver mais furent obligés de l'amputer en dessous du genou.

Mc Queen décida de doubler l'accident pour le film. L'action voulait que Steve arrive trop vite, au volant d'une plus petite voiture, freine, perdre le contrôle du véhicule, la 917 tournoyant sur elle-même heurtant les rails de sécurité de chaque côté de la piste, avant d'exploser. Cette mise en scène devait faire ressentir aux spectateurs les sensations que l'on éprouve dans une voiture de course à grande vitesse.

« On se servait d'une voiture commandée à distance » dit Mc Queen.

« On avait orchestré toute la scène, couvrant l'action avec quatorze caméras, trois au ralenti et les onze autres filmant sous différents angles. Puis on a tout monté de façon à ce que l'on puisse voir ce que le pilote éprouve. On le voit faire une faute de conduite, on voit qu'il ne contrôle plus la voiture et qu'elle s'écrase, le tout à vitesse réelle. Au moment où le véhicule s'arrête, une caméra plonge à travers le pare-brise dans les yeux du pilote, on a l'impression qu'elle pénètre à l'intérieur de sa tête, de ses pensées et l'on revoit tout l'accident au ralenti. On a encore jamais vu ça à l'écran. »

Après trois mois de tournage et de nombreux scripts écrits par quatre scénaristes différents, l'intrigue fut enfin mise au point. Mc Queen jouait Michael Delaney, un professionnel dur comme l'acier, ayant été accidenté l'année précédente au Mans, qui faisait son « come back » aux commandes d'une Gulf Porsche 917. Il se retrouvait en face de son grand rival, Erich Stahler (interprété par Siegfried Ranch) pilotant une Ferrari 512. Au cours de son accident Delaney avait tué un autre pilote, Belgetti. Sa veuve Lisa revenait au Mans attirée par Delaney, tout en lui en voulant encore de la mort de son mari. Pendant la course, Delaney est gêné par une voiture plus lente que lui, et a un nouvel accident. Le directeur de l'équipe Porsche met une autre 917 à sa disposition, et il se lance à la poursuite de Stahler, réussissant à le dépasser dans le dernier tour.

Le jeune Chad Mc Queen qui venait souvent voir son père sur le circuit était lui aussi passionné de voitures. Il avait déjà une moto de trial, mais maintenant il avait envie d'essayer une voiture de course.

Au Mans, il eut sa chance. Pilotant une Ferrari miniature, le garçonnet de neuf ans flatta l'orgueil de son père en gagnant une course pour enfants. « Les quatres jours du Mans ! »

Le tournage avait duré quatre mois (de juin à novembre) et Mc Queen revint en Californie avec 450 000 pieds de pellicule (1 pied = 30,48 cm), prêts à être montés. Katzin raconte :

« Pendant six mois on a coupé, doublé, recoupé et monté avant d'avoir notre dernière copie de travail. Il a fallu que l'on raccorde cinquante-cinq bandes son, une pour chaque voiture plus la musique du film. Les véritables scènes de course s'intégrèrent parfaitement aux scènes tournées après. Le résultat était parfait. »

Quand des journalistes demandèrent à Steve si le tournage avait été dur, il gloussa : « Dur ? C'est le truc le plus dangereux que j'ai jamais fait. J'ai de la chance d'être encore en vie. »

Mais il avait atteint son but ; il avait fait un authentique film sur la course automobile, sans concessions.

UN NOUVEAU DÉPART AVEC ALI MAC GRAW

Dans le Mojave, Mc Queen faisait de la moto avec ses copains, trois petites taches ondulant sous le soleil, dans l'immensité du désert. A l'horizon le mont San Jacinto se découpait, gris-bleu. Le soleil haut et dur faisait étinceler le sable diamanté. Steve arriva pleins gaz dans une cuvette sablonneuse, il bondit au-dessus du rebord et accélérant à fond réussit à s'en sortir. Les deux autres suivirent mais ne réussirent pas à aller aussi vite. L'un d'entre eux se planta dans le sable, et après une chute spectaculaire se retrouva au sol un peu plus loin. Mc Queen et son copain se précipitèrent.

« Ça va ? » lui demanda Steve.

« Ouais. Je me suis trop enfoncé. »

« Ça arrive » et Mc Queen s'en alla dans une gerbe de sable.

Après que les deux autres soient repartis pour Los Angeles, dans leur van, on s'est retrouvé dans le salon de Mc Queen à Palm Springs, en train de boire de la bière.

« Un de ces jours, je vais vendre cette baraque » dit-il. « Il y a trop de parcours de golf dans les environs. Tous les ans, on en construit un nouveau. Il y avait des antilopes ici, avant que le chemin de fer ne les chasse. On a toujours des coyotes, des lièvres et des écureuils, mais plus d'antilopes! »

Il tripotait un coussin en peau de zèbre et leva les yeux vers une tête de mouton des Rocheuses accrochée au mur.

« Maintenant, c'est fini, je ne tue plus d'animaux. Eux s'entretuent et c'est normal, mais les humains n'ont pas le droit de le faire. Alors, en ce qui me concerne plus de têtes empaillées, plus de chasse. »

« Et Neile et toi, c'est fini? »

« Ouais. On a fait un dernier effort, on a essayé d'arranger les choses, mais on a décidé d'un commun accord que ce n'était plus possible. On s'est séparés en juin... elle a demandé le divorce. Mariés sous le régime de la communauté, d'après les lois de Californie, la moitié de ce que j'ai lui appartient, jusqu'au dernier bouton de bottines. Mais laisse-moi te dire qu'elle le mérite largement, elle mérite chaque dollar. C'est elle qui m'a poussé, qui m'a aidé dans mon métier. » Il réfléchit un instant. « Elle est passée à côté de beaucoup pour moi. »

Il repoussa le coussin, s'étira et se dirigea vers la fenêtre.

« En fin d'après-midi, quand il fait moins chaud on voit des éperviers dans le ciel... Des cailles aussi. » Il hésita. « Ce qu'il y a de drôle en ce qui concerne mon mariage, c'est que la compétition en est venue à bout. Or maintenant, je ne cours plus. Fini les voitures. A 41 ans, je suis trop vieux pour les courses de motos. Alors, après tant d'années, juste au moment où je décide de raccrocher c'est trop tard. C'est drôle, non? »

L'ironie de la situation le faisait sourire...

Les années de compétition de Steve Mc Queen s'achevèrent avec la sortie de « Le Mans » et de « On any Sunday » un film sur la moto qu'il avait financé.

Ce documentaire de 91 minutes avait été produit, écrit et dirigé par Bruce Brown, aidé par les 313 000 dollars de Mc Queen. La production fut excellente à tous points de vue. Brown fit pour les courses de moto ce qu'il avait déjà fait pour le surf dans « Endless summer » en réussissant un film plein de passion, d'élégance, d'émotion. « On any Sunday » mariait harmonieusement les dangers spectaculaires des courses sur piste, à la beauté sereine des longues randonnées en moto à travers la campagne. Brown intégra à son documentaire une longue séquence (filmée en 1970 à Lake Elsihore, alors qu'il avait terminé 10e sur 500) pratiquement lyrique de Mc Queen en course avec ses copains. Le film eut un succès étonnant, rapportant 24 000 000 de dollars! Mc Queen tira une énorme satisfaction du fait que ce documentaire aida considérablement à effacer l'image d' « Hell's Angel » que les gens se faisaient de la moto.

Cependant Mc Queen fut loin d'être enchanté par l'accueil que le public réserva cet été-là à « Le Mans ». La plupart des spectateurs se sentaient frustrés ou s'ennuyaient, quant aux critiques, la grosse majorité d'entre eux était contre. Superbes séquences de course, d'accord, mais l'histoire, les problèmes humains? En fait où était le dialogue? Un critique s'explique :

« Tout ce qu'on a, est Mr Mc Queen dévisageant férocement ses adversaires, ou encore regardant la dame de ses pensées de ses beaux yeux limpides! Il marmonne une dizaine de lignes de texte sur pourquoi les hommes ont besoin de courir, puis il se met au volant de sa grosse voiture et pendant deux heures il fait « vroom vroom ». Même une star de l'importance de Mc Queen ne peut pas tirer son épingle de ce genre de jeu! »

Il avait raison. « Le Mans » fit subir à Solar Production et au CCF une perte catastrophique. L'illusion de Mc Queen self made man et bâtisseur d'empire s'envola avec l'échec du film.

Mais Mc Queen n'était pas le genre d'homme à laisser

des revers de fortune l'arrêter en route. Il était tout à fait décidé à maintenir son statut. « Il fallait que je me remue et aille voir ailleurs ce qui se passe » dit-il. « Je ne pouvais plus dépendre que de Solar. Il me fallait une production plus musclée derrière moi. C'est pourquoi je suis entré en 71 à First Artists. Pour être plus épaulé! »

Sous la bannière de First Artists Productions, Mc Queen devint cette année-là l'associé de trois autres poids lourds du métier : Barbra Streisand, Sidney Poitier, et son rival et ami de longue date Paul Newman. (Dustin Hoffman rejoint le groupe en 72.)

Cette association garantissait à Mc Queen le droit de contrôler la créativité de chacun des films, de la First Artists, qu'il choisissait de tourner. En signant son contrat, il abandonnait son image de « loup solitaire ».

« Ça m'était un peu égal » dit-il. « On essaie un truc et si ça ne marche pas on passe à autre chose. De toute façon, il faut bouger, pas s'encroûter. Dans ce métier, il FAUT bouger. »

Joyce Haber du Los Angeles Times, avait rendez-vous avec Mc Queen cet été-là pour une interview. Elle fut très étonnée que Steve l'appelle personnellement, pour lui dire que sa fille de douze ans, venait de passer des examens et qu'elle avait gagné un brevet de civisme. Il avait envie d'assister à la remise des prix, donc lui téléphonait pour savoir s'il était possible de déplacer le rendez-vous? « En quinze ans de journalisme », dit Haber « j'ai rencontré très peu de gens, et encore moins de stars, qui prennent la peine de s'excuser en personne pour un retard. Normalement c'est leur attaché de presse qui s'occupe de leur emploi du temps. J'étais vraiment très impressionnée ».

Dans son article, elle raconta :

« Il y a quelque temps les propriétaires des « Four Oaks » un restaurant local, invitèrent cinquante orphelins noirs pour le dîner de Thanks Giving Day. Ils invitèrent également plusieurs célébrités. Mc Queen arriva en moto. Il fut la seule star fidèle au rendez-vous. Moi, j'appelle ça une bonne action, « celle d'un homme de cœur ».

Pendant l'interview, ils parlèrent du récent échec de son film. Steve admit « qu'il s'était trompé sur beaucoup de choses. John Sturges était parti parce qu'on lui en demandait trop. Je ne peux pas lui en vouloir. Le scénario était trop creux ! »

Avait-il un autre film en vue ?

« Je pars en Arizona tourner " Junior Bonner " dit-il, avec Sam Peckinpah pour la mise en scène. Cette fois-ci je vais jouer le rôle d'un champion de rodéos. »

Il parla de sa réputation d'emmerdeur.

« Je sais que je suis pénible au studio. J'ai toujours été un perfectionniste, et ça veut dire que je donne la migraine à plein de gens. Sam aussi a mauvaise réputation. Il fait des cirques pas possible ! Lui et moi, c'est quelque chose ! Cinerama est en train d'acheter un stock d'aspirine... »

Était-il content de tourner « Bonner » ?

« Pas franchement ! Il faut que je monte des taureaux et que je les attrape au lasso ! Ces taureaux de rodéo sont gros et mauvais, des sales bêtes. On ne peut jamais faire confiance ni aux chevaux ni aux taureaux ! Comment veux-tu savoir ce qui se passe dans leurs têtes de grosses bêtes bornées. »

Avant de partir pour l'Arizona, Steve reçut un journaliste chez lui, à Palm Springs. Chad son fils était là pour le week-end. Le gamin de 10 ans roulait roue dans roue avec lui sur une mini moto de trial. « Il se l'est achetée tout seul » dit fièrement Steve à Robert Jones.

« Il a économisé son argent de poche. Chad adore faire de la moto. Peut-être même trop. J'ai dû le punir en l'empêchant d'en faire pendant deux mois, cette année parce qu'il avait de mauvaises notes. Mais depuis, ça va nettement mieux. Je présume que faire de la moto dans le désert en respirant de l'air pur ne peut pas lui faire de mal. Et puis, après tout, à son âge, moi, je fauchais des voitures ! »

Jones apprécia le gosse, le décrivant comme étant « l'exact opposé de son père, brun et ouvert plutôt que blond et renfermé. Il a un grand sourire spontané et ne ressemble en rien à ces petits monstres arrogants que sont si souvent les enfants de vedettes! »

L'article fut illustré d'une photo de Steve et Chad, tous deux torses nus dans le désert. Visiblement père et fils partageaient la même passion pour les grands espaces.

Steve parla à Jones de son « respect » pour le désert. « Cela vous rabaisse à votre juste taille. Il faut admettre que le désert vit. » Mc Queen raconta une anecdote pour expliquer son point de vue. Il était avec des Indiens qui lui avaient donné du peyotl. « Ils prenaient ça très sérieusement » dit Steve.

« Pas simplement pour le plaisir, pour s'évader... C'était une philosophie, une façon de s'accorder avec leur environnement. De toute façon, même si je n'ai jamais pris de drogues, là, j'ai accepté parce qu'ils me l'ont offert. C'était un genre de cérémonial. Ça m'a fait un effet incroyable. Je me sentais invincible. J'ai pris ma moto et suis parti à fond sur le sable. C'était fabuleux. J'allais vraiment conquérir le désert! Je me suis beaucoup cassé la figure, égratigné sur les cactus, déchiré les fesses sur les cailloux. J'avais du sable dans le nez et des kangourous-rats plein les oreilles! Et puis, j'ai fini par tomber en panne sèche, je me vois encore assis sur le sable. Tout, autour de moi était parfaitement silencieux, la nuit descendait sur le désert, et ma moto faisait des petits craquements, le bruit que fait le métal en refroidissant... Je compris alors que mon idée de conquérir le désert était grotesque. On ne bat pas le désert, on l'accepte, on le respecte, on s'y amalgame! »

A Prescott, Arizona, Steve s'installa dans son nouveau rôle. Pour d'autres films, on lui avait appris à plaquer des accords de guitare, piloter un planeur, jouer au polo et à démonter un moteur de bateau. Maintenant, et sans grand enthousiasme, il devait apprendre à jouer du lasso et à rester sur le dos d'un taureau déchaîné, activités qui l'exaspéraient passablement d'ailleurs! En fait une semaine plus tard, il s'était foulé le doigt, abîmé le nez et probablement fracturé le poignet gauche. « Seigneur » grogna-t-il « tout cela est bien plus dangereux que Le Mans, mais beaucoup moins drôle ».

Son métier d'acteur lui apportait de moins en moins de satisfactions, sur le plan de la créativité. « Maintenant j'ai envie de m'occuper de production, j'aimerais faire de la mise en scène » déclara-t-il. « Je voudrais passer derrière la caméra, là il y a tellement de choses à faire! Quant à jouer, j'ai l'impression d'avoir déjà à peu près tout fait! »

Comme d'habitude, Mc Queen mésestimait son talent. Dans le rôle de Bonner, un homme qui se bat pour préserver le reste d'une vie qui n'avait fait que l'effleurer, Steve donna ce que Joanna Campbell appela « l'une de ses meilleures performances ». Un critique cinématographique de Los Angeles alla plus loin :

« En tant que star du rodéo sur le retour, Mc Queen évoque sa gloire passée sans faire la roue ni s'apitoyer sur lui-même. Il montre juste ce qu'il faut de l'ancienne vanité de son personnage pour nous rendre son destin pitoyable... Il incarne tellement profondément Bonner, aussi bien physiquement que moralement, que lorsqu'il se bande son ventre blessé, on a l'impression qu'il essaie de soigner son orgueil. Peu de stars américaines, même parmi les plus grandes seraient capables de jouer aussi juste. »

Steve avait affaire à forte compétition dans ce film. D'abord le vétéran Robert Preston qui donnait une brillante interprétation dans le rôle du père de Junior, Ace Bonner, il rêve de quitter la ville pour partir élever des moutons dans les grands espaces australiens. (Mc Queen avait apporté là sa contribution au scénario, cela correspondait au désir qu'il avait si souvent exprimé « de partir et disparaître purement et simplement en Australie »).

Dans le film, Steve chevauche un taureau, un vrai

tueur, afin de gagner assez d'argent pour pouvoir acheter le billet d'avion de son père. On ressent que c'est le dernier numéro triomphal de Junior Bonner. A la fin du film, on le voit partir, seul, pour un nouveau rodéo, mais quelque chose est cassé, c'est évident.

Avant de quitter la région Steve donna deux galas de bienfaisance, avec la projection de « One Sunday » au profit de la tribu des Yavapai d'Arizona.

Pour assurer la promotion de « Junior Bonner », Cinerama engagea un attaché de presse chargé de faire du tam-tam autour du film. On réussit à convaincre Mc Queen qu'il fallait qu'il invite un journaliste, James Brown, à une projection privée chez l'attaché de presse. Bien qu'il ait aimé le film et qu'il l'ait écrit, Bacon était mal à l'aise, vexé de l'attitude distante de Mc Queen. Steve avait été mal élevé, à la limite du grossier, ne faisant aucun effort pour coopérer.

Le lendemain matin, Mc Queen lui téléphona : « Salut vieux, j'espère que vous ne m'en voulez pas pour hier soir ? »

« Alors pourquoi vous êtes-vous conduit d'une manière aussi odieuse ? »

Mc Queen rit. « J'étais furax parce que les mecs de la promotion voulaient que j'en fasse des tonnes pour vendre mon film, alors je suppose que j'ai fait exactement le contraire. Je m'excuse. »

Bacon lui pardonna.

« J'ai passé un tiers de ma vie à me fâcher sans trop savoir pourquoi » reconnut Steve. « J'essaie de m'améliorer, mais il faut que je me surveille. Parfois, je dérape, comme hier soir. »

« On a terminé amis » écrit Bacon.

Le tournage de « Bonner » se termina en août 1971. Mc Queen revint à Los Angeles pour faire face à la demande de divorce de Neile. En mars 1972, ce fut officiel : elle eut droit à la garde des enfants et à une somme globale d'un million et demi de dollars, plus une pension alimentaire pour elle et pour les enfants. Steve quitta le palais de justice de Santa Monica ébranlé, sombre.

Comment ressentait-il cette rupture définitive ?

« Pour nous le spectacle est terminé, on a baissé le rideau » dit-il. « Neile doit se faire une nouvelle vie et moi aussi. On s'est dit au revoir, mais ça n'a pas été facile. Quand on a passé quatorze ans de sa vie avec quelqu'un, au moment de la rupture on perd une partie de soi-même. »

La carrière de Mc Queen continuait. Il envisagea sérieusement d'interpréter le rôle d'un paysan de l'Arkansas, dompté par une assistante sociale juive pendant la Grande Dépression, dans « Roy Brightsword », mais il trouva un autre rôle qui lui plut davantage, celui de Doc Mc Coy, un escroc à la gâchette rapide dans « The Getaway » (« Le Guet-apens »).

Au départ, le film devait être produit par la Paramount avec Peter Bogdonovich comme metteur en scène, mais quand Mc Queen reprit le projet (de First Artists) il amena Sam Peckinpah. Un autre changement devait par la suite avoir beaucoup d'influence sur la vie privée de Steve. Ali Mac Graw remplaça Dyan Keaton dans le rôle de la femme de Mc Coy.

Dès leur première scène d'amour, on put s'apercevoir que l'on venait de mettre le feu aux poudres. En extérieur à El Paso en mai 1972, Ali parla avec enthousiasme de son nouveau partenaire.

« Steve est l'un des deux ou trois acteurs au monde les plus fabuleux à regarder travailler. Et puis pour moi il est une énorme surprise. Je veux dire que je ne m'attendais pas à son intelligence, pas de son intelligence livresque, mais une intelligence due à sa grande faculté d'adaptation aux choses subtiles. Il est d'une droiture étonnante. Il dit exactement ce qu'il veut dire sans jamais tricher. Certaines personnes trouvent ce genre d'honnêteté difficile à admettre. Dans ce métier on joue tout le temps, or Steve ne joue pas. Il établit ses propres règles. Franchement, c'est quel-qu'un de fascinant. »

L'attirance était réciproque : Steve lui aussi trouva que cette belle jeune fille brune aux longues jambes était fascinante. « Le Guet-apens » était son vingt-troisième film alors qu'Ali n'en avait tourné que deux « Good bye Colum-bius » et « Love Story ». Tous deux avaient été de gros succès au box office, mais n'avaient pas réussi à effacer le manque de confiance en ses talents d'actrice qu'Ali éprouvait. D'après ses propres termes, sa personnalité à l'écran était « fausse, comme dans un rêve, basée sur rien dont je puisse être fière ». Elle admirait énormément le parfait self-control de Steve, son calme et la manière évidente dont il maîtrisait un métier qu'elle ne faisait que découvrir. « Je ne sais même pas moi-même comment je me suis retrouvée dans un film » reconnaît-elle. « Aucune expérience. Aucune formation. Je suis l'exemple type de la Schwab Drug Store School of Acting! »

Ali Mac Graw avait été élevée par des parents artistes, décorateurs dans la région forestière de Westchester County dans l'état de New York. Brillante étudiante, elle gagna une bourse pour aller à Rosemary Hall dans le Connecticut, puis à Wellesley, où elle obtint un diplôme d'histoire de l'art, tout en travaillant à mi-temps comme serveuse afin d'assurer le minimum vital.

Elle rencontra un garçon de Harvard, Robert Hoen. Après la remise des diplômes, elle l'épousa rapidement, puis divorça. Elle travailla comme assistante à la rédaction de Harper's Bazaar, puis devint mannequin, ce qui pour elle n'était pas difficile (« Si ce n'est que j'ai toujours détesté ça »). L'une de ses pubs, pour Chanel N° 5 attira l'attention d'un impresario, et elle reçut une proposition de film.

« J'étais farouchement décidée à ne rien avoir à faire de près ou de loin avec ce métier » se souvint-elle. « Alors, j'ai dit non merci. » Mais quand on lui offrit le rôle principal de « Good bye Columbius », elle ne put faire autrement qu'ac-cepter.

« A 30 ans, je me suis soudain retrouvée vedette de cinéma, sans avoir aucune notion du métier. J'ai joué ce rôle complètement instinctivement, terrorisée en permanence. »

Le jeune et dynamique patron de la Paramount, Robert Evans produit le film, il enchaîna en donnant à Mac Graw le rôle de l'héroïne condamnée et courageuse de « Love Story ». « Pendant un an et demi », se souvient Evans, « nous n'avons rien eu d'autre entre nous qu'une simple relation d'affaires. J'avais déjà été marié deux fois, et n'étais nullement pressé de me retrouver à nouveau lié à qui que ce soit. Mais on s'est regardé et on s'est découvert. Et on a fini par se marier en octobre 1969! »

Ali s'installa dans la superbe maison d'Evans, une maison de style provincial français à Beverly Hills, avec piscine, salle de projection, jardins, courts de tennis et 26 téléphones. Elle se prélassait dans des baignoires en marbre noir, dormait avec son nouveau mari dans un énorme lit, et se promenait, désœuvrée dans la maison, « essayant de me convaincre que j'étais heureuse ».

En fait, son existence de Cendrillon de rêve, était creuse, frustrante, Evans ne faisant pas beaucoup attention à elle. « Soit Bob travaillait très tard au studio, soit il tournait en extérieur » dit-elle. « Je commençais à me prendre pour une veuve de cinéma. »

Leur enfant, Joshna, naquit en janvier 1971, mais n'arrangea pas leur relation qui se détériorait. Finalement pendant le tournage de « Guet-apens » au Texas, Ali décida de demander le divorce. En Steve Mc Queen elle pensait avoir trouvé ce qu'elle avait cherché toute sa vie, un homme aux pieds sur terre, qui savait ce qu'il voulait, et qui ignorait tout des foules snobinardes et des mondanités.

« Steve est un terrien » dit-elle à un journaliste cet été-là. « Pour moi, il est tonique. Il donne à ma vie un sens des réalités, que je n'avais jamais encore trouvé. »

Un à-côté comique du tournage mit en exergue le manque de confiance en elle d'Ali au volant.

Elle n'avait encore jamais appris à conduire, or d'après le scénario elle était censée piloter la voiture de la poursuite. Elle avait pris des leçons dans une auto-école d'El Paso, mais pas assez d'après Mc Queen. « Ali n'était absolument pas douée pour tout ce qui est mécanique! »

Avant le tournage de cette scène, Mc Queen s'approcha de Peckinpah : « Il me semble qu'on pourrait changer de place et que je conduise. J'ai un peu peur en voiture avec des amateurs. » Peckinpah refusa et on tourna donc comme convenu, Mac Graw fonçant avec la voiture à travers une foule de figurants, tandis que Mc Queen transpirait à grosses gouttes, dans le siège passager.

Il en sortit tremblant un peu, mais souriant. « Elle couvrait toute la route » dit-il « de droite à gauche, manquant la foule de près, à un moment on a même décollé! Maintenant, je sais ce que Faye Dunaway a ressenti quand on était dans le buggy tous les deux. »

Comme il l'avait fait pour « Junior Bonner » Mc Queen surveilla le scénario de très près. « Il n'était plus question que je me ré-embarque dans une galère comme « Le Mans »... que de l'action et pas d'histoire. » L'auteur du script Walter Hill fut très impressionné par la perspicacité de Steve et l'intérêt qu'il portait au moindre détail. « Il était terriblement concentré » dit Hill, « concerné par chaque scène, par chaque petite chose. Il lui arrivait de me téléphoner à trois heures du matin pour me suggérer un changement quelconque. Steve avait tendance à ne pas beaucoup apprécier les longs dialogues. Il préférait cent fois s'exprimer par une espèce de langage corporel. A mon sens aucun autre acteur depuis vingt-cinq ans n'a réussi à faire passer autant d'émotion sans dire un seul mot. »

« Pendant "Le Guet-apens", j'ai bien failli me faire mordre le cul... ça se passait à Huntsville. Peckinpah avait emmené toute son équipe au pénitencier d'état de Huntsville, pour y tourner des extérieurs.

« Sam avait engagé une cinquantaine de prisonniers

pour une scène dans la cour de promenade. A la fin du premier après-midi, la dernière prise terminée, Sam cria : « Coupez! » Je me dirigeais alors vers ma loge pour boire un café. Bien entendu, j'étais en uniforme de bagnard, m'éloignant seul de mon côté, quand d'un seul coup, une meute de chiens se précipita à mes trousses essayant de me mordre le cul! Ils avaient été dressés spécialement à poursuivre et neutraliser les prisonniers qui tenteraient de s'évader, seulement voilà, personne n'avait pris la peine de leur expliquer que j'étais une vedette de cinéma. J'ai vraiment cru ne jamais sortir vivant de cette cour! »

Il y avait plusieurs scènes de tir particulièrement explosives dans « The Getaway », et au cours de l'action Mc Queen apprit à Ali le maniement des armes à feu. « Je ne me suis jamais prise pour quelqu'un de violent » dit-elle « or là, avec toutes ces armes, j'étais dans le coup. Parfois, on avait l'impression d'être en pleine guerre ».

L'un des preneurs de son de la production raconte une dispute entre Peckinpah et Mc Queen.

« Il n'existe pas deux personnes qui entendent de la même façon, et Sam et Steve n'arrivaient absolument pas à se mettre d'accord sur le son voulu pour les coups de feu du film. Peckinpah a choisi une piste et Mc Queen débarqua dans la salle de montage et en choisit une autre. La chose marrante était qu'une vie entière de boissons alcoolisées avait affecté l'ouïe de Sam dans les graves, alors que les courses de motos avaient complètement effacé les aigus de l'écoute de Steve. Il avait quand même encore une bonne oreille! Mais de toute manière, ils avaient tort tous les deux! »

A travers la mise en scène violente de Peckinpah, « The Getaway » devint un thriller dégoulinant de sang, et d'action dans la tradition de « Bullitt ». Mc Queen dominait facilement le personnage de Doc Mc Coy. Ses scènes d'amour avec Ali Mac Graw étaient d'une sensualité évidente, érotiques et convaincantes. Leur véritable passion transpa-

191

raissait à l'écran. Un critique déclara : « Mc Queen n'a jamais été aussi "brûlant" qu'il l'est dans ce nouveau thriller et Mac Graw a une intensité sexuelle qui s'accorde parfaitement à la sienne. »

Leur vie en dehors de l'écran était tout aussi intense. Désireux d'apaiser la douleur de son récent divorce, Mc Queen appréciait beaucoup cette nouvelle liaison. « Je suis peut-être un solitaire » dit-il, « mais ça na veut pas dire que j'aime vivre seul. J'ai besoin d'une présence féminine. Ali est un excellent remède ».

Elle comprit que la rupture avec Neile avait été traumatisante et dit à une journaliste, Liz Smith « j'ignore si le divorce de Steve est la meilleure ou la pire des choses qui lui soient arrivées. Mais je pense qu'il est en train de le découvrir lui-même. Maintenant, il sait que nul n'a besoin d'être champion automobile pour prendre de grands risques dans la vie, on peut aussi risquer sa vie émotionnellement ».

Steve voulait bien prendre tous les risques dans son nouvel engagement avec Ali Mac Graw, mais il voulait être sûr que ses enfants l'acceptaient complètement. Il amena Chad et Terri à El Paso, durant le tournage, afin de les présenter à Ali. Et ils se sont tout de suite entendus « comme larrons en foire ».

Terri qui commençait à être à l'âge où l'on s'intéresse aux vêtements apprécia l'élégance d'Ali et se mit à l'imiter gaiement, Chad fut sensible à sa spontanéité, à sa chaleur humaine. Steve se détendit à vue d'œil, sachant que « tout allait bien tourner. Le courant passait bien... »

A priori leurs origines, leurs éducations et leurs personnalités tendaient à prouver une totale incompatibilité. Ali lisait énormément; Steve jamais. Elle détestait tout ce qui était mécanique et sport violent, il se passionnait toujours pour la moto. Elle était sentimentale et romanesque, lui était un indécrottable réaliste.

Pourtant, les atomes crochus entre eux semblèrent

suffisamment forts pour vaincre toutes ces différences. « Nous sommes tous deux très entiers » admit Ali.

« Steve a parfois des comportements très machistes, que je n'apprécie pas forcément. Mais nous nous comprenons, nous nous respectons et nous nous plaisons. Alors, en partant de ça, on va tout construire. Steve désire commencer une nouvelle vie et j'ai envie de la partager. »

Mc Queen essayait de changer. Ayant lu des articles sur le cancer du poumon, il décida d'arrêter de fumer. Il tint aussi sa promesse de ne plus faire de courses de voitures; la compétition ne faisait plus partie de son avenir.

Un autre grand changement dans son existence fut le fait d'abandonner ses bureaux de Solar à Studio City. « Franchement, j'y travaillais comme un damné » dit-il.

« Il m'arrivait de bosser seize heures par jour... président de trois corporations... des bataillons de secrétaires, comptables, d'employés de bureaux... des douzaines de personnes attachées à la production. Je devenais fou, et ça me rendait fou! Alors j'ai arrêté. J'ai aussi levé le pied sur l'alcool. Je m'étais aperçu que depuis quelque temps, je buvais sec. Je n'ai pas l'intention de vieillir dans ce métier, puis de mourir un beau jour, un Martini à la main. »

En fait son métier lui apportait de moins en moins de satisfactions. « Je me pose de plus en plus de questions. Bien sûr, quelquefois il se passe un truc, et je sais que je suis bon, que je fais du bon boulot, mais la plupart du temps, ça n'est pas le pied. En tant qu'acteur, il y a des distances que l'on ne peut pas dépasser. Or, il y a d'autres régions que j'ai envie d'explorer, d'autres portes que j'ai envie d'ouvrir. »

UNE PRISON A LA JAMAÏQUE
ET UN INCENDIE A SAN FRANCISCO

Tard un après-midi, sur la plage de Malibu. Les énormes rouleaux du Pacifique s'écrasent dans un fracas étouffé de mousse blanche. Le soleil légèrement voilé brille sur l'océan bleu acier.

Nous marchions pieds nus sur la plage. Notre sujet de conversation : les films que Steve n'avait pas tournés.

« Je sais tout sur " Day of the Champion " et " Yucatan " dis-je, mais j'avais aussi entendu dire que tu devais faire " Man on a nylon string ". »

« Oui » répondit Steve « j'avais ce projet. Mais heureusement qu'on n'est jamais allé jusqu'au bout. Je me serais sûrement cassé le cou. C'était un film sur l'alpinisme et tu penses bien que j'aurais insisté pour faire toutes les cascades moi-même ! »

« Et dans les années 60, il avait été question que tu joues le rôle d'un torero ? »

« Ouais, ouais, là encore c'est un coup de bol ! Mon agent voulait que je sois matador célèbre... Luis quelque chose. »

« Luis Miguel Dominguin ? »

« C'est ça! Et ce bon vieux Steve se serait retrouvé dans l'arène en train d'agiter une cape rouge devant une paire de cornes bien affutées... Les courses de taureaux, ça c'est vraiment un truc vicieux! »

« Et pour John Sturges, tu devais tourner un film de guerre, non? »

« The Yards of Essendorf. » Steve acquiesça. « Johnny voulait qu'on le fasse en 68, mais ça ne s'est pas trouvé. »

Silencieux, nous marchâmes un moment en écoutant l'océan.

« Et puis, il y a eu ce film sur Entebbe » dit Steve « je devais interpréter Dan Shomren le commandant en chef israélien, à la tête des parachutistes et de l'infanterie. Schaffner devait le mettre en scène. C'était en 76 après qu'on ait fait " Papillon " ensemble. Finalement ça n'a pas marché ».

« Il me semblait aussi qu'on vous avait proposé, à Neile et à toi, d'incarner " Gable et Lombard ". »

Il sourit : « On nous l'a demandé c'est vrai, mais tous les deux on a trouvé que c'était à hurler de rire. Neile n'est pas Lombard et je ne suis pas Gable! Ce fut un navet de moins dans ma vie! »

« Et puis, il y a eu " The Gold War Swap ". »

« Absolument. J'aurais dû tourner celui-là après " Bullitt " en 1968. On était fin prêts à partir pour Berlin... mais j'ai atterri à Las Vegas pour " Stardust 7-11 ". » Il haussa les épaules.

« D'autres encore? »

« Oui bien sûr... Il y a eu un western " Appel gate's gold " un truc qui devait s'appeler " The Watson Country War ". J'oublie exactement ce qui s'est passé, mais là non plus ça ne s'est pas fait. Ça arrive. »

« Mais de tous ces films y en a-t-il un que tu regrettes, que tu aurais aimé tourner? »

« Yucatan » dit Steve. « Il devait y avoir plein de scènes d'action à moto. Et puis merde, j'avais fait plus de cinq cents miles en moto à travers le Mexique pour repérer des extérieurs! Quant à Harry Kleiner il avait fait un sacré bon script en partant de mon idée. A Solar on estimait pouvoir s'en tirer avec moins de trois millions. On avait même la date du début de tournage : 15 février 1971. Mais " Le Mans " l'a tué. » Il hocha la tête. « La gamelle qu'on s'est ramassée avec " Le Mans " a été terrible. »

Le soleil s'était presque couché et un vent vif soufflait de l'océan.

« Il se met à faire froid » dit Mc Queen.

La conversation était terminée.

En février 1973, Mc Queen dans le rôle principal, commença le tournage de « Papillon » une superproduction tirée du best-seller d'Henri Charrière, à Fuenterrabia, Espagne. Il partageait l'affiche avec Dustin Hoffman qui jouait Louis Dega.

Surnommé « Papillon » à cause de son implacable désir de rester libre, Charrière avait été condamné aux travaux forcés à perpétuité, en 1930 à Paris, pour l'assassinat d'un souteneur. Mais aucune prison n'était assez bien gardée pour lui. Il s'échappa plusieurs fois avant de se retrouver à l'Ile du Diable en Guinée française. Il devint le premier homme à réussir « la belle » et à s'enfuir de cet endroit redoutable. Il trouva refuge au Vénézuela où il devint un citoyen prospère et finit par écrire ses mémoires : « Papillon ». Son livre raconte treize poignantes années de captivité.

Le scénario n'était toujours pas terminé après deux ans de travail. Quatre auteurs différents avaient été engagés et remerciés! Puis Franklin Schaffner, le metteur en scène, fit venir Dalton Trumbo pour peaufiner le script définitif.

« Notre plus grand problème était le livre lui-même » dit Schaffner. « Un gros machin de cinq cents pages. On n'arrivait pas à savoir ce qu'il fallait couper, et ce qu'on voulait garder. Mais je pense que Trumbo était l'homme de la situation. »

Schaffner avait immédiatement choisi Mc Queen pour

le premier rôle. « Steve incarne tout à fait la passion de Charrière pour la liberté » dit Schaffner « et c'est là toute l'histoire. Ce besoin d'évasion que ressentait aussi le papillon tatoué sur sa poitrine, s'envoler en toute liberté. »

Dustin Hoffman donna une brillante performance dans le rôle de Dega, un petit faussaire rachitique, aux petites lunettes rondes, qui paie Charrière pour le protéger des autres bagnards. Leur amitié se développe et Papillon finit par sauver la vie de Dega (Mc Queen reçut un cachet de 2 000 000 dollars et Hoffman 1 250 000 dollars).

Le gros du film fut tourné en Jamaïque, où l'on construisit un énorme décor représentant la prison (les 600 bagnards français furent en fait des fermiers de descendance allemande, installés dans l'île).

Charrière vint en Jamaïque visiter le décor. Il fut absolument sidéré de retrouver la réplique exacte du bagne où il avait été retenu prisonnier. « Tout cela me fait froid dans le dos » dit-il, « j'ai l'impression que d'une minute à l'autre, un gardien va venir m'enfermer... C'est tellement réaliste! »

Le tournage sur l'île fut particulièrement éprouvant. Pendant trois mois, comédiens et techniciens travaillèrent par une chaleur humide terrible, dans la jungle et sur des rochers, luttant contre les insectes, menacés par les crocodiles.

Dans le film Mc Queen s'évade deux fois avant d'être envoyé à l'île du Diable. Il émerge de cinq ans d'emprisonnement cellulaire maigre, décharné, les cheveux blanchis, mais toujours aussi déterminé à s'évader.

Charrière est récompensé des années passées à étudier le flux et le reflux de l'océan autour de l'île, quand il finit par découvrir que chaque septième vague ramène le courant vers le large. Il construit un petit radeau, et à la grande stupéfaction de Dega, qui n'avait jamais cru qu'un tel plan puisse réussir, plonge dans la mer du haut des énormes rochers. Le film se termine sur un Papillon triomphant qui s'enfuit vers la liberté sur la septième vague.

Au départ, le film devait coûter 4 500 000 dollars, en fait une fois encore le budget fut largement passé, mais son exploitation rapporta de substentiels bénéfices aux Artistes Associés. Les critiques appréciant les performances pleines d'astuce et de sensibilité de Mc Queen et Hoffman. Steve Mc Queen avait une fois de plus réaffirmé sa puissance, sa puissance à l'écran.

Ali Mc Graw avait accompagné Steve. Il reconnut que sa présence en Jamaïque « l'avait empêché de devenir dingue. Les trois mois sur cette île auraient été un véritable enfer sans elle. Quand ça devenait franchement pénible, elle était là, et pour moi c'était très important. Je l'estime beaucoup. On est bénéfique l'un pour l'autre ».

Leur relation devint un véritable engagement en juillet, quand ils partirent pour Cheyenne dans le Wyoming, avec l'intention de se marier. Les deux enfants de Steve et Jos, le petit garçon d'Ali, les accompagnaient, mais aucun journaliste n'était au courant de leur projet.

Steve téléphona à Arthur Garfield, officier d'état civil, alors qu'il était en train de jouer au golf, pour lui dire qu'Ali Mac Graw était avec lui « et qu'ils désiraient qu'il les marie » Garfield interloqué avait beaucoup de mal à croire à l'authenticité du coup de fil. Finalement, il accepta et dit qu'il venait les rejoindre au Palais de Justice de Cheyenne.

Contrariant, Steve dit non : Ali et lui voulaient se marier sous un grand arbre, avec beaucoup d'herbe bien verte autour.

Le 13 juillet 1973, à Holiday Park, sous un grand dais de cotonniers, avec leurs enfants comme témoins, Steve Mc Queen épousa Ali Mac Graw. A 43 ans, il prenait une deuxième femme plus jeune que lui de dix ans.

Les journalistes demandèrent à Neile Adams ses impressions sur le mariage. Est-ce que la grande nouvelle lui faisait du chagrin ? « Mais pour moi cela n'a rien de nouveau » répondit-elle. « Ali est mon amie. En fait, la veille de leur départ pour Cheyenne, ils sont venus me voir pour m'annoncer leur mariage. Je leur ai donné ma bénédiction. »

Et personnellement, que ressentait-elle vis-à-vis de Steve ?

« Cela nous a pris deux bonnes années avant de pouvoir redevenir bons amis, après la fin de notre mariage. Mais maintenant, nous faisons partie de la même famille. Il est le père de mes enfants... pourquoi ne serions-nous pas proches l'un de l'autre ? J'aime Steve, il m'aime, et c'est pour toujours. »

Dans son nouveau rôle, en tant que Mme Steve Mc Queen, Ali Mac Graw décida de faire passer sa carrière au deuxième plan, tout au moins pendant un certain temps. Elle voulait s'essayer à être une bonne femme d'intérieur, une mère. « J'avais besoin de me ranger et d'élever mon fils » dit-elle.

« Je ne voulais plus continuer de traîner Joshua derrière moi d'un plateau à l'autre. Quand j'ai épousé Steve, mon fils avait tout juste deux ans et demi, et Chad qui vivait avec nous, en avait douze. (Terri habitait avec Neil.) Des enfants aussi jeunes que Joshua et Chad avaient besoin d'une vie de famille stable et solide. Pour moi, cela équivalait à rester à la maison avec eux, à donner une certaine sécurité à leurs existences perturbées par nos deux divorces. Et Dieu sait que pour moi cela prévalait largement sur ma carrière cinématographique. »

Après une lune de miel passée au Yellowstone National Park, les Mc Queen s'installèrent dans une modeste maison au bord de la mer, à Trancas Beach, sur la côte Californienne, au nord de Malibu.

« Trancas nous plaisait beaucoup » dit Ali. « Il y avait beaucoup moins de smog... et puis des kilomètres de plage pour les gosses... de bonnes écoles. J'y ressentais un grand calme. »

Pour entretenir sa silhouette, Ali allait régulièrement

200

faire de la culture physique au Fletcher's Studio à Beverly Hills. « Steve aime les femmes minces, alors je travaille dur pour le rester. »

Après les rigoureuses épreuves de « Papillon », Mac Queen n'était absolument pas pressé de recommencer un autre film. Il dit à son agent : « Pas question d'extérieurs au bout du monde pour le prochain. Il faudra qu'on le tourne ici même, en Californie. Et puis, je veux de gros pourcentages. C'est comme ça qu'on fait du fric, avec les pourcentages. Alors débrouille-toi. »

C'est exactement ce que fit l'agent de Steve en lui décrochant « un deal en or » pour un grand rôle dans « La Tour Infernale » qui allait être tourné à San Francisco et à Los Angeles. Steve devait recevoir 1 000 000 de dollars, plus un coquet pourcentage de 7,5 % sur les recettes du film. (Comme le remarqua Steve : « Ils peuvent vous étrangler sur le pourcentage net, mais sur les recettes, on fait un tabac »).

Ce projet avait une histoire assez complexe, qui fut à l'origine d'un conflit entre la 20th Century Fox et Warner Brothers. Chaque studio avait acheté les droits de romans racontant l'histoire d'un dramatique incendie se passant dans une tour. La Fox avait payé 400 000 dollars pour « The Glass Inferno » de Frank M. Robinson et Thomas Scartia, alors que la Warner avait sorti 300 000 dollars pour les droits de « La Tour » de Richard Martin Stern. Et chaque studio annonça son intention de tourner une superproduction.

« Ils étaient comme deux énormes buffles qui essaient de s'intimider » raconte l'une des personnes chargée de la transaction « situation absolument absurde étant donné que tout le monde savait qu'il était grotesque de produire en même temps deux films sur le même sujet, chacun entrant en compétition avec l'autre. C'est à ce moment-là qu'Irwin Allen est intervenu. »

Tout auréolé de son triomphe avec « l'Aventure du Poséidon », Allen avait la réputation bien établie de savoir produire des films catastrophes qui rapportaient beaucoup d'argent. Il conseilla donc à la Fox et à la Warners de mettre leurs budgets en commun et de tourner un film qui serait un astucieux cocktail des deux romans. Cette idée était sans précédent dans le métier : faire fusionner deux des plus importants studios pour produire un seul film! De toute évidence le plan d'Allen tenait debout commercialement, et l'on arriva à un accord définitif en octobre 1973.

Au printemps suivant, une fabuleuse distribution de stars se trouva rassemblée : Mc Queen, Paul Newman, Faye Dunaway, William Holden, Fred Astaire, Robert Wagner, Jennifer Jones, Richard Chamberlain et Robert Vaughn. En mai on commença le tournage des extérieurs à San Francisco.

Mc Queen était au mieux de sa forme dans un rôle d'action, qui lui permettait d'être à la fois dur et héroïque. Son personnage Michael O'Hallorhan, était le Commandant de la Brigade des Pompiers. Il se trouvait confronté à un dramatique incendie qui menaçait de détruire complètement toute la partie supérieure d'un gratte-ciel de 138 étages. Plusieurs dizaines de personnes se trouvaient coincées dans l'énorme Promenade Room, un salon au tout dernier étage. Le job de Mc Queen consiste à les sauver avant que l'incendie ne les atteigne.

Stirling Silliphant, un vieux de la vieille du métier, adapta les deux romans pour en faire un scénario d'une haute intensité dramatique. Il ne s'attarda pas trop sur la personnalité des personnages mais axa tout le script sur des scènes d'action à couper le souffle.

Mc Queen expliqua aussi bien à la Fox qu'à la Warner, qu'il n'était pas question qu'il accorde d'interviews pendant les 70 jours de tournage de « La Tour Infernale ». « Je n'ai pas besoin de publicité, et je n'en veux pas » leur dit-il.

En dépit du fait qu'il était suffisamment détendu pour plaisanter avec Paul Newman (il l'appelait « Old blue eyes »), l'éternel sens de l'insécurité de Steve refit encore surface.

Il compta les lignes du scénario et s'aperçut que

Newman avait douze lignes de texte de plus que lui. Steve téléphona immédiatement aux producteurs en exigeant qu'on lui rajoute douze lignes...

« Il a fallu qu'on dépêche un bateau pour aller chercher Silliphant qui passait son week-end en mer » raconte un chargé de pouvoir de la Fox. « Mc Queen exigea que Silliphant revienne l'après-midi même pour écrire son texte. Il le fit à la grande satisfaction de Steve. Mais je vous assure que Silliphant était loin d'être enchanté d'avoir gâché sa balade en mer! »

Newman et Mc Queen retravaillaient ensemble pour la première fois, depuis les débuts à l'écran de Steve, avec un petit rôle dans « Somebody up there likes me ». La progression de Mc Queen depuis cette période était absolument sidérante. En 1956, il recevait 19 dollars par jour, pour « La Tour Infernale » entre son cachet et son pourcentage, il devait gagner la somme phénoménale de 12 000 000 de dollars.

Parlant de ça, le critique cinématographique Charles Champlin écrivit : « L'interprétation de Mc Queen, dans " La Tour infernale " nous fait parfaitement comprendre pourquoi il vaut chaque dollar qu'il gagne. Il a donné à son personnage une autorité que très peu d'autres acteurs auraient pu lui donner. »

Newman était lui aussi parfaitement distribué dans le rôle de Dong Roberts, l'architecte de la tour, qui se joint à Mc Queen et à sa brigade pour une série de sauvetages follement dangereux, au milieu des flammes.

Au cours de l'une des scènes, Steve, devait descendre dans une cage d'ascenseur pour atteindre plus bas toute une famille coincée. Comme d'habitude il insista pour faire lui-même toutes les acrobaties, avec un calme et un professionalisme rares.

Au cours d'une autre séquence agitée, un hélicoptère devait le descendre sur le toit d'un ascenseur à l'extérieur de l'immeuble. A moitié arrachée de ses rails, la cabine pleine de gens complètement affolés, est sur le point de s'écraser dans le vide. Steve attache un câble d'acier à l'ascenseur qui le relie à l'hélicoptère, et permet de redescendre la cabine qui se balance follement jusqu'au sol. Pendant toute la scène, Steve retient par les poignets un homme qui a glissé du toit incliné de l'ascenseur.

Pour atteindre à l'apogée du suspense du film, McQueen installe des explosifs qui doivent détruire les réservoirs d'eau de l'immeuble, libérant ainsi un véritable déluge qui éteint les flammes du grand salon, avant qu'elles n'atteignent les invités enfermés.

Ces scènes d'action furent tournées dans un studio de la 20th Century Fox à Los Angeles. On construisit une réplique exacte de quatre étages de la tour à la Fox Ranch, afin d'y filmer les mouvements de caméra pour la séquence de l'ascenseur.

Tout autour de cette construction on installa des modèles réduits donnant l'impression d'une vue réelle du haut de la tour.

Le chiffre record de 57 décors différents furent mis sur pied par la Fox, sur huit plateaux différents représentant les différents étages. Quand on brûlait un décor pour une séquence, et que l'on s'apercevait que quelque chose avait cloché, il fallait refilmer toute la scène. Mais comment faire alors que tout avait été détruit par le feu?

Joseph Biroc, le directeur de la photographie avait la réponse : « Notre équipe se mettait au travail replâtrant, repeignant, apportant de nouveaux meubles, de la moquette, des rideaux et nettoyant le tout. Vingt minutes après on pouvait tourner. »

Les murs et plafonds de chaque plateau étaient ignifugés. Une grosse partie du budget se trouva engloutie dans ces décors sophistiqués. La Promenade Room à elle seule, coûta 300 000 dollars. Elle s'étendait sur une superficie de 11 000 pieds carrés, entourée d'un cyclorama de 340 pieds du ciel de San Francisco.

Des pompiers de service assistaient à toutes les prises de

vue. Il existait de sévères réglementations en ce qui concernait le feu, son intensité et le temps autorisé.

« Des tuyaux avec une valve d'un mètre environ alimentaient les incendies en propane » expliqua Biroc. « Quand les valves étaient ouvertes à fond, le gaz à pleine puissance, l'incendie libérait une chaleur colossale. Mais ces moments de pleine intensité ne duraient jamais plus de trente secondes. »

Le tournage en extérieur prit place au Hyatt Regency qui « doublait » le gratte-ciel prévu dans le scénario. Mc Queen travailla avec une centaine des pompiers de la ville qui n'étaient pas de service, et avec environ 3 000 extras. Vingt-cinq cascadeurs devaient « mourir » pour la caméra, faisant des plongeons à couper le souffle à travers les fenêtres, ou dans les cages d'ascenseurs et d'escaliers. Ils portaient des combinaisons ultra-légères Nomew (conçues au départ pour protéger les pilotes d'Indianapolis). Enduites d'une mixture de benzine et d'alcool, une fois enflammées, elles donnaient une effroyable impression de torches humaines.

L'une des scènes les plus pénibles et spectaculaires, fut celle pendant laquelle une douzaine de personnes, en habits de soirée, coincée dans l'ascenseur essaie de fuir l'holocauste. Le script voulait que les boutons de l'ascenseur répondent à la chaleur, faisant que les portes s'ouvraient directement sur un hall rempli de flammes. « Au moment où les portes s'ouvraient on envoyait un jet de propane » dit Birco. « Cela donnait l'effet d'une boule de feu soufflant l'ascenseur. En fait, les flammes étaient arrêtées par une épaisse feuille de plastique transparent. Mais dans le film, l'illusion était particulièrement spectaculaire. Les acteurs semblaient être engloutis par le feu. Cette scène est d'une grande brutalité, mais elle apprendra peut-être aux gens à ne pas se servir d'un ascenseur en cas d'incendie. »

A la fin du film, après que l'on soit arrivé à bout de

l'incendie, Mc Queen et Newman se font sévèrement face, alors que O'Hallorhan explique à Roberts que les architectes feraient bien de consulter les pompiers avant de faire construire leurs immeubles, que cela éviterait de futurs catastrophes du même genre. La scène et le dialogue étaient extrêmement simplistes, mais l'intensité de Mc Queen fit très bien passer le message.

Chaque comédien du film avait un pompier de Los Angeles pour le protéger, et en dépit de tout, personne ne fut blessé.

En août 1974, Mc Queen devint « pompier d'honneur de la ville de Los Angeles » au cours d'une cérémonie officielle à l'Hôtel de Ville. Pour Steve, ce titre n'était pas bidon puisqu'il avait vraiment aidé à éteindre un incendie, quelque temps auparavant à la Fox. Mc Queen était en train de discuter de détails techniques pour son rôle de « La Tour » avec Peter Lucarelli, Chef de Bataillon des Pompiers de Los Angeles, quand un appel arriva : les plateaux 3 et 4 de Goldwyn brûlaient, et les flammes menaçaient les bureaux de la production. Lucarelli suggéra à Steve de venir avec lui. « Vous apprendrez peut-être quelque chose. »

En arrivant à la Goldwyn ils découvrirent plus de 200 pompiers représentant deux douzaines d'unités, en train de combattre l'incendie.

Mc Queen et Lucarelli entrèrent dans l'aire de feu, où Steve enfila une grosse veste, des bottes et un casque d'uniforme avant de suivre Lucarelli à l'intérieur du bâtiment, et passa à travers une fenêtre du rez-de-chaussée.

Le plafond était en feu, brûlant ardemment, et Mc Queen se joint aux autres pompiers qui essayaient d'éteindre les flammes. L'un d'entre eux le regarda : « Merde alors! Ma femme ne va jamais me croire! » Steve lui sourit et fit un clin d'œil à travers un nuage noir de fumée. « La mienne non plus! »

Une fois tous les feux éteints, les vrais et les faux, Mc Queen retourna à sa vie de reclus à Trancas, mais dès 1975, des rumeurs se mirent à courir. On disait que la relation Steve-Ali, s'effilochait. Après moins de deux ans le mariage de Mc Queen était en grand danger.

LE DÉFI IBSEN

Une fois encore on parla du sujet qui le hantait : son père.

« Peut-être que si je l'avais connu, je serais arrivé à oublier qu'il ait même jamais existé. C'est mystérieux ce quelque chose qui vous fait tout le temps revenir en arrière... on a envie de comprendre. » Steve hésita. « Et pourtant, c'est un mystère que je n'arriverai jamais à résoudre. »

Nous étions dans un bar, ouvert tard la nuit à Santa Monica. Calme. Faiblement éclairé. Un endroit où l'on pouvait réfléchir. Un endroit où l'on pouvait évoquer le passé.

« Et voilà que maintenant je fais ce qu'il faisait » dit Mc Queen. « Je pilote ces vieux biplans... Ceux qui faisaient fureur dans les années 30. Casque de cuir et grosses lunettes. Cockpit ouvert. Le vent dans la figure... Ouais, maintenant je sais pourquoi il était pilote. C'est super d'être là-haut dans le ciel. Juste l'avion et toi c'est chouette ! »

« Chad a pris des leçons de pilotage ? »

« Oui, mais je crois qu'il préfère les motos. Il me ressemble beaucoup... comme un double. Quand je le vois à

209

côté de moi, les bras le long du corps, la main un peu pliée, les doigts à moitié ouverts, c'est exactement comme moi, la même posture. Et ça c'est étrange. Je le regarde et je me vois en même temps. Tu vois ce que je veux dire ? »

« Il me semble que oui. »

Il prit une petite gorgée du verre qu'il tenait à la main. « Maintenant, il me dit qu'il veut devenir comédien et moi je lui réponds que ce n'est pas une vie. Que ça marche ou que ça ne marche pas, d'ailleurs. »

« Et Terri ? Elle aussi a envie de faire ce métier ? »

« Je ne crois pas. Pour l'instant, elle prépare son droit. Elle dit qu'elle veut devenir juge à la Cour Suprême. » Il rit doucement. « Quand elle était petite, je lui ai appris à faire de la moto. Elle trouvait ça fabuleux. A l'époque, elle m'avait dit qu'elle avait l'intention de devenir la première championne de moto du pays. »

« D'après ce que j'ai entendu dire, on m'a dit que tu t'étais toujours bien occupé de tes enfants. »

Il soupira, faisant doucement tourner le verre dans sa main. « J'ai essayé... J'ai fait tout ce que j'ai pu. »

Ses longues années de père de famille remontaient doucement, dans ses yeux.

En 1975, Mc Queen resta éloigné des caméras, refusant chaque scénario. Le résultat fut qu'à la fin de l'année, il était redescendu à la neuvième position sur la liste des acteurs les plus demandés.

Quand des producteurs essayaient de savoir pourquoi ils n'arrivaient pas à le joindre, les agents de Steve ne savaient que répondre, si ce n'est : « C'est comme ça. Il reste à Trancas et refuse de voir ou de parler à qui que ce soit. La plupart du temps, il ne répond même pas au téléphone. »

Il ne faisait en fait aucun doute que la surdité de Steve s'aggravant, il fuyait toute relation sociale. Depuis quelque temps, il essayait l'acupuncture, espérant une amélioration.

La journaliste Marie Brenner écrit un reportage sur la

manière de vivre des Mac Graw-Mc Queen, dans Redbook « En juin dernier, Ali et Steve plièrent bagages et s'installèrent dans une maison de Palm Springs. Là, ils couvrirent les murs de papier peint... Dans leur bungalow, au bord de la mer elle prépare des salades de thon et de la viande rouge. Elle fait tout, la femme de ménage ne venant qu'une fois par semaine. Elle a l'air parfaitement heureuse de rester à la maison. »

En réalité, Ali appréciait de moins en moins son rôle de ménagère de Trancas, se sentant frustrée dans sa carrière personnelle par l'attitude bornée de Mc Queen. Quand son agent, Sue Mengers, téléphonait pour lui faire une proposition de film, Steve s'emparait du téléphone et lui rappelait sèchement que : « Ali ne travaille qu'avec moi, à un film que j'aurai choisi pour nous deux. »

Mc Queen envisageait sérieusement de tourner un autre film avec Ali : « Francy Hardware », mais comme elle le raconta, « Steve s'est cassé le pied gauche en faisant du karaté, alors on a oublié le film ».

Quatre fois par semaine Ali allait consulter un psychiatre de Beverly Hills, afin d'essayer de comprendre pourquoi elle était si malheureuse. Certains ragots sur son mariage l'avaient particulièrement ébranlée. « Je passais mon temps à lire des choses absolument fausses sur lui et moi » répétait-elle.

« Comment Steve avait fait de moi son " esclave " m'obligeant à vivre en ermite... il m'aurait même battue! Bien sûr, il nous arrivait de nous disputer, mais il ne m'avait jamais touchée. Pas une seule fois. Jamais. Quant à cette histoire d'ermite c'était aussi bien mon choix que le sien. Je suis quelqu'un de timide, une fana de la vie privée, et je faisais absolument ce que j'avais envie de faire en vivant au bord de la mer, loin de toute mondanité. Ce surnom d'ermites nous fut donné dans des interviews. A ce moment-là, Steve n'avait envie de parler à personne, et moi non plus. On avait tous les deux envie de vivre loin des projecteurs de l'actualité.

Mais au bout d'un certain temps, la ville m'a manqué. J'adore New York quand je suis dans l'état d'esprit voulu alors d'un seul coup j'ai eu besoin de cette hyper activité... Je commençais à remettre en cause mon attitude de repli devant la vie. Je voulais combattre ma timidité, et la vie isolée que j'avais choisie. C'est une des raisons pour lesquelles j'éprouvais le besoin de voir un psychiatre. »

Mc Queen non plus n'était pas satisfait de son sort. Il s'ennuyait, se sentant déraciné, ne sachant plus quels buts professionnels poursuivre, exaspéré par la mauvaise tournure que prenait son mariage. Steve se mit à beaucoup boire. Il fumait à nouveau (jusqu'à trois paquets par jour). Il passait des heures devant son poste de télévision à vider un nombre incalculable de boîtes de bière, à moins qu'il ne parte faire d'interminables tours en moto, sur les routes privées près de Malibu.

Quand il s'aventurait à Beverly Hills pour un exceptionnel rendez-vous d'affaires, les gens qui le croisaient étaient pour les moins ironiques. « Mc Queen traversait le salon (le Polo Lounge) une chemise délavée rentrée dans des jeans beiges, sales, santiags aux pieds. Une forte odeur de bière le précédant. »

Steve était de plus en plus irritable, il se mit à se disputer avec son voisin, Keith Moon, à cause de projecteurs installés chez les Moon. Mc Queen lui dit qu'ils éclairaient « mille fois trop » et l'empêchaient de dormir. Quand Moon refusa de les éteindre, Steve tira dedans, répétant ainsi ce qu'il avait fait à Hollywood quelques années auparavant. « Il se disputait aussi avec nos voisins pour des questions de parking » dit Ali. « Pour le bruit que faisaient ses motos, bref, pour n'importe quoi. C'était épouvantable. »

En septembre, dérangé par de nouvelles lois régissant la moto, Mc Queen envoya une lettre ouverte au Cycle News : « Nous pouvons sauver l'avenir des deux roues en travaillant à une solution pour en assurer la sécurité. Ensemble, nous pouvons gagner un certain respect pour notre sport. » Steve estimait que la sécurité était le problème numéro un des motards, état par état, sans contrôle du gouvernement.

Sa carrière étant au point mort, motos et mécanique étaient devenues sa façon de vivre, le seul domaine qu'il puisse contrôler. C'était « la période camions de Steve » dit Ali à un journaliste.

« Si vous les alignez pare-choc contre pare-choc, les camions de Steve iraient d'ici au Dakota du Sud. Il y en a sept garés dans la rue, à côté de la maison. Je me lève le matin et Steve est déjà au téléphone avec quelqu'un dans l'Arkansas, en train de lui acheter un vieux camion de 1921, modèle sans lequel il ne pouvait plus vivre ! »

Ayant été élevée dans un univers de musique classique, théâtre et littérature, Ali éprouvait beaucoup de difficultés à s'adapter au monde de la mécanique de Mc Queen. « Les camions ne me passionnent pas franchement » dit-elle.

Ali réussit à convaincre Steve de l'accompagner à un spectacle de ballet au Dorothy Chandler Pavillon de Los Angeles, mais il partit en plein milieu (« On s'est hurlé dessus, nous donnant en spectacle à l'entrée du théâtre » se souvient-elle). A Trancas, ils s'arrangèrent pour avoir chacun leur façon de se distraire.

« Dans notre chambre chacun a sa télé et sa chaîne stéréo avec écouteurs. Comme ça on n'empiète pas sur le choix de l'autre. Je peux regarder un programme sur la danse classique pendant que lui se plonge dans un match de foot. Il y a beaucoup de domaines où nous n'avons rien en commun. »

Le besoin d'intimité de Steve augmentait de mois en mois, et comme agents et producteurs continuaient à lui envoyer d'indésirables scénarios, il arracha sa boîte aux lettres et la jeta dans l'océan. Après, il se fit envoyer son courrier à une station-service Gulf, sur l'autoroute Pacific Coast, où il poireautait souvent des jours entiers.

En tant qu'acteur Steve était toujours très demandé. Francis Ford Coppola voulait l'avoir pour « Apocalypse

Now ». En décembre 1975, Coppola lui offre 1 500 000 de dollars. Steve répond qu'il accepte cette somme mais, comme « acompte » seulement. Il voulait qu'on lui verse la même somme à la fin du tournage. Mc Queen exigeait donc le double de ce qu'offrait Coppola : 3 000 000 de dollars.

« J'ai réfléchi très calmement » dit Coppola. « Nous nous sommes rencontrés plusieurs fois et quand Steve a fini par décider qu'il refusait de passer plusieurs mois en extérieurs, je lui ai proposé un plus petit rôle qu'il pourrait tourner en trois semaines. »

« D'accord » lui répondit Steve, « mais mon prix reste le même ».

Éberlué Coppola le regarda : « Tu veux dire trois millions rien que pour trois semaines ? »

« C'est ça. Un million par semaine. C'est à prendre ou à laisser. »

« J'ai laissé » dit Coppola. « Ce prix était aberrant. En plus, il donnait l'impression de se foutre éperdument que j'accepte ou que je refuse. »

Mc Queen donna l'ordre à son agent d'informer les producteurs qu'il prenait maintenant 50 000 dollars, simplement pour lire un scénario.

« Mais Steve, ils ne payeront jamais ça. »

« Formidable ! Comme ça, je n'aurai plus besoin de lire aucun de ces minables scripts. »

Pour la première fois de sa vie, Mc Queen se laissa grossir. La bière, plus la nourriture mexicaine le firent passer de 75 à 105 kilos ! Quant à la culture physique quotidienne, c'était de la vieille histoire.

« J'en ai ras le bol de ce genre de truc » dit-il à l'un de ses copains de moto. « Pourquoi me tuer à soulever des haltères... de la merde ! Si j'ai envie de grossir c'est mon problème. Je n'ai pas l'intention de m'inscrire à un concours de beauté ! »

En avril 1976, Ali fêtait ses trente-sept ans avec quelques amis au « Bistro » un élégant restaurant de Beverly

Hills, quand soudain un fracas assourdissant dérangea le calme feutré de l'établissement. C'était Steve Mc Queen au volant d'une moto qui se frayait un chemin vers la table d'Ali.

« De toute évidence Mc Queen était ivre » se souvient un témoin « mal rasé, vêtu d'un jean élimé et d'une chemise couverte de taches de graisse. Il venait d'acheter un gâteau en ville, qu'il essayait de livrer à sa femme. Outré, le directeur dépêcha deux de ses videurs qui le rejetèrent dans la rue. Ali était furieuse. Elle lui posa un ultimatum. Ou bien, il changeait sa manière de vivre, ou bien elle prenait Joshua et le quittait immédiatement. Elle l'accusa de se conduire comme un pochard.

Mc Queen ne discuta point. Elle avait raison. Il reconnut qu'il était temps qu'il se remette au travail. « Je lui ai dit que j'avais un projet qui me tenait à cœur » dit-il. « La chose la plus risquée de ma carrière. » Il voulait produire une pièce d'Ibsen. « J'ai lu beaucoup de ce qu'il a écrit, et j'ai choisi quelque chose que j'aimerais monter. »

« Tu veux dire du classique... une pièce classique d'Henrik Ibsen ? »

« Ouais, c'est ça. Mais pas au théâtre. J'ai envie de tourner " Ennemy of the people ". Mais pas simplement en tant qu'acteur, je veux produire et mettre en scène. Le grand jeu. C'est d'ailleurs pour ce rôle que je me laisse pousser la barbe. »

En effet, en tant que Thomas Stockmann, un médecin qui lutte contre la pollution, ce qui en fait « un ennemi du peuple », Mc Queen avait l'intention de complètement changer de physique. Le poids faisait partie du personnage, car il ressentait Stockmann comme un homme plus âgé que lui, barbu et corpulent. Il avait aussi l'intention de porter des lunettes à grosses montures et de longs cheveux bouclés pour compléter la métamorphose.

Cet été, Mc Queen annonça ce nouveau film et en parla à un journaliste du Hollywood Reporter : « J'ai la chance d'être dans une position telle que je peux me permettre un échec, alors je vais essayer. Jusqu'à présent, je ne me suis jamais attaqué à quelque chose où je remettais tout en cause. Artistiquement j'étais lâche! »

En 1976, Mc Queen refusa plusieurs propositions qui lui auraient rapporté des millions de dollars. « Je ne recule pas devant Ibsen » dit-il.

« C'est mon prochain film quoi que puissent en dire mes agents et les gens du métier. Ils disent que je suis dingue. D'accord, ils ont peut-être raison. Peut-être que je vais me casser la gueule. Mais si je n'essaie pas, je n'en saurai jamais rien. J'ai les cartes en main et je veux jouer ce coup. »

Steve décida d'abandonner son projet d'en assurer la mise en scène, afin de mieux se concentrer sur sa composition artistique et la production. Après un accord avec First Artists, Warner Bros financerait le film (2 000 000 de dollars et pas plus) même s'ils étaient loin d'être emballés par le choix de Mc Queen. « A l'écran ils voudraient tout le temps me voir revolver au point » dit-il.

« Tout le côté macho, Mc Queen le rebelle, le tueur glacial. Ça fait des années que je fais le même truc. Mais cette fois-ci, je pars dans une autre direction, et en cherchant bien j'incarne encore un non-conformiste. Stockmann est un marginal. Ce type refuse de faire machine arrière alors qu'il a la ville entière contre lui. Il fait face parce qu'il sait qu'il a raison et c'est ça sa force. Bien sûr, cette pièce a été écrite il y a presque un siècle, mais son thème est tout à fait actuel puisqu'il s'agit des problèmes auxquels nous sommes confrontés aujourd'hui, la pollution des lacs, l'atmosphère empoisonnée, et tous les produits chimiques qu'il y a dans notre nourriture. C'est ça qui m'a attiré dans cette pièce. Le message dont elle est porteuse : le fait que nous devons assumer la responsabilité de ce qui se passe autour de nous. Et c'est Ibsen qui le disait. »

Henrik Ibsen, un pionnier du réalisme théâtral, écrivit

« Un ennemi du peuple » en 1882. Cette pièce célèbre le courage de Thomas Stockmann, médecin d'un petit village norvégien, qui découvre que les eaux, soi-disant " médicinales " de la source locale sont polluées par la tannerie du pays. Stockmann en informe les villageois. Mais le maire à leur tête, se retourne contre lui. Selon eux, il est préférable d'ignorer cette pollution, qui ferait perdre beaucoup d'argent venant des curistes, si cela venait à se savoir. Il n'est plus question que d'argent, la santé passe au deuxième plan. Mais comme Stockmann refuse de reculer, le maire détruit tout ce qu'il représente au cours d'une dramatique réunion des édiles locaux. Stockmann devient « l'ennemi du peuple ». On lapide sa maison, insulte sa femme, sa fille perd son poste d'institutrice et ses fils se font attaquer. Mais Stockmann tient bon. A la fin de la pièce on comprend que la vérité va éclater et que Thomas Stockmann pourra enfin la proclamer.

Mc Queen choisit George Schaefer pour la mise en scène. Schaefer avait déjà remporté entre autre, huit « Emmys » à la télévision et quatre « Directors Guild of America Awards ». Il était le grand spécialiste des dramatiques, ayant déjà mis en scène, la prestigieuse série « Hallmark Hall Of Fame » pour la NBC. « La maison de poupée » en faisait partie. Mc Queen estima qu'il était l'homme qu'il fallait pour diriger « l'Ennemi du peuple ».

Steve choisit aussi deux autres comédiens de grand talent. Bibi Anderson, célèbre pour ses superbes créations dans plusieurs des classiques d'Ingmar Bergman, serait Catherine, la femme de Stockmann. Le frère du médecin, Peter, serait interprété par Charles Durning, un artiste éminemment respecté.

Avant le début du tournage, Mc Queen publia un communiqué de presse.

« Cette fois-ci, pas de course-poursuite. Par contre nous vous proposons un film sur la dignité et la vérité. Si en sortant de la salle de cinéma, les gens se sentent enrichis, ils er. parleront à leurs amis, qui viendront. Mais je ne fais pas ce film pour de l'argent. Je le tourne car j'ai envie de faire quelque chose dont je puisse être fier, un film pur, le reflet d'une qualité d'esprit. »

Trois semaines de répétitions commencèrent début août sur un plateau de la MGM, loué par la Warners. Mc Queen tenait beaucoup à ces répétitions afin d'être parfaitement prêt, au moment du tournage, qui ne commença qu'au cours de la première semaine de septembre 1976.

Devant toute son équipe, Mc Queen fit preuve d'une belle franchise concernant son manque de formation classique. « Ceci est votre univers, pas le mien » leur dit-il. « Je ne suis pas tout à fait dans mon élément, mais je vous promets de donner le meilleur de moi-même, si je ne réussis pas, je n'en voudrais à personne. Ce sera de ma faute. »

Il n'y eut pas d'extérieurs. Tout le film fut tourné sur un plateau où l'on recréa méticuleusement l'ambiance de 1882. Décors et costumes étaient authentiques, y compris les machines à imprimer qui étaient des pièces de collection du milieu du dix-neuvième siècle.

De nouvelles rumeurs de mésentente se mirent à circuler, quand Steve s'installa à l'hôtel à Beverly Hills, laissant femme et enfants à Trancas. Ali répondit à ces bruits : « Steve préfère être plus près des studios. Il n'a pas l'habitude des scènes où il y a beaucoup de dialogue, alors il a besoin d'être seul pour apprendre son texte. Il faut être très courageux pour faire ce qu'il fait, mais il sait que je serai là quand il rentrera à la maison ! »

Après ses journées de travail à la MGM, Mc Queen s'arrêtait souvent au bar de l'hôtel El Padrino, prendre un verre ou deux pour « se détendre ». Personne ne reconnaissait cette silhouette lourde, barbue, et Steve profitait de ce précieux anonymat. Quand l'un de ses compagnons de bar lui demandait ce qu'il faisait, il lui disait : « Je m'appelle Joe et je suis chef de chantier. » Ces gens-là ne se doutaient pas un seul instant qu'ils étaient en train de discuter avec une star internationale.

Effectivement, le rôle de Thomas Stockmann était très exigeant et Steve peina énormément pour maîtriser les longues tirades des scènes clé. Au cours d'un après-midi, particulièrement difficile, au mois d'octobre, à la fin d'un long monologue de trois pages, Steve fut émerveillé d'entendre toute l'équipe applaudir.

« Il est aussi heureux qu'un gosse avec une barbe à papa » raconta Charles Durning. « Steve a l'impression de vraiment jouer, pour la première fois de sa vie, et cela le stimule énormément. »

Au cours d'une projection des rushs, en hiver, les officiels de la Warner se déclarèrent choqués car le film « ne correspondait absolument pas à la demande du marché ». L'un d'eux se montra même carrément hostile. « C'est vachement gênant, mais cela ne vaut rien! Qui a envie de regarder un Steve Mc Queen pesant 110 kilos, avec des lunettes de grand-mère et une barbe de Père Noël? »

Mais Ali était très impressionnée. « Steve est fabuleux. Il m'a fait pleurer. En vérité derrière son image de dur se cache l'homme le plus sensible que je connaisse. Je suis très fière de lui. »

Avant la fin de l'année, Mc Queen fut avisé qu'il allait recevoir une récompense qui le toucherait beaucoup. Il devenait membre honoraire de l'Association des Cascadeurs du Cinéma, décrit comme étant « l'acteur qui avait le courage et les moyens physiques de réaliser lui-même ses propres cascades ». Cette citation lui alla droit au cœur, car Steve savait très bien que ces professionnels accordaient rarement un tel honneur à quelqu'un qui ne faisait pas leur dangereux métier. « Je suis heureux que vous pensiez que je le mérite » leur dit-il. « Pour moi, cela veut dire beaucoup, et je vous remercie. »

Après « l'Ennemi du peuple », Mc Queen voulait enchaîner avec une autre pièce filmée. « Old Times » de Harold Pinter, mais First Artists refusa. Il y eut un début de conflit, on parla d'action juridique, mais début 1977, tout s'apaisa quand Steve accepta d'abandonner « Old Times » en faveur d'un film d'action et d'aventures « Tom Horn », basée sur l'histoire du célèbre pistolero.

« En fait, j'avais l'intention de tourner la vie de Horn » dit Mc Queen. « On a simplement un peu précipité les choses. Horn et moi avons bien des expériences en commun, d'une certaine manière on est de la même famille. »

Leurs vies avaient effectivement beaucoup de similitudes. Tous deux avaient été élevés dans une ferme au Missouri. Tous deux avaient été battus, Horn par son père, Mc Queen par son beau-père. Tous deux avaient été des va-nu-pieds, à la recherche de l'aventure là où elle se trouvait. En fait, si Mc Queen était né en 1860, et non en 1930, il aurait peut-être suivi les mêmes chemins tortueux.

Tom Horn fut chauffeur sur la ligne de chemin de fer de Santa Fe, convoyeur de diligence, champion de rodéo, assistant d'un shériff, détective, puis éclaireur dans la Cavalerie. Il pourchassa Géronimo, le grand chef Apache, et servit d'intermédiaire lors de la reddition des Indiens aux forces du gouvernement. Pendant la guerre hispano-américaine Horn combattit aux côtés de Teddy Roosevelt. Il fut propriétaire d'une mine d'argent et finalement se retrouva dans le Wyoming où il devint l'homme de main d'une association d'éleveurs de bétail, pourchassant les voleurs. Mc Queen avait l'intention de mettre en images cette dernière partie de son existence.

« Mais cela ne s'est pas fait » dit Steve. « Et puis, j'avais énormément d'autres soucis, mon mariage en particulier. C'était vraiment la fin. Il n'y avait plus rien à faire pour arranger les choses. D'ailleurs, nous en étions tous les deux parfaitement conscients cet été-là. »

Ali Mac Graw parlait ouvertement de ses problèmes conjugaux. Elle se confia à une journaliste :

« J'étais devenue invivable. Une horreur. Négative, sentencieuse, une espèce de monstre. »

« Nous étions Steve et moi, tous les deux du signe du bélier, c'est-à-dire agressifs, têtus, alors on se heurtait de front, violemment. Une chose est certaine en ce qui concerne Steve, c'est qu'il ne supporte pas qu'une femme, la sienne en particulier, ait des couilles au cul ! »

Ali essayait de compenser en s'acharnant à des travaux domestiques. Elle nettoyait ses placards, faisait l'argenterie, passait son temps à arranger d'innombrables bouquets de fleurs, jardinait, cuisinait, mais cette activité débordante n'arrivait pas à changer son état d'esprit. En 1977, elle se sentait totalement frustrée.

« J'en avais marre d'attendre que Steve choisisse un film que nous pourrions faire ensemble, alors j'ai pris la décision de tourner « Convoy » avec Kris Kristofferson. Et c'est ça qui a mis un point final à notre mariage. »

Steve quitta la maison de Trancas pour emménager dans un appartement à lui, remplaçant Ali par une Bunny de Playboy. (J'avais envie de rigoler un peu !)

Le journaliste James Bacon en parle : « J'ai eu l'occasion de parler avec cette jeune femme de Steve. Et elle m'a dit qu'en fait elle ne savait pas trop ce qu'elle pensait de lui. Depuis quelque temps, il s'était mis à dévorer des classiques. « Je présume que ça a commencé avec Ibsen » dit-elle. « Mais maintenant, il se précipite sur tous les grands auteurs : Shakespeare, Tchekhov, je ne connais pas tous leurs noms, mais vraiment tous ! » Cette nouvelle image de Steve la mystifiait, ce qui n'est pas spécialement surprenant, dois-je dire.

Poussé par un accroissant besoin d'intimité et son désir de « revenir à la terre, aux espaces sauvages », Mc Queen acheta un grand terrain en Idaho, près de Ketchum. Il le baptisa « La dernière chance » et demanda à un architecte de la région de lui construire un grand chalet, tout en bois. « Steve insista pour que chaque planche, chaque tronçon de bois soit " vieilli " afin de donner un air ancien au chalet » raconte l'un de ses voisins. « Dans l'immédiat il fit aussi construire une espèce de hangar derrière le chalet, afin d'y entreposer des meubles d'époque. Il avait l'intention de décorer son chalet uniquement d'antiquités. »

Cette année-là en Idaho, alors qu'il était venu surveiller son chantier, Mc Queen fit la connaissance de celle qui allait devenir sa troisième femme. « Barbara Minty avait un ranch à environ un mile de " La dernière chance ", raconte le voisin. L'après-midi, elle passait souvent à cheval devant chez lui. Un jour, Steve se présenta. Ça colla tout de suite entre eux. »

Minty avait une vingtaine d'années. Brune aux yeux noisettes, elle avait déjà posé pour la couverture de Vogue et de Harper's Bazaar, ainsi que pour des pubs en maillot de bains pour Cole Of California.

Quand Steve la rencontra, elle était top model, mais sa véritable passion, tout comme celle de Steve c'était la terre, le ciel clair et la campagne verdoyante. Elle était particulièrement fière de ses chevaux, et son hobby était de s'en occuper, de les dresser dans son ranch. Vive, athlétique et indépendante, elle aimait faire du cheval et de la moto. Lorsqu'elle se retrouvait avec Steve en Californie, l'une de ses grandes joies était de monter dans le side-car rouge vif de Steve, pour de longues randonnées, derrière Malibu. L'Ace en question était l'une des vieilles motos que Mc Queen restaurait.

En entendant parler de l'écurie étonnante de Mc Queen, le Herald Examiner envoya quelqu'un pour faire un reportage. Il fit le compte des camions, voitures, des motos et jeeps et arriva au total de 53, y compris un half-track de dix tonnes, datant de la Deuxième Guerre mondiale, que Neile avait offert à Steve pour Noël.

« J'en avais beaucoup plus » dit Steve en ricanant. « Ce type ne savait pas que j'avais un entrepôt plein de vieilles motos. Il a uniquement fait le compte de ce qu'il avait trouvé. »

Fin novembre 1977, Mc Queen demanda le divorce et

Barbara s'installa avec lui. (« Nous avons décidé dè partager nos existences » dit-elle. « Steve a besoin de moi. Il m'aime. »)

Un de leurs amis intimes, remarqua que « Barbara était infiniment plus proche de l'univers de Steve qu'Ali ne l'avait jamais été. Plutôt que de lui demander de l'emmener à un spectacle de ballets, elle allait prendre des places pour le concert des Rolling Stones à Anaheim. Steve et elle étaient vraiment comme « les deux doigts de la main ». Ce vieux dicton leur allait parfaitement bien.

Quelle fut la réaction d'Ali Mac Graw devant l'échec de son troisième mariage ? Financièrement elle n'avait pas de soucis à se faire, Steve lui laissant une pension d'un demi-million de dollars, par an, au cours des dix prochaines années, mais affectivement ?

« Je suis heureuse pour la première fois » dit-elle à un reporter. « Avec Bob (Evans) et avec Steve j'essayais constamment d'être autre chose que moi-même, je vivais dans un fantasme. Les années passées avec Steve m'ont aidée à me découvrir, et je lui en suis redevable. Ça paraît peut-être un peu cucul, mais Steve et moi sommes restés bons copains. »

LE RETOUR AUX SOURCES

« C'est drôle les choses qui vous font le plus souffrir. »

Mc Queen parlait de la douleur alors que nous étions en
train de prendre un café par une froide matinée en Arizona.
Il filmait « Tom Horn », et j'étais venu lui rendre visite à
Mescal, une vieille petite ville où l'on tournait des extérieurs
de western. C'était à environ quinze miles de Tucson, par
des routes tellement défoncées que j'étais heureux d'avoir
une jeep!

« Quand je parle douleur, je ne peux pas dire douleur
physique » dit Steve. « Ce qui m'est arrivé avec " L'ennemi
du peuple " m'a fait plus mal que tout ce dont je puisse me
souvenir à l'heure actuelle. J'avais mis tout mon cœur, mes
tripes dans ce film, alors quand il a été aussi mal reçu, ça
m'a littéralement achevé. » Il baissa la tête, tripotant pensi-
vement le large rebord de son vieux sombrero. Ses cheveux
grisonnants bouclaient sur le col de fourrure de sa grosse
veste de mouton. « Bien sûr, je n'avais jamais cru qu'on allait
casser la baraque, mais quand tous les critiques l'ont
descendu en flammes, et que la Warners a refusé de payer la

promotion... ça a été franchement dur à avaler. C'était un peu comme si... »

Il s'arrêta au milieu de sa phrase, termina son café en silence, et se leva « Horn avait 43 ans quand on l'a pendu. Mais il faisait plus jeune. Moi j'ai 49 ans, et j'en fais plus. Mais après tout merde... » Il sourit sans gaité. « A 17 ans, j'étais déjà vieux. »

Il ramassa sa Remington à long canon, redressa les épaules, et se dirigea résolument à travers la rue boueuse, retournant dans la vie de Tom Horn.

En mars-avril 1978, la Warner Bros organisa une série d'avant-premières de « L'ennemi du peuple », dans huit villes différentes des États-Unis, soutenue par une campagne publicitaire de 400 000 dollars, afin de rappeler au grand public les derniers grands succès de Mc Queen :

« A une époque où l'on dit qu'il n'y a plus de héros, il y a toujours Steve Mc Queen. On l'a encouragé dans " La Grande Évasion ", on a prié pour lui dans " Le Kid de Cincinnati " et on a retenu notre souffle pendant les poursuite de " Bullitt "... Et maintenant. Mc Queen interprète le plus grand de tous ces héros, un homme que l'on appela... L'ennemi du peuple! »

Au bout de deux mois de projections, les pires craintes des studios se trouvèrent confirmées. Le public n'acceptait pas et même refusait d'accepter de voir Mc Queen l'élégante star des films d'action, devenir ce gros médecin à binocles, héros d'un film psychologique.

La réaction des critiques fut tout aussi négative. Arthur Knight estima que le film n'avait ni âme ni vie. Mc Queen ne possédant ni la voix ni l'autorité pour soutenir le texte d'Ibsen. Quant à Variety, le célèbre magazine du spectacle, il dit : « Mc Queen de toute évidence n'est pas à sa place dans ce film... il se noie au milieu d'un océan de verbiage. » Un troisième critique condamna sa performance : « Son style est détaché, laconique. Il marmonne dans sa barbe... le Christ drapé dans un cachez-nez! »

La Warners prit une décision, comme personne n'en avait jamais prise concernant un film de cette importance ayant dans le premier rôle une vedette internationale : elle le mit au rancart. « Après avoir soigneusement considéré le prix de revient de la distribution, nous avons décidé de ne pas sortir "Un ennemi du peuple". » Effectivement, il aurait fallu trouver 2 500 000 dollars pour faire des copies du film et assurer une campagne publicitaire à travers tout le pays, or la Warner n'avait absolument pas l'intention de prendre de tels risques. Mc Queen était frappé de stupeur. Il réagit aussitôt en menaçant de leur faire un procès.

« Ne le fais pas, Steve, lui conseilla son avocat, tu vas perdre. Il n'existe pas de moyens pour les obliger à dépenser plus d'argent qu'ils ne l'ont fait. Légalement, ils ont tout à fait le droit de faire ce qu'ils veulent de ce film. Il leur appartient. »

N'ayant pas le choix de faire autrement, Mc Queen se plia à la décision du studio. En fait, il évita ainsi une plus grande humiliation, comme l'a prouvé la sortie du film à New York en 1981, après sa mort.

Profondément découragé, Steve demanda conseil à son agent :

« Il m'a dit de faire un autre grand film » dit Steve. « Il m'expliqua qu'il était capital pour moi de prouver que j'étais toujours une superstar internationale. » Mc Queen accepta. « Mais, il faut vraiment qu'on tourne un truc énorme, qu'ils en restent tous sur le cul. Je veux un contrat me garantissant des gros titres. »

Le contrat que son agence lui fit signer fin 78 était ce qu'il avait souhaité. Tous les journaux de la corporation annoncèrent que Mc Queen allait recevoir le plus gros cachet de l'histoire du cinéma : 1 million de dollars à la signature du contrat, suivi de 4 autres millions en payements échelonnés, plus 15 % du brut.

Le film devait raconter l'histoire de Dick Struan, un meneur de la colonie britannique à Hong Kong, en 1949, dans une adaptation épique du roman de James Clavell. Un exploitant suisse, Georges Alain Vuille, qui finançait le projet, déclara que « Mc Queen vaut plus que n'importe quel autre acteur au monde. Nous sommes enchantés de l'avoir ».

En novembre, le « Herald Examiner » de Los Angeles, fit paraître un article concernant un petit garçon de 8 ans qui était en train de mourir d'une tumeur au cerveau. Étant donné qu'il ne lui restait même pas un mois à vivre, sa famille avait décidé de « fêter » Noël en novembre. Mc Queen téléphona immédiatement aux parents, et s'arrangea avec eux pour qu'ils emmènent le gamin en limousine, passer deux jours à Disneyland. Il leur réserva une suite au Disney Land Hotel, et chacun trouva des cadeaux à son nom en arrivant.

La grand-mère raconta toute l'histoire à un journaliste, et le geste de Mc Queen fit la une des magazines. « Ça m'a profondément contrarié » dit Steve. « C'était quelque chose que j'avais voulu faire discrètement. En dehors de la famille du môme, je ne voulais pas que tout le monde soit au courant. »

A la fin de l'année Barbara insista pour que Steve consulte un médecin concernant une toux entêtante. Il prétendait que ce n'était que « ces saloperies de cigarettes », mais accepta quand même. Son médecin l'assura que ce n'était pas grave. « Tout simplement un peu de poussière dans les poumons. » Il conseilla donc à Steve de ne plus faire de moto pendant un certain temps, afin de donner à ses poumons l'occasion de se nettoyer. « Ou alors, portez un masque. » Plus amusé qu'inquiet, Mc Queen accepta le diagnostique. Il laissa même ses copains l'appeler « Dusty » (poussiéreux).

La toux se calma, et Mc Queen se sentit nettement mieux en janvier 1979, au moment de commencer le tournage de « Tom Horn » à Nogales, Mexique.

Au départ, quand Steve avait annoncé son intention de

produire ce film dont il serait la vedette, on avait prévu Don Siegel comme metteur en scène. Siegel se retrouva rapidement hors course, remplacé par Elliot Silverstein, mais plusieurs retards successifs de la production amenèrent Silvestein à se retirer en 1978, et James Guercio devint metteur en scène. A la même époque Mc Queen abandonna son rôle de producteur en faveur de Fred Weintraub.

Trois scénaristes avaient déjà écrit trois versions différentes de l'histoire, mais aucune ne plaisait vraiment à Mc Queen, il en convoqua donc un quatrième Bud Shrake. Il travailla en étroite collaboration avec lui, et tous deux fignolèrent le scénario définitif. Il couvrait les trois dernières années de la vie de Horn, alors que celui-ci se loue dans le Wyoming, comme mercenaire pourchassant les voleurs de bétail. « On a un peu joué avec les dates » dit Mc Queen.

« En fait Horn avait presque éliminé toute cette racaille en 1900, mais on a commencé l'action en 1901, afin de bien montrer les grands changements qui se produisaient dans le vieux Far West, au début du siècle. Par contre, on l'a bien pendu en 1903, comme cela s'était vraiment passé. »

« Tom Horn avait été convaincu d'assassinat sur la personne d'un adolescent, fils d'un éleveur de moutons. Les charges retenues contre lui, ne l'avaient été que lors d'une confession d'ivrogne, dans le bureau d'un sheriff, qui l'avait fait boire afin de libérer sa langue. Il semble plus que douteux que Horn ait commis ce crime, quoi qu'il en soit, on le pendit le 20 novembre 1903 à Cheyenne.

Coupable ou innocent? Une seule chose était sûre, Tom Horn était un tueur comme l'écrivit un historien : « A la fin de sa vie, il devint franchement pourri. Horn aurait tué n'importe qui, c'était uniquement une question de prix. » Mais Mc Queen choisit de suivre le vieux précepte de John Ford : « Il y a la vérité, et il y a la légende. Filmez la légende. » Steve s'attachait à faire le portrait du légendaire Tom Horn, faisant de lui un homme incarnant un code de l'honneur en voie de disparition, dans une époque qui se mourrait. « Le dernier véritable héros de l'Ouest. »

Dans la vocation cinématographique de Mc Queen, le mercenaire est arrêté pour le meurtre du jeune garçon, par le même propriétaire terrien qui l'avait engagé pour protéger son bétail. Horn devenant trop dangereux, trop fort, et trop indépendant, il menace les ambitions politiques de son patron, se retrouvant alors en prison arrêté sur une fausse accusation de meurtre.

Le film de Mc Queen célébrait un certain mode de vie à l'ancienne, dans les grands espaces, et mettait en accusation les magouilles politiques, la civilisation mécanisée, dans laquelle l'homme seul vit par ses propres lois.

L'Arizona servit de doublure au Wyoming, et après que certaines scènes fussent terminées à Nogales, toute l'équipe se déplaça au nord de Tucson, pour un mois et demi de travail en extérieur. « Chaque plan était vrai » dit Fred Weintraub.

« Nous n'avons rien tourné en studio. On était dehors, dans l'Arizona, dans la boue, la neige fondue et le vent au cours de l'un des hivers les pires que cette région ait jamais connue. Par moment, souvent même, je me demandais si on arriverait à terminer le film. Mais Steve refusait tout ce qui n'était pas authentique. Il voulait que tout soit authentique et que cela se voit, alors on a pataugé dans la boue pour l'obtenir. »

Dès qu'il avait plu, les petites routes locales devenaient pratiquement impraticables. Les énormes grues qui portaient les caméras ainsi que tout le matériel lourd, devaient être tractées par des véhicules à quatre roues motrices. Mike Rachmil, le directeur de la production raconte les problèmes auxquels ils étaient confrontés.

« Un jour on a essayé de tirer un véhicule qui s'était embourbé avec un autre qui était deux fois plus gros, mais celui-là s'est retrouvé immobilisé. Alors, on en a fait venir un autre... pour le même résultat. Bientôt nous nous sommes retrouvés avec une douzaine de camions pris dans la boue ! Il a fallu faire appel à des ingénieurs de l'armée qui

sont venus à notre secours avec de gigantesques trac-
teurs. »

Le verglas était un tout autre problème. La Jeep de
Weintraub a dérapé sur une route de montagne, faisant
plusieurs tonneaux. « J'ai été projeté à l'extérieur » dit-il,
« mais ce fut une sacrée expérience! »

La force et l'enthousiasme de Mc Queen aidèrent
énormément toute l'équipe à préserver une performance de
haut niveau. « Il avait une incroyable énergie. Quand
quelqu'un se retrouvait coincé, on le retrouvait toujours, de
la boue jusqu'aux cuisses en train de donner un coup de
main. Il avait l'œil à tout. En fait, lors de la deuxième
semaine il a même essayé de faire la mise en scène. »

Après dix jours de tournage, Mc Queen renvoya James
Guercio, et dirigea lui-même, mais il laissa vite la place à
Williams Wiard. (Ainsi « Tom Horn » eut cinq metteurs en
scène différents : Siegel, Silverstein, Guercio, Mc Queen et
Wiard.)

Dans sa quête d'authenticité, Mc Queen demanda à
Luster Bayless de veiller à ce que les costumes dont il était
responsable, aient vraiment le côté « usagé » convenant à
cette production se passant au début du siècle. Il les habilla
de pantalons flottants, de longs cache-poussière, de chemises
qui tombaient mal, et de couvre-chefs abîmés par les
intempéries. « J'ai trouvé un énorme vieux sombrero en
feutre pour Steve » dit-il.

« Et puis, on s'est concentré sur tout son harnachement!
Ça devait faire vrai. Pas de holster fantaisie, simplement le
colt coincé dans la ceinture à la hauteur du ventre, comme
cela se faisait beaucoup à l'époque. Et puis, n'oublions pas
non plus, et nous en avons eu la preuve en étudiant de
vieilles photos, que les hommes portaient souvent deux ou
trois chemises enfilées les unes sur les autres pour avoir
chaud. Alors, on a fait comme eux! »

Le cheval et le fusil étaient également importants étant
donné que Steve devait tirer, alors qu'il était en selle, sur les

voleurs de bétail qu'il poursuivait. « On a trouvé un cheval tellement bien dressé qu'il aurait pu faire un numéro à lui tout seul » raconta Steve. « Il savait reculer, allait de côté, et bottait à la demande... et puis son galop était doux et régulier. »

Dans le film, l'arme de Horn était une Remington 45.60 à un seul coup. Mc Queen devint un véritable expert, visant et tirant avec cette arme lourde à grand galop. (« Je le dirigeais avec mes genoux comme un poney de polo. ») Depuis ses débuts dans « Au nom de la loi », Mc Queen était devenu un merveilleux cavalier, en dépit de son aversion constante pour les chevaux.

Beaucoup de scènes importantes de « Tom Horn » furent tournées à Sharp Ranch dans la vallée San Rafael, près de la frontière mexicaine. Les collines et les montagnes à l'horizon ressemblaient tout à fait au Wyoming. « On a aussi reconstruit la ville de Mescal, aux environs de Tucson. Copie conforme de ce que c'était à l'époque. »

La distribution comprenait Slim Pickens, un ami de Mc Queen. Il jouait le rôle du shérif qui copine avec Horn, mais qui le fait pendre. Linda Evans était l'institutrice amoureuse de Tom. « Je ne portais pas de maquillage du tout », dit-elle.

« Steve voulait que j'ai l'air naturel. Il m'a même fait poser une fausse dent en or sous prétexte que les gens en avaient à l'époque! Steve donnait une impression de dureté alors qu'en réalité c'était un homme merveilleux et un acteur particulièrement ouvert. Il était prêt à tout essayer pour améliorer une scène. »

Quelques professionnels mis à part, presque tous les deuxièmes rôles étaient tenus par des cow-boys du coin. « Ils étaient déjà sur place dans les ranches, alors on les a filmés! » dit Weintraub. « Ils ajoutaient incontestablement une note de réalisme au film, car après tout un cow-boy n'est-il pas tout indiqué pour jouer un cow-boy? »

En mars, une fois le film terminé, Steve revint à Los Angeles, satisfait de son travail dans « Tom Horn ».

Au moment de la sortie du film le New Yorker complimenta Mc Queen « pour sa performance intensément visuelle ». Le New York Times ajouta même que « Mc Queen s'était élevé et avait maintenant une stature de héros ».

Malheureusement en dépit d'une bonne campagne publicitaire, le film eut une brève carrière. Les westerns ne faisaient plus beaucoup d'entrées. Même avec une star en tête d'affiche. « Tom Horn » eut le même triste destin que « The Missouri Breaks » de Marlon Brando et « The Shootist » de John Wayne.

Un critique californien résuma la situation : « C'est la désaffectation du public pour ce genre de film qui a tué " Tom Horn ". Il y a une dizaine d'années ce petit film lyrique aurait été accueilli comme un classique. »

Une fois « Tom Horn » terminé, Mc Queen accorda tout son temps à une nouvelle obsession. Toute sa vie il avait souffert de l'abandon de son père. L'âge aidant Mc Queen ressentait de plus en plus le besoin d'y trouver une solution personnelle. C'est un biplan qui avait éloigné William Mc Queen de son fils. Maintenant à la période charnière de sa vie, Steve estima que s'il pouvait comprendre et partager la passion de son père pour l'aviation, cela atténuerait peut-être un peu sa douleur.

L'aéroport de Santa Paula est situé à 50 miles au nord de Los Angeles. Début 79, Mc Queen se présenta à « la capitale des vieux avions », annonçant qu'il avait l'intention d'apprendre à piloter un Stearman. Mike Dewey, ex-cascadeur et pilote de course, qui maintenant vendait des avions à l'aéroport de Santa Paula, n'en revint pas. « C'est bien la première fois que je vois quelqu'un vouloir commencer à apprendre sur un aussi vieux coucou. »

Un vieux de la vieille de l'aviation disait du Stearman : « C'est un oiseau un peu lourdaud sur lequel on peut compter... parfois un peu difficile, parfois doux comme un agneau. Seul un bon pilote arrive à en tirer le maximum, mais, on n'a encore jamais construit un aussi bon biplan. C'est un « pur-sang ». Toujours beaucoup utilisé, à basse altitude, en agriculture, le Stearman avait servi à plus de 60 000 pilotes militaires pendant la Deuxième Guerre Mondiale. Il était encore aussi solide et sûr que bien des avions modernes.

Dewey se souvient que « l'on avait conseillé à Steve de se mettre en rapport avec Sammy Mason, qui savait tout ce que l'on pouvait savoir sur les Stearman! » Mason expliqua à Mc Queen qu'il était maintenant sur la touche et refusait de prendre des débutants.

« Mais je ne réussis pas le convaincre » dit Mason. « Il me téléphona jour et nuit jusqu'à ce que j'accepte de le rencontrer. Et ce jour-là, je fus frappé par son expression, son intense profondeur, et je finis par lui dire d'accord. J'acceptais de lui donner des cours, mais il fallait qu'il ait son propre avion. »

Mc Queen acheta 35 000 dollars un PT 17 Stearman jaune vif, construit en 1940, pour la Marine US, à l'aéroport de Cannarillo. Il était en excellent état.

Sammy Mason, avec ses cheveux blancs, fut un moniteur idéal pour Mc Queen. Avec près de 40 ans d'expérience derrière lui, Mason avait été pilote de charters et pilote d'essai chez Lockheed. Il avait monté son propre show aérien, fait des cascades dans des films à Hollywood, spécialiste des acrobaties, puisqu'il avait été le premier à réussir de dangereux loopings en hélicoptère.

« Steve acheta un hangar à l'aéroport, et y installa ses quartiers » dit Mason. « Il voulait rester à côté de son Stearman. Entre les leçons de pilotage, il travaillait dans le hangar avec un mécanicien de l'aéroport, apprenant tout sur le moteur et sur l'avion lui-même. Comme je l'ai déjà dit il était passionné. »

La plupart des élèves volaient une fois par jour avec leur instructeur, mais Mc Queen insista pour prendre trois leçons par jour, chacune d'environ deux heures. « Il faisait d'énormes progrès › dit Mason.

« Mais il pouvait être très impulsif, et il prit de mauvaises habitudes. A l'atterrissage, il avait tendance à dépasser le point d'arrêt, redressant beaucoup trop sèchement le nez de l'avion, ce qui ne pardonne pas avec un Stearman. »

Un jour après l'un de ces atterrissages, je l'ai regardé droit dans les yeux, en lui disant : « Continue comme ça, et tu vas te tuer ». Il hocha la tête, mais par la suite Steve fut extraordinaire, prenant d'extrêmes précautions au moment de se poser. Quelques journalistes racontèrent qu'il l'avait souvent échappé belle. Grotesque! Il n'a jamais fait la moindre égratignure au Stearman pendant tout le temps où il s'en est servi.

Mc Queen vola pour la première fois en solo le 1er mai 1979, et obtint son brevet fin juillet. A ce moment-là, il acheta un ranch de 15 acres, de l'autre côté de la rivière près de l'aéroport. « Barbara amena ses chevaux et Steve ses vieilles motos » raconte un ami. « Ils meublèrent la maison en style " Early American ". Steve et Barbara étaient très heureux. Un jour, il me confia : " J'aime les vieilles bécanes, les vieux meubles, les vieux avions et les jeunes femmes! " Mais tout en appréciant le ranch, il passait de plus en plus de temps, tous les jours à l'aéroport. »

Barbara s'y mit aussi, prenant des cours de pilotage sur un Bellanca super Decathlon tout neuf, que Mc Queen venait de lui acheter. Elle se débrouillait plus que bien, et laissa sa carrière de mannequin au deuxième plan, afin de rejoindre Steve dans le ciel. « Je n'ai jamais vu Steve aux commandes du Bellanca » raconte l'un des pilotes de Santa Paula. « Ce sont les vieux coucous qui lui plaisaient. Il ne s'intéressait absolument pas à l'aviation moderne. »

Tôt, tous les matins, on pouvait voir Steve faire son jogging le long de la piste principale de Santa Paula « Juste histoire de m'échauffer un peu ». Puis il enfilait sa combinaison 1929, sortait le Stearman et s'élançait dans le ciel pâle de l'aube, savourant la liberté que l'on a là-haut. « Quand on est tout seul en mer, ou encore au milieu du désert... on est loin de tout et de tout le monde... on n'est plus relié à la terre! »

« Bientôt Steve fut propriétaire de cinq avions » dit Dong Dullenkopf, l'associé de Mike Dewey.

« En plus de Bellanca il nous acheta un Piper L 4 H 1946, et un vieux Stearman à restaurer entièrement pour l'avoir en état de marche. Cela dit-il était superbe, noir et argent. Steve l'a payé 60 000 dollars. Mais la perle de sa collection était un biplan Pitcairn PA 8, 1931, le " Mail-wing ". Il avait appartenu, dans le temps, aux Eastern Airlines, et Eddie Rickenbacker, l'as des as de l'aviation américaine, lors de la guerre 14-18, s'en était servi. Il avait aussi fait partie de la Postale en 1930... alors que le pilote portait un revolver à la ceinture et que le courrier, entassé dans un grand sac de jute, était à côté de lui dans le cockpit ouvert à plein ciel. »

Le Pitcairn vert foncé avait été méticuleusement retapé, et il portait encore les marques originales « US Air Mail », sur les côtés. Avec son robuste 420 hp Wright Whirlwind, le PA 8 était un véritable trésor volant, le seul encore capable de tenir en l'air de tout le pays.

« Steve ne le prenait pas souvent », se souvient Mason. « Il était tout à fait conscient de sa valeur historique en tant que pionnier de l'aviation, et n'arrivait donc pas à se sentir aussi détendu quand il le pilotait que lorsqu'il était aux commandes des Stearman. »

Absolument passionné d'aviation (il disait de l'aéroport de Santa Paula : « Ça c'est mon genre de country club! ») et touchant les pourcentages de « La Tour Infernale », qui lui arrivaient du monde entier, Mc Queen n'éprouvait aucun besoin de travailler, en fait, il fut même plutôt soulagé, cet été-là, quand le deuxième accompte de « Tai-Pan » n'arriva pas à temps. Mc Queen dit à ses avocats d'aviser Georges Alain Vuille, qu'il se retirait de la production pour rupture de contrat.

Vuille fut atterré. Il avait réuni une garantie financière de 18 millions de dollars, sur l'impact du seul nom de Mc Queen. Il essaya de le persuader que le chèque arriverait dans les plus brefs délais, le suppliant de changer d'avis. « Vous n'avez pas tenu parole » lui répondit Mc Queen. « En ce qui me concerne, il n'y a plus de contrat. »

Sa vie à Santa Paula était idyllique. Steve et Barbara aimaient cette ville et ses habitants. Avec ses petites rues calmes, et ses maisons victoriennes ombragées par de grands arbres, Santa Paula lui rappelait Slater, dans le Missouri. Aussi bien dans son ranch qu'aux commandes de ses Stearman, Steve avait l'impression de revenir aux sources.

Niché sous South Mountain, avec sa terre riche, les plantations de citrons et ses pâturages, le ranch devint bientôt la preuve de l'amour de Barbara pour les animaux. En plus de ses chevaux, elle avait des chats, des lapins, des chèvres, des poulets, et des chèvres. Grady Ragsdale, le contremaître du ranch se mit lui aussi à la mécanique, aidant Steve à maintenir ses Stearman en parfaite condition de vol. Mc Queen fit encore preuve de générosité quand Ragsdale eut de gros problèmes cardiaques nécessitant un traitement médical très onéreux. « Ne t'en fais pas » lui dit Steve. « Ils n'ont qu'à m'envoyer leurs honoraires. »

Sammy Mason raconte un autre exemple de bonté de Mc Queen.

« Un après-midi, il est arrivé à l'aéroport au volant d'une superbe Hudson Hornet crème de 1950. Il a vu mon regard et m'a demandé si j'avais envie de l'essayer. J'en avais déjà conduit une pareille il y a de longues années, et celle-ci était tout aussi fabuleuse. »

« Je l'ai rendue à Steve, et ne l'ai plus jamais revue. Mais une semaine plus tard, il est arrivé au volant d'une autre Hornet, du même modèle, celle-ci était noire, rutilante et tout aussi bien restaurée. " Je n'ai pas assez de place pour la garder " dit Steve, " alors tu pourrais la prendre ici à l'aéroport pour moi... et puis si tu as envie de t'en servir elle est à ta disposition! " J'ai dit " et comment! " et je m'en suis servie une ou deux fois. Quelle bagnole! Quelques semaines, plus tard, Steve vint me voir. "Sam, il me semble que tu devrais acheter cette voiture puisqu'elle te plaît tellement. " Je lui ai répondu que j'en mourrais d'envie mais que je n'avais pas l'argent voulu pour me l'offrir. » Steve fit semblant d'être choqué. Il fronça les sourcils. « Alors là, franchement Sam, tu me déçois. Même pas fichu de sortir un dollar pour une authentique Hudson Hornet 1950! » Je le fixais et lui souriait. « Sérieux, elle est à toi pour un dollar. » Fou de joie, je lui donnais un dollar et signais le certificat de vente. Voilà le genre d'homme qu'il était! »

Un nouveau projet de film attira son attention en 1979, « The Hunter » serait son vingt-huitième.

Mc Queen ne pouvait pas savoir que ce serait le dernier.

LE CERCLE PARFAIT

« Toi, tu ne fumes pas ? » demanda Mc Queen.

« Non » dis-je. « Je ne m'y suis jamais mis. »

« Parce que tu es intelligent. » Il hocha la tête. « Moi je passe mon temps à dire que j'arrête et puis je recommence. Ça me rend nerveux. »

Steve tenait une cigarette éteinte à la main. Il la regarda, fronça les sourcils, la cassa et jeta les deux bouts dans le cendrier.

« Quand j'ai tourné Tommy Crown, je m'étais mis aux cigares » dit-il. « Mais je n'avalais pas la fumée, alors qu'avec la cigarette, on le fait. »

Nous étions assis dans un petit café près des studios de la MGM à Culver City. Mc Queen avait l'air fatigué et je le lui dis.

« Je suppose que j'ai trop travaillé » dit-il avec un petit sourire. « Au moins, j'ai perdu tout ce poids que j'avais pris pour Ibsen. » Il se gratta le menton rasé de frais. « Par contre, ça me manque un peu de ne plus avoir de barbe. Je vais la laisser repousser, et bien l'entretenir... Mais au moins, j'ai maigri. »

On regardait notre café sans dire un mot.

Mc Queen soupira. « Quoi que je me sens un peu fatigué ces derniers temps » reconnut-il.

Dans la rue, on s'est serré la main. « Prends bien soin de toi Steve » lui dis-je. Il me regarda légèrement étonné. Je ne lui avais jamais dit ça avant.

« Ben oui, bien sûr, toi aussi. »

Et il s'éloigna.

Je ne l'ai jamais revu.

« The Hunter » pour Steve Mc Queen achevait le cercle parfait. Il s'était fait connaître grâce à son rôle de Josh Randal dans la série télévisée « Au nom de la loi » où il était le célèbre chasseur de primes, et maintenant, vingt ans après, il allait terminer sa carrière en interprétant un autre chasseur de primes, Ralph « Papa » Thorson. Mais les deux personnages étaient différents, Randall opérait dans l'Ouest et c'était de la fiction, alors que Thorson travaillait dans le monde moderne et était un personnage réel.

Christopher Keane avait écrit une biographie de Thorson que Steve avait lue en une seule soirée, fasciné par ses exploits incroyables. Au cours de sa dangereuse carrière, Ralph Thorson avait poursuivi et capturé des centaines de fugitifs, deux fois blessé par balles, trois fois poignardé, et suivant ses propres termes : « Je me suis fait taper dessus tellement de fois, que j'ai perdu le compte. » Sa base opérationnelle était une série de bungalows à North Hollywood (Californie) où il avait stocké ses outils de travail, fusils, revolvers et une véritable collection d'armes automatiques.

Thorson arrêta son premier homme recherché par la police en 1940, alors qu'il suivait les cours de l'Université de Californie, à Berkeley. A partir de là, il passa de l'étude livresque de la criminologie à la poursuite active des fugitifs. Il retrouva une loi de la Cour Suprême des États-Unis, datant de 1872, qui accordait « des droits extraordinaires » aux chasseurs de primes. Entre autres, le droit d'entrer de force quelque part.

« En fait, je déteste avoir à casser une porte, sauf si c'est absolument nécessaire » dit-il. « Une fois, je suis resté, une heure dans un hall en train d'essayer de convaincre des mecs. Mais enfin Charlie, sois raisonnable, cette porte est très belle et je n'ai pas envie de la détruire. Et puis de toute façon, vous allez être obligés de sortir de là, alors à quoi rime cette perte de temps? »

Thorson établissait son tarif par fugitif à : « environ cinquante pour cent de la caution. Ce job est dangereux, souvent épuisant, mais jamais ennuyeux. »

Mc Queen appela le chasseur de primes, maintenant âgé de 52 ans, afin de discuter avec lui de l'histoire de sa vie. Les deux hommes s'entendirent immédiatement, et Steve contacta son agent tout de suite après, pour lui dire qu'il était d'accord. « J'ai envie de jouer Ralph Thorson » dit-il. « Ça va faire une putain de film. »

Le cachet de Mc Queen pour « The Hunter » fut fixé à trois millions de dollars plus un pourcentage. C'était la Paramount qui finançait, Peter Hyams devenait scénariste, metteur en scène. Quand le tournage commença le 10 septembre 1979 à Chicago, Hyams avait été remplacé par Buzz Kilik (bien connu pour ses dramatiques à la télévision). « Je voulais faire la mise en scène moi-même » reconnut Steve, « mais le syndicat des metteurs en scène, m'en a empêché, à cause de certaines lois. Il fallait donc quelqu'un d'autre, et j'ai choisi Kulik ».

Steve s'arrangea pour que l'on prenne son fils Chad comme assistant à la production, « afin qu'il ait un peu d'expérience du métier ».

L'une des scènes d'action les plus importantes commençait par une poursuite sur un toit, puis dans la rue et se terminait dans le métro aérien de Chicago. La production loua un train de sept wagons à la Chicago Transit Authority, qui précisa bien qu'il fallait qu'il continue à bouger pendant le tournage. « Étant l'un des 135 métros sur rail » expliqua Mc Queen « il était donc absolument indispensable qu'il

241

continue à rouler pour ne pas perturber l'horaire des 134 autres ».

Il fallut dix jours de travail (et 800 miles de voyages...) pour réaliser cette dangereuse séquence. Le script demandait que Thorson sorte du wagon par la fenêtre et monte sur le toit pour atteindre un tueur fou.

Loren Janes était le cascadeur principal du « Hunter », il s'apprêtait à doubler Mc Queen pour les scènes sur le toit du train. « Il n'en est pas question » dit Steve à Kulik. « Je le fais tout seul. » La caméra tournant, Mc Queen se glissa par la fenêtre et se hissa sur le toit. Il portait des chaussures de tennis, afin de mieux adhérer au train qui roulait à grande vitesse. « Cette cascade exigeait beaucoup de courage et un parfait minutage » dit James. « Steve s'en est parfaitement tiré. »

Une autre séquence voulait que Mc Queen poursuive un fugitif à l'intérieur du gigantesque parking des Marina Towers. Sur la rampe du seizième étage, le fugitif perd le contrôle de sa voiture qui passe à travers le rail de sécurité. La voiture s'écrasant de si haut dans la rivière de Chicago était l'une des scènes fortes du film.

Un immeuble abandonné dans l'un des quartiers pauvres de la ville servit de décor pour la séquence suivante.

Kulik avait besoin d'une figurante en plus, Steve lui indiqua une jeune fille dans la foule. Après le tournage, Mc Queen lui demanda ce qu'elle allait faire de la petite somme qu'elle venait de gagner : « Je vais la donner à Maman. Elle est très malade. »

Mc Queen apprit que cette femme avait un cancer. Il lui rendit visite à l'hôpital. Mort Engelberg, le producteur du film se souvient de l'anecdote.

« Elle dit à Steve qu'en mourant, elle ne regrettait qu'une chose, c'était de ne pas pouvoir offrir une bonne éducation à Karen et que celle-ci ne quitterait jamais les quartiers misérables. Steve lui promit de faire le nécessaire pour que la jeune fille ait sa chance. Il fit les choses légalement. Après la mort de sa mère, Karen, qui avait 16 ans, se retrouva inscrite dans une école privée chère, à Ojai, en Californie pas loin du ranch de Steve. Il payait absolument toutes les dépenses. Steve et Barbara invitaient Karen chez eux tous les week-ends. »

Clara Bailey, une couturière qui avait sa boutique à Santa Paula se souvient d'avoir vu la jeune Karen en train de faire des courses avec Barbara. « Je lui ai demandé. " C'est ta maman ? " Elle a secoué la tête. " Non ma mère est morte. Barbara est ma deuxième mère. " Ses yeux étaient pleins d'amour en disant cela. »

Janes, le cascadeur a révélé que · « Steve était très inquiet au cas où un journaliste apprenne ce qu'il faisait pour Karen... Il passait son temps à aider des gosses d'une façon ou d'une autre. Il avait aperçu des gamins dans un quartier pauvre, en train de jouer au foot avec un vieux ballon tout abîmé... Le lendemain, il leur apporta un ballon neuf. Pour lui, ce genre de chose était naturel, mais il estimait que cela ne regardait que lui, et a toujours refusé que les journaux en parlent. »

Après un mois de tournage à Chicago, toute la production se déplaça à Kankakee (Illinois) pour d'autres scènes d'action. « Nous avions besoin d'un champ de blé du Nebraska » dit Kulik.

« Pour une poursuite au cours de laquelle Steve saute dans une énorme moissonneuse-batteuse et s'en sert pour écraser deux dingues qui lui balancent des bâtons de dynamite. On a trouvé ce champ de blé en Illinois, qui ressemblait tout à fait à ceux du Nebraska. »

Le dernier jour d'octobre, tout le monde est reparti pour la Californie pour un autre mois de travail aux studios de la Paramount. Mc Queen était visiblement fatigué par les semaines passées en extérieur. Il manquait de souffle et toussait à nouveau, mais il attribuait son état à « un rhume que j'ai attrapé à Chicago. Je n'ai jamais vraiment réussi à m'en défaire. »

A la Paramount, on avait construit la maison de Ralph Thorson sur deux grands plateaux. Cela comprenait tout l'intérieur plus le porche, la cour et un garage conçu pour deux voitures. Parmi les bibelots il y avait une collection de 750 jouets anciens, d'une valeur de 200 000 dollars. « On avait imaginé que cette collection rendrait Thorson plus humain » expliqua Kulik.

Dans le film, Mc Queen était amoureux de Kathryn Harrold, la jeune femme de 29 ans avec laquelle, Thorson vivait, et qui attendait un enfant de lui. « J'ai dû porter des vêtements rembourrés pendant presque tout le tournage » dit-elle.

« Tout cela avait été inventé. Le vrai Thorson avait une femme et deux enfants mais cela ne collait pas avec notre histoire. Notre idée était que Thorson ne voulait pas avoir d'enfants dans le monde pourri dans lequel nous vivons. Cela provoquait un conflit avec sa petite amie qui voulait un bébé, et pas lui. »

Thorson en personne joua un petit rôle dans le film, au tout début du tournage, il était barman dans une scène avec Mc Queen. Après la journée de travail, ils allèrent prendre un verre dans un bar. Steve observa que Thorson conduisait assez mal, ayant des problèmes à garer sa voiture. Ceci mena à un gag dans « The Hunter ». On l'a mis au volant d'une vieille Chevrolet dit Kulik, « il devait passer son temps à cogner, aussi bien les pare-chocs des autres voitures que les trottoirs... Après tous ses films sur les courses, Steve était ravi de jouer un véritable chauffard. »

Vers la fin du mois, ce que Mc Queen avait appelé « mon rhume de Chicago » empira, accompagné de frissons et de fièvre. On lui donna des antibiotiques et une fois encore sa santé sembla s'améliorer. Mais à la fin du tournage (coût de la production : 10,5 millions de dollars) Steve avoua à Barbara qu'il se sentait épuisé.

Malgré sa promesse de prendre de « longues vacances »! Steve se retrouva vite en train de discuter de nouveaux projets.

Il avait fait la connaissance de Charles Bail, auteur-metteur en scène d'un script, « The Last Ride » sur une course de moto-cross dans les années 50. Après avoir rencontré Mary Hemingway à Ketchum, Idaho, il annonça qu'il avait l'intention de tourner un film, dans lequel il aurait le premier rôle, celui de son mari, maintenant décédé, le Prix Nobel de littérature Ernest Hemmingway.

Mais l'agent de Mc Queen était loin d'être convaincu du désir de celui-ci de tourner d'autres films.

« Steve avait fixé un prix pour « The Hunter » qui était absolument insensé. Il m'a dit qu'il ne tournerait plus sans avoir la garantie d'empocher un minimum de 5 millions de dollars et 15 % des recettes. Il refusa même une proposition de Carlo Ponti de l'ordre de 4 millions. »

En décembre, on reparla de Mc Queen, mais pas professionnellement cette fois-ci. Il s'était écroulé chez lui, au ranch, toussant, s'étouffant. Son médecin prit des radios des poumons, mais n'arriva pas à déterminer les causes de sa maladie. Il lui conseilla une série complète de tests au Cedars-Sinai Medical Center de Los Angeles.

Mc Queen entra au centre hospitalier Cedars-Sinai le 18 décembre sous un faux nom afin d'éviter toute publicité. Pendant une semaine et demie, les médecins du centre lui firent subir toutes sortes d'examens. Quand il quitta l'hôpital trois jours après Noël, il était pâle et secoué.

Ses amis se faisaient du mauvais sang. Que lui était-il arrivé ? « J'ai fait une légère pneumonie » leur dit-il. « Mais maintenant, je vais bien. Tout à fait bien. »

Mais il n'allait pas bien. Il mentait. Les examens du Cedars-Sinai avaient révélé une chose dramatique : Steve Mc Queen avait une tumeur maligne au poumon droit. Pronostic : évolution au stade final.

LE TEST DU COURAGE

Pour ceux qui souffrent d'un cancer sans espoir de guérison grâce à la médecine traditionnelle il y a toujours le choix de s'aventurer vers ce que l'on appelle la médecine parallèle, mais ce choix est extrêmement difficile à faire. En 1980, Steve Mc Queen y fut forcé.

Cette année de combats pour survivre, fut terriblement commentée et déformée par la presse. Les magazines, les journaux, choisirent, délibérément d'exploiter le côté « sensation » de la bataille que Mc Queen livrait désespérément contre le cancer. Ils en firent un sinistre one-man show. Et quand il finit par chercher des cures en dehors des États-Unis, l'une d'entre elles, hilistique, à base de diététique, on remit sa santé mentale en question, ses médecins furent délibérément condamnés par l'American Cancer Society ainsi que par les autres membres de la médecine conventionnelle.

Ses bulletins médicaux furent déformés et fragmentés. On écrivit des articles à sensation pour augmenter les ventes des magazines, bourrés d'erreurs et de contradictions. Jusqu'à présent, l'histoire vraie, détaillée, de ces derniers mois n'avait encore jamais été racontée. Et pourtant le cas de Mc Queen restera une étape importante dans l'histoire de cette maladie qui tue des millions d'être humains chaque année.

En rendant publique ce dernier compte rendu, j'ai essayé de rester objectif concernant le traitement tellement controversé qu'il suivit pendant les derniers mois de son existence. Il n'était pas, il n'est toujours pas orthodoxe, et d'autres que moi, plus qualifiés médicalement pourront apprécier.

Une chose est certaine : le combat de Mc Queen contre le cancer du poumon fut une véritable démonstration de son courage.

Au cours de l'été 1979, plusieurs mois avant que les médecins du Cedars-Sinai ne fassent leur terrible découverte, Mc Queen s'était fait faire une trachéite avec biopsie du poumon. Elle n'avait révélé aucune tumeur maligne. A ce stade, le cancer avait pris racine dans la plèvre, endroit que la biopsie n'avait pas explorée.

La formation d'une première tumeur dans la plèvre est caractéristique du mésothéliome. Cette forme peu fréquente, mais mortelle du cancer du poumon est directement associée à de longues expositions à l'amiante, substance utilisée dans les câbles de frein, pour insonoriser les studios de prise de son, et dans le textile dont on se sert pour la fabrication des combinaisons ignifugées de pilotes de course. En fait, l'amiante était présent dans tous les véhicules que Steve avait conduit, y compris les chars à l'époque où il était dans les Marines. Quand on découvre un mésothéliome à son stade terminal d'évolution, comme ce fut le cas pour Mc Queen, la médecine traditionnelle est totalement impuissante. Quant à la chirurgie, elle ne servirait à rien.

Quand Steve travailla avec Ralph Thorson pour « The Hunter », il découvrit que le chasseur de primes s'intéressait à l'astrologie. Steve téléphona à Thorson pour lui demander qu'il lui prépare son thème astral : « Je ne suis pas vraiment

248

branché par toutes ces histoires d'étoiles et de planètes »
admit Mc Queen, « mais je suis quand même curieux.
D'accord? » Thorson accepta.

Il fit son thème astral, aussi détaillé que possible et fut
très embêté par ce qu'il y découvrit : « D'après son thème,
Jupiter étant mal placé en Gémeaux, il était évident qu'il
allait souffrir de problèmes pulmonaires et respiratoires » dit
Horson. « Ce n'était pas bon du tout pour lui. »

Au cours des années qui suivirent leur divorce, Steve et
Neile Admas restèrent très proches. « Et pas simplement à
cause des enfants » dit un ami commun. « Il téléphonait à
Neile pour lui demander conseil. Steve voulait toujours
avoir son avis. Elle en faisait tout autant. Cet hiver-là, elle
présenta Al Toffel, l'homme qu'elle avait l'intention d'épouser à Steve.

« On va se marier en janvier » lui dit Neile. Mc Queen
sourit. « Ça alors! Nous aussi, Barbara et moi. On dirait bien
que tout le monde va se marier en janvier! »

En fait il se maria le premier, le 16 janvier 1980, trois
jours avant Neile.

La cérémonie fut brève et dans la plus stricte intimité.
Sammy Mason et sa femme Wanda furent les seuls invités.
Le docteur Leslie Miller, pasteur à la Ventura Mission
Church, les maria. Nina Blanchard, la directrice de l'agence
de mannequins de Barbara dit à la presse que : « la mariée
était profondément heureuse. Elle est la femme idéale pour
Steve, tous deux étant passionnés par leur ranch et leurs
avions. »

Quant au marié il déclare : « Nous sommes déjà très
heureux ensemble Barbara et moi, mais nous voulons encore
plus de bonheur. Elle est tout pour moi » Barbara fit écho à
sa joie : « La vie au ranch est merveilleuse. Tous les jours je
vais au poulailler chercher des œufs frais pour le petit
déjeuner... Et puis, je fais du cheval sans arrêt. L'équitation
est un fantastique exercice. »

Mais derrière ces déclarations pleines de joie, la réalité

249

de la maladie de Steve assombrissait leur vie commune.

Fin février, un mois avant son cinquantième anniversaire, Steve retourna au Cedars-Sinai pour de nouveaux examens. On lui dit que sa maladie avait progressé, et qu'il ne lui restait plus que cinq chances sur cent d'arriver au bout de l'année. Les médecins suggèrent qu'on lui fasse des rayons, avec le mince espoir que cela freinerait l'évolution du cancer.

Steve accepta le traitement. « Il y a des chercheurs qui travaillent sans arrêt sur le traitement du cancer » dit Mc Queen à Barbara. « Alors, peut-être que si je m'accroche suffisamment longtemps ils pourront me soigner. »

Il volait beaucoup pour s'évader. Il se levait le matin de bonne heure, avant l'aube, et partait pour l'aéroport de Santa Paula. Au moment où le soleil se levait il était là-haut dans le ciel pour l'accueillir, avec ses grosses lunettes et son casque dans le cockpit ouvert, volant dans l'air frais du matin, heureux d'être là. C'était le seul endroit où il oubliait sa maladie et la mort.

Pour la première fois depuis des dizaines d'années, Steve ne s'intéressait plus à aucun projet de films. Quand un agent lui demanda ce qu'il avait l'intention de faire, il lui répondit qu'il ne travaillait plus. « Dites-leur que j'ai pris ma retraite. Dites-leur que je suis un fermier-aviateur. » On ne parla pas de sa maladie.

Cependant, à la mi-mars, le secret qui avait été si bien gardé explosa dans les pages d'un journal à scandales le « National Enquirer ». Une photo en couleurs de Steve fit la une, et un article suivit expliquant que les médecins de Mc Queen l'avaient opéré en décembre, faisant un implant de cobalt radioactif dans sa poitrine « et que l'on avait recousu, laissant le cobalt à l'intérieur. » Un peu plus loin l'auteur de l'article proclamait que deux mois plus tard lorsque les médecins l'avaient réouvert, « ils n'avaient trouvé aucun signe de régression, et l'avaient donc recousu ». De nombreux médecins, tous anonymes étaient cités, disant que le cas de Mc Queen était désespéré, et qu'il allait mourir « très prochainement ».

Au moment de leur mariage, en janvier, Steve avait promis à Barbara de lui offrir une lune de miel à Acapulco, sur le « Pacific Princess ». Il tint sa promesse et ils embarquèrent tous deux, sur le luxueux paquebot, fin avril pour deux semaines. Le voyage fut décevant. Faible, ayant des difficultés respiratoires, Steve resta presque tout le temps dans leur cabine, pendant que Barbara dînait seule tous les soirs dans la grande salle à manger. Ils quittèrent le bateau avant la fin de la croisière. Une photo de Mc Queen à quai révéla son évidente perte de poids. Il était maigre, épuisé.

« Malade, comme il l'était, Steve voulait toujours voler » dit Sammy Mason.

« Il me téléphona un jour fin juin, pour me demander de le retrouver au hangar. "J'ai envie de prendre le Stearman, Sam, mais il faut que tu m'aides à monter dans le cockpit. Je n'y arriverai pas tout seul. J'ai besoin de toi, OK ? " " Bien sûr " lui dis-je. J'étais heureux de pouvoir lui rendre service, mais il n'arriva pas jusqu'à l'aéroport. Il n'avait plus de force. »

Le dernier film de Mc Queen, « The Hunter » sortit en juillet. Les critiques étaient surpris par son manque d'énergie. « Il craque » dit Andrew Harris. Michael Dragow du Herald Examiner de Los Angeles, le trouva « en dehors du coup. Les fulgurants réflexes de Mc Queen ne sont plus ce qu'ils étaient ». Le Village Voice dit qu'il est : « lessivé, usé ».

Quand ces critiques parurent, Mc Queen était de retour au Cedars-Sinai pour de nouveaux check-ups. Le compte rendu fut catastrophique. D'autres tumeurs malignes envahissaient son poumon droit, s'étendant au cou et à la poitrine. Les médecins lui donnaient à peine deux semaines à vivre.

Du ranch, Steve téléphona à Kelley. « Que pouvez-vous faire pour moi, si je suis votre traitement pas à pas ? » Kelley refusa de faire un pronostic, étant donné le stade avancé du cancer de McQueen, mais il lui conseilla de commencer immédiatement sa thérapeutie. Il le prévint que chaque heure comptait. McQueen lui répondit qu'il allait se décider sans attendre.

Dans un dernier geste de bravade, Steve mit sur pied un dîner à l'élégant restaurant de Hollywood : « Ma Maison. » Pendant toute la soirée, il donna l'impression de s'amuser. Robin Leach, un reporter qui faisait partie des invités raconta : « Quand la foule l'applaudit, McQueen brandit un énorme cigare en l'air en signe de joie. Tout le monde était persuadé qu'il fêtait son retour à la santé, ou la signature d'un nouveau contrat ».

En fait c'était sa manière de dire adieu à de nombreux amis : « Juste au cas où je ne m'en tire pas » dit-il à Barbara...

Il ne voulait pas laisser le triste souvenir de lui, celui d'une victime diminuée par le cancer » raconte Barbara. « Et ce soir-là, il a merveilleusement bien joué la comédie. »

Mais la force de McQueen diminuait. Barbara le poussa à essayer le traitement de Kelley. Les médecins du Cedars-Sinai avaient abandonné tout ce qui le concernait. Quel autre choix lui restait-il ? « Ouais » dit Steve. « Je crois qu'il est temps de foncer ! »

Kelley consultait à la Plazza Santa Maria, une nouvelle clinique qui venait d'ouvrir à côté de Rosarita Beach, au Mexique, trente miles au sud de la frontière. Il fit le nécessaire pour que l'on soigne McQueen sur place. Le parc de Santa Maria s'étend le long d'une haute falaise qui surplombe l'océan Pacifique. La clinique avait été conçue pour recevoir 110 patients qui payaient, à l'époque, environ 10 000 dollars par mois.

Cameron Stauth, qui avait travaillé avec le Docteur Kelley à son livre « The Kelley Anti-Cancer Program » se souvient de l'arrivée de McQueen. « Quand il a été admis à la clinique le 31 juillet, il était décharné, arrivait à peine à marcher, et souffrait tellement qu'il prenait environ vingt grammes de codéine par jour. »

Afin de ne pas attirer l'attention des journalistes, Mc Queen s'inscrivit sous le nom de Don Schoonover. Barbara l'avait accompagné à Santa Maria, et on mit à leur disposition un bungalow dans le parc de la clinique. Quand Kelley examina son nouveau patient, il exprima le regret que Mc Queen ait attendu aussi longtemps avant de commencer son programme. « Il était en mauvais état » dit Kelley. Il avait un caillot dans le bras et une tumeur au cou de la taille d'une pomme. Il pouvait à peine respirer et n'avait plus d'appétit. Il avait aussi du liquide dans l'abdomen, où le cancer s'était étendu.

Mc Queen voulait savoir quelles étaient ses chances de survie.

Kelley admit que c'était impossible à dire car il préférait commencer à soigner ses patients nettement plus tôt. « Le traitement est rigoureux » lui dit Kelley. « Nous avons besoin de votre coopération la plus totale.»

« Je suis là pour ça! »

Kelley savait qu'ils allaient mener un combat désespéré. Aucun journal médical n'avait jamais parlé de guérison de la forme de cancer qu'avait Mc Queen.

La philosophie de base du traitement de Kelley comprenait « un traitement simultané de tout l'organisme », par des doses massives d'enzymes et de vitamines afin de neutraliser les agents toxiques introduits dans les vaisseaux sanguins par les cellules cancéreuses malignes. On nourrissait les patients de minéraux et de différents extraits glandulaires. Le corps est désintoxiqué par des actions répétées sur la vessie et les reins, les nettoyant par l'absorption des diurétiques et de jus de fruits, et par des lavements au café, la caféine allant directement au foie par la veine porte, stimulant ses fonctions.

Kelley avait l'habitude de recevoir des critiques caustiques, ironiques concernant cette dernière partie de sa méthode. On l'appelait « le laxatif fou de Kelley ». En fait les lavements au café étaient reconnus médicalement depuis le début du siècle, longuement décrits en littérature médicale. Ce traitement avait particulièrement attiré l'attention du corps médical en 1940, lorsqu'un médecin new-yorkais, le Docteur Max Gerson l'avait utilisé. Gerson était persuadé que l'on ne pouvait soigner une tumeur de manière satisfaisante, qu'en changeant complètement le métabolisme du patient. D'après lui, les lavements au café stimulaient les sécrétions de bile, ce qui désintoxiquait le foie puis le reste du corps. « Le métabolisme ainsi restauré, est stimulé par l'absorption de légumes crus et de jus de foie, et se débarrasse de la tumeur sans l'aide de drogues toxiques. »

Kelley demanda à Mc Queen de remplir un questionnaire détaillé sur ses habitudes alimentaires, sa condition physique avant la maladie, ainsi que sur son mode de vie. « Les patients font tous partie d'un des dix types de métabolisme apparenté à leur biochimie personnelle » dit Kelley.

« Les réponses aux questionnaires sont soumises à un ordinateur avec un échantillonnage de sang et d'urine. Dans le cas de Mc Queen nous avons déterminé qu'il avait un métabolisme du Type IV, et nous avons mis au point un traitement adapté à ses problèmes spécifiques ainsi qu'à sa morphologie. »

L'un des thérapeutes de Santa Maria décrit une journée du traitement de Mc Queen.

« On le réveillait à sept heures du matin, en lui servant un petit déjeuner de produits naturels. A midi, il avait droit à une boisson à haute teneur en protéines, faite d'amandes écrasées. Le dîner était à six heures. En général, il consistait d'une soupe, de pain complet et de légumes frais du jardin. Il avait également droit à du poisson et à de la viande de bœuf deux fois par semaine. A intervalle régulier, on donnait plus de 50 pilules par jour à Mr Mc Queen, des vitamines, des minéraux et des suppléments, afin de retrouver son équilibre physique.

On lui administrait aussi un extrait japonais de bacille Z, du lactrile, des implants d'enzymes, des piqûres d'extrait de thym, des lavements au café, des piqûres d'embryons de moutons, des manipulations chiropratiques, des saunas, des massages corporels et des exercices mentaux destinés à une totale relaxation musculaire. Normalement, il s'endormait avant minuit. Le lendemain on recommençait à zéro. » Mc Queen était sous la surveillance directe des directeurs de la clinique, le Dr Rodrigo Rodriguez, qui avait un diplôme de médecine nucléaire de l'université de Mexico, et le Dr Droight Mc Kee du Colorado.

Lorsque Neile apprit le genre de traitement que suivait Steve, elle réagit violemment traitant publiquement Kelley et son équipe de « charlatans et d'exploiteurs ». Cependant Mc Queen, était intimement convaincu de l'efficacité de ses soins, et au bout de six semaines de thérapeutie quotidienne intense, il avait repris un peu de poids et de force et réussissait à faire de courtes promenades sur la falaise qui longeait l'océan. Il eut le droit de faire une entorse à son régime et de manger de la glace de chez Häagen-Dazs, qu'un ami lui apportait de Los Angeles. Tous les soirs, dans leur bungalow, Barbara et lui regardaient des cassettes vidéo de ses vieux films.

« Barbara a été très courageuse » dit un ami de la famille. « Normalement, elle détestait se trouver en présence de grands malades, elle se sentait inutile, déprimée. Mais en ce qui concerne Steve ce fut différent, elle ne le quitta pas un instant donnant ainsi la mesure de son amour et de son dévouement. »

Intrigués par sa disparition de Californie, des journalistes du National Enquirer réussirent à trouver une piste qui les conduisit à Santa Maria. Une fois sur place, ils écrivirent un article à sensation qui justifiait la manière dont on le soignait. « Mc Queen s'est mis entre les mains de fous dangereux qui dirigent une clinique bidon à Mexico, spécialisée dans le cancer », le journal citait Helen Brown, présidente de l'American Cancer Society National Public Education Commitee de Los Angeles : « Ce traitement du métabolisme est la chose la plus insensée dont j'ai entendue parler... en fait ce n'est qu'une escroquerie. » L'un des témoignages directs de l'Enquirer était celui de Robert de Bragga. Il avait été soigné à la clinique, et estimait devoir le fait qu'il était encore en vie, au traitement du cancer du poumon du Dr Kelley. De Bragga avait accepté de parler à condition que l'on ne déforme en rien ses appréciations. Plus tard, il prétendit que « Le canard l'avait trompé ». « Dans le premier article qu'on m'avait lu au téléphone, les journalistes se contentaient d'une position objective » dit-il. « Et puis, soudain la rédaction décida d'un angle totalement négatif. Je suppose que cela est dû au fait qu'une controverse à scandale fait beaucoup mieux vendre que la simple vérité. »

Ne pouvant pas cacher plus longtemps son traitement à Santa Maria, Mc Queen donna un communiqué à la presse : « Mon corps est peut-être brisé, mais mon cœur et mon âme ne le sont pas. J'ai l'intention de continuer à me battre centimètre par centimètre. » Le Dr Rodriguez dit à la presse que l'état de Mc Queen : « s'était considérablement stabilisé. Il n'y a aucune trace de nouvelles tumeurs et que celles existant ne se développent plus. Il peut même nager dans la piscine. Bien entendu, il est encore très atteint, mais nous avons à présent de bonnes raisons, définissables et objectives d'être optimistes. »

« Steve veut vivre » ajouta Kelley. « Il n'est absolument pas découragé. Je crois maintenant qu'il a de bonnes chances de guérir. »

Dans une interview donnée à un reporter de Televisa, la chaîne nationale mexicaine, Mc Queen se félicita des soins qu'il recevait : « Le Mexique est en train de donner une leçon au monde entier, en leur montrant comment soigner le cancer, grâce à cette nouvelle thérapie du métabolisme. Mes félicitations et remerciements aussi, vous êtes en train

de me sauver la vie. » Il ajouta d'une voix blanche, épuisée :
« Tout ce que j'espère c'est que ces minables petits journaux
ne vont pas essayer de me pourchasser, afin que je puisse
poursuivre mon traitement tranquillement. »

Barbara Mc Queen, elle aussi prit la parole à une autre
occasion :

« Par ignorance, la presse a été cruelle avec Steve.
Quand on est une figure publique les gens s'imaginent qu'ils
peuvent se servir de vous n'importe comment, sans aucune
éthique. Les médecins de Steve nous ont mis en garde
contre ce genre d'histoires à sensation, qui peuvent avoir un
effet désastreux sur ses chances de guérison. Il faut qu'ils
arrêtent. »

Mais bien évidemment, ils ne l'ont pas fait. L'intérêt
des média pour le cas de Mc Queen était tel, qu'ils organi-
sèrent le 9 octobre, une conférence de presse internationale
au Los Angeles Press Club. De Bragga était concerné (à
cause du papier de l'Enquirer) il avait aidé à réunir ce
jour-là une dizaine de patients qui affirmaient devoir leur
complète guérison à Kelley. Plusieurs d'entre eux apportè-
rent leurs dossiers médicaux afin de faire la preuve de leurs
attestations. « Plus de 80 journalistes assistèrent à cette
conférence » dit De Bragga.

« Mais il ignorèrent complètement les autres patients,
seul Mc Queen les intéressait. Ils ne posèrent aucune
question à n'importe lequel d'entre eux! Et pourtant chaque
cas était matière à un grand article, mais ça ne les intéressait
pas. Ils se moquaient éperdument de voir en face d'eux une
douzaine de personnes bel et bien en vie, cinq ans après
avoir été soignées par Kelley. La seule et unique chose qui
intéressait la presse était Mc Queen. »

La même chose se reproduisit, mi-octobre au cours de
« Today », l'une des émissions les plus regardées de la NBC.
Un gynécologue californien dit que le traitement de Kelley
n'était rien d'autre que de « la foutaise ». Le présentateur,
Tom Brokaw, était lui aussi hostile et ironique, faisant

(incorrectement) référence à l'utilisation « d'enzymes au café ». Kelley répondit :

« Nous n'avons jamais prétendu faire des miracles. Notre traitement est conçu pour permettre au corps de se soigner lui-même, se servant de son propre système d'immunisation.

Nous avons un excellent programme scientifique, basé sur de longues années de recherche médicale. Steve Mc Queen bouleverse le système médical chaotique de notre pays. Quand il s'est adressé à nous, on l'avait renvoyé mourir chez lui. Pour l'instant, nous lui avons déjà accordé plus de deux mois de survie, en nous basant sur leurs prédictions maximales.

Nous ne sommes pas en guerre avec le monde de la médecine. Nous sommes prêts à comparer notre programme sur les maladies dégénérescentes avec n'importe quel autre programme sanctionné par le National Cancer Institute, ou par l'American Medical Association. Mais la vérité est qu'il font partie d'un univers clos, et qu'ils veulent le rester. »

Peter Chowka, journaliste au New H Magazine, était tout à fait de l'avis de Kelley.

« Si les choses continuent ainsi, une personne sur quatre sera atteinte du cancer, et une sur six en mourra. Et pourtant, il y a une forte résistance contre toutes les idées nouvelles, contre tous les traitements qui ne sont pas issus de la médecine établie. Il n'existe à l'heure actuelle que trois formes de traitement : la chirurgie, les rayons et la chimiothérapie. Depuis des années on a entendu parler de traitements alternatifs, non toxiques, impliquant des régimes, le système d'immunisation et la psychologie, mais comme toutes ces nouvelles approches se situent en dehors de l'étroit paradigme des soins conventionnels, on a automatiquement décrété qu'étant non-scientifiques, ils ne servaient à rien. Il existe une liste noire, largement distribuée par l'American Cancer Society, afin de mettre les gens en garde contre leur utilisation. »

Le Sénateur Orrin Hatch de l'Utah approuva cette déclaration : « La société investit tous les ans des milliards de dollars dans la recherche officielle, empêchant ainsi que l'on s'intéresse à de nouvelles méthodes. »

Chowka protesta violemment, en affirmant que Mc Queen avait perdu des mois précieux en 1978 et 1979 alors que sa maladie se développait. Il dit qu'à l'époque on lui avait prescrit des antibiotiques et des calmants « qui n'avaient servi qu'à masquer la maladie, permettant au cancer de s'installer profondément dans l'organisme de Mc Queen. »

En reprenant des forces, l'impatience naturelle de Steve refit surface. Le fait d'être enfermé en clinique lui donnait l'impression d'être prisonnier. Fin octobre, il demanda au Dr Rodriguez combien de temps encore il devait rester à Santa Maria. Rodriguez estima qu'il lui faudrait encore au moins quatre mois. Mc Queen lui répondit qu'il était incapable de continuer sans qu'on lui accorde une pause. On le soignait depuis environ douze semaines, et il se sentait « devenir dingue ». Il voulait retourner au ranch.

Mc Kee et Rodriguez étaient très perturbés par la décision de Mc Queen. Ils essayèrent de le faire changer d'avis, mais il était profondément déterminé de s'en aller, tout en sachant que le traitement de Kelley lui avait sauvé la vie. Dans un communiqué à la presse, Rodriguez laissa percer sa déception :

« Mr Mc Queen va beaucoup mieux. Sa première tumeur au poumon a nettement regressé et ses métastases abdominales ont cessé de se développer. Mais il est loin d'être guéri. Nous étions en train d'obtenir une sérieuse amélioration, et j'avais l'intention de prendre avantage de cette amélioration en continuant dans la même voie. Mais, en partant à ce stade critique, j'estime que Mr Mc Queen commet une grave erreur. »

Kelley dit à la presse que « Steve voulait prendre des vacances... il avait envie de retourner à son ranch, mais nous

l'attendons bientôt afin qu'il reprenne son traitement. »
Kelley affirma que « son poumon droit allait beaucoup
mieux. Il avait plusieurs tumeurs au poumon gauche, et
celles-ci sont presque parties. Ce qui reste de cette tumeur
est très léger, un peu commme de la barbe à papa. Les
rayons X montrent qu'elle se désintègre. »

Certains médecins demandèrent à Kelley de prouver ses
affirmations, et il le fit. Mc Queen avait subi deux prises de
sang (début août et fin octobre). Emil Schandl Ph. D.
directeur du CA Laboratory Center à Dania, Floride effec-
tua des recherches approfondies en laboratoire sur ces
échantillons de sang, et se déclara stupéfait des résultats.
« Nos examens permettent de surveiller la façon dont un
malade réagit à son traitement » dit Schandl. « Ceci s'appli-
quant à n'importe quelle forme de traitement, chimiothérapie, irradiation, ou, en l'occurrence thérapie du métabolisme. »

Quand Schandl reçut les échantillons de sang, ils lui
arrivèrent au nom de Don Schoonover. Ce n'est que plus
tard qu'il apprit que le patient étant en réalité Steve
Mc Queen.

« La première fois que l'on testa ce patient, il avait trois
anomalies très prononcées. Mais quand j'ai examiné son
sang lors d'une deuxième prise, environ huit semaines plus
tard, ces anomalies n'existaient plus, tout était à peu près
normal. En ce qui me concerne une telle amélioration
biochimique clinique était pratiquement incroyable. »

Le 24 octobre, Barbara à côté de lui, Mc Queen
conduisit sa Mercedes, loin du grand portail en fer forgé de
Plaza Santa Maria, sur l'autoroute à deux voies d'Ensenada,
se dirigeant vers son ranch de Santa Paula. Il dit qu'il
appréciait « sa nouvelle qualité de vie » et à quel point il était
heureux d'être « libre à nouveau. »

Quatre jours plus tard, lorsque des thérapeutes de la
clinique vinrent rendre visite à Steve, ils furent choqués de
le trouver en train de boire de la bière, fumer et manger

n'importe quoi. Ils le mirent en garde, lui disant que sa santé était encore bien trop fragile pour se permettre ce genre d'excès. Qu'il était fou de prendre de tels risques. « Je me sens beaucoup mieux » leur dit-il. « Il me semble que je peux me permettre un petit écart. »

Mc Queen se trompait, son état restait extrêmement critique. Il eut bientôt du mal à uriner. Il appela Kelley, qui en discuta avec Rodriguez et Mc Kee.

« La grosse tumeur morte qu'il avait dans l'abdomen faisait pression sur les canaux qui vont des reins à la vessie. C'est cela qui l'empêchait d'uriner. Nous redoutions la toxicité de la tumeur. L'opération, en dépit des risques encourus, était la seule solution. Nous l'avons expliqué à Steve, en lui conseillant de se faire opérer. »

Étant donné que la clinique Santa Maria n'était pas équipée pour la grosse chirurgie, Kelley suggéra que l'opération soit effectuée par le Dr César Santos Vargas, spécialiste du cœur et des reins à la clinique Santa Rosa de Juarez au Mexique, juste en face du Rio Grande d'El Paso, au Texas. Il n'y avait aucune garantie, Kelley savait qu'on risquait des complications, mais il estimait qu'il fallait tenter le coup.

Onze jours s'étaient écoulés depuis que Steve avait quitté Plaza Santa Maria. Il s'affaiblissait progressivement, il respirait difficilement et ses problèmes urinaires n'étaient pas résolus. Il accepta de se faire opérer.

On s'arrangea pour le faire voyager en toute sécurité. Steve fut conduit jusqu'à l'aéroport d'Oxnard, dans son camping-car, près de son lit on avait installé une bombone d'oxygène. Ensuite, on l'installa, avec Barbara, dans un Learjet. Il était calme en disant au revoir à Sammy Mason : « Quoi qu'il arrive, Sam, je suis prêt. J'ai fait la paix avec Dieu. »

Un autre ami de la famille, qui connaissait Steve et Barbara depuis des années avait remarqué le « changement religieux » de Steve au cours des derniers mois de sa vie, poussé en cela par la croyance de sa femme. « Derrière le top model sophistiqué se cache encore une paysanne de l'Oregon » dit-il.

« Enfant, elle avait reçu une sévère éducation religieuse, et il lui en est resté quelque chose. Quand ils étaient au ranch, elle allait régulièrement à l'église de la Mission Ventura et Steve l'accompagnait souvent. Il n'avait jamais été très religieux, mais il aimait beaucoup Barbara, et elle eut une très forte influence sur lui lors de ces derniers mois. »

Le 4 novembre, dans l'après-midi, Steve Mc Queen fut admis à la Clinique de Santa Rosa, sous un faux nom. « Il marchait avec une canne » se souvient le Dr Santos Vargas « et son abdomen était très enflé. » Chad et Terri Mc Queen étaient là, Steve leur dit de ne pas s'en faire, qu'il s'en tirerait bien. »

Le 6 novembre 1980, après qu'un cardiologue ait confirmé que son cœur était assez fort pour supporter une telle opération, on poussa Steve dans le couloir qui menait à la salle d'opération de la petite clinique. Santos Vargas se souvient que Mc Queen lui avait pris la main. « Il me fit un signe avec son pouce, montrant qu'il avait confiance. »

Au cours de l'intervention, Santos Vargas découvrit qu'il y avait trois tumeurs.

D'après Peter Chowka qui décrivit l'opération de Mc Queen dans New Age Magazine « Kelley et le Dr Mc Kee restèrent présents pendant les quarante cinq minutes que dura l'opération. On lui enleva des tumeurs pesant plus de trois livres. » Il cite Kelley : « La plupart des tumeurs de l'abdomen n'étaient plus attachées. C'étaient des masses mortes que l'on enleva facilement. Il en restait une cependant, encore attachée au foie, le Dr Santos Vargas la coupa, enlevant aussi un morceau de foie. »

Après l'intervention, Mc Queen était de bonne humeur, il parlait d'une manière cohérente. « Il me refit un signe du pousse » dit Santos Vargas et dit en Espagnol : « Lo hice!... J'ai réussi ! »

262

Ce furent les dernières paroles dont on se souvient. Quatorze heures plus tard, tôt dans la matinée du 7 novembre, alors qu'il dormait sous sédatifs, son cœur lâcha. Puis dix minutes plus tard, une deuxième attaque le secoua. Celle-ci fut fatale.

D'après un journaliste, quand le Dr Vargas l'annonça à Barbara, elle s'effondra en sanglots, répétant sans cesse : « Maintenant il appartient à Dieu... Steve appartient à Dieu. »

La mort de Mc Queen fut un énorme choc pour William Donald Kelley. « Mais à chaque fois qu'on opère, même tout simplement pour extraire une dent on risque un changement du métabolisme, ou un caillot sanguin. Le caillot peut se loger dans le cœur du patient causant sa mort. C'est le grand risque en chirurgie, et c'est ce qui est arrivé à Steve. »

Les critiques du traitement de Kelley ne tardèrent pas à s'éveiller. Le lendemain de la mort de Mc Queen, un article parut dans le « Los Angeles Times » sous le titre suivant : Les médecins vous mettent en garde contre les traitements non orthodoxes. » Le Dr Edward Zalta, président de l'Association Médicale de Los Angeles fut très sévère :

« Nous ne voulons pas que les personnes qui ont la possibilité de se faire soigner par des méthodes conventionnelles, s'imaginent que ces techniques ou combinaison de traitements non orthodoxes, sont la réponse à leurs problèmes. Je ne critique pas Mr Mc Queen pour ce qu'il a fait, mais je n'aimerais pas que ma famille devienne la victime de mon désir de rester un peu plus longtemps en vie.

Nous espérons très sincèrement que d'autres patients qui ont la possibilité de choisir entre les méthodes orthodoxes, ne choisiront pas des traitements, qui, en fait, risquent de précipiter leur mort. »

Le Dr Eugène Frankel, directeur du Cancer Center de l'Université du Texas affirme que : « Il est certain que la nutrition tient une place importante dans les soins du cancer, mais se mettre à la recherche d'un traitement magique, c'est prendre de sérieux risques. »

L'implication était claire : Mc Queen était mort prématurément entre les mains de charlatans.

Kelley répondit en contre-attaquant.

« Le traitement du cancer aux États-Unis est scandaleux. La politique, la soif de l'argent, la peur, tout entre en jeu. Changer le protocole médical est la chose la plus inimaginable qui soit. Les médecins ont peur du changement. Ils estiment qu'ils doivent protéger leur mythe d'infaillibilité. A l'heure actuelle on dépense plus de deux milliards de dollars par an pour des traitements conventionnels, or deux patients sur trois traités de cette manière en meurent. Le pourcentage de guérison du cancer n'a augmenté que de 2 % au cours des 25 dernières années! Steve disait que c'était un « marché sans vergogne ». Il m'avait dit qu'il avait l'intention de s'en prendre à tout le corps médical, en révélant la vérité sur le traitement conventionnel du cancer.

Loin d'avoir précipité sa mort, notre traitement a permis à Steve Mc Queen de vivre trois mois de plus que ses médecins de Los Angeles ne l'avaient cru possible. Il a effectivement changé le cours de la médecine en montrant au public qu'il existait des alternatives. Steve a démontré qu'il y avait toujours de l'espoir, même si les médecins prétendent que la situation est désespérée. Je ne doute pas un seul instant que si Steve avait survécu à son opération, et continué son traitement, il aurait guéri. C'est une crise cardiaque qui l'a tué et non le cancer. On en était venu à bout. »

Neile Mc Queen se sentit obligée d'écrire une lettre ouverte au magazine « People » :

« Ce traitement au Mexique avait offert à Steve une lueur d'espoir... Mais je reste persuadée que ce serait tragique si des gens qui sont traités par des médecins, et qui ont des ressources moyennes se précipitaient sur des traitements de ce genre sans peser tous les risques. »

Peter Chowka contre-attaqua à son tour :

« En fait, Mc Queen était une victime de la médecine conventionnelle. Pendant deux ans ses médecins " orthodoxes " se sont complètement trompés dans leur diagnostic, et pourtant ils avaient tous les moyens de détection possibles et imaginables. Robert De Bragga donna son avis : « Je crois du fond du cœur que si Mc Queen était venu directement à Plaza Santa Maria, le jour où il a quitté l'hôpital de Los Angeles en décembre 1979, sans perdre sept mois d'une importance capitale, il serait encore vivant aujourd'hui. »

P. Brooks, un lecteur, exprime fortement son opinion dans « Newsweek » (17-XI-1980) : « Comment se fait-il que le traitement classique du cancer qui laisse la victime sans organes, sans membres, sans cheveux, sans énergie et sans défense contre une autre maladie (y compris un autre cancer) est considéré comme normal, acceptable, alors qu'une autre forme de traitement qui laisse le patient non seulement intact, mais encore en bonne santé, ayant reçu une meilleure éducation sur comment garder son corps en bon état, que ce genre de traitement soit appelé « un étrange traitement ».

Le cas de Mc Queen attira à nouveau l'attention du corps médical sur le mésothéliome.

Le Dr Stephen Levin de l'École de Médecine du Mount Sinai à New York déclara :

« Il semble que le système d'auto-immunisation de chacun peut retarder le développement du mésothéliome, tant que ce système reste efficace. Cependant, dès que la défense du corps se brise, la maladie progresse. »

Beaucoup de membres conservateurs de la communauté du cancer partagent le point de vue du Dr Levin. Ils admettent que le système d'immunisation est la meilleure arme contre le cancer, et que notre état d'esprit, et du corps, détermine les meilleures chances de survie. Le Dr Dwight Mc Kee de Santa Maria exprime son désir d'une percée dans le monde médical.

265

« Je suis persuadé que les années 80 verront la fin de la présente impasse, de ce combat inutile entre la médecine traditionnelle d'une main, et de l'autre tous ceux qui sont les pionniers d'une médecine non-conventionnelle. Nous arrivons à un profond changement de l'opinion publique, qui va effectuer toutes nos façons de vivre, ainsi que celles du corps médical. »

(Les Dr Rodriguez et Mc Kee ne sont plus associés à Plaza Santa Maria. La clinique elle-même a changé de propriétaire en 1980, et n'a plus rien à voir avec les méthodes du Dr Kelley.)

Un Learjet ramena le corps de Steve Mc Queen à Los Angeles pour y être incinéré. Il ne voulait pas d'enterrement, il avait demandé à Barbara qu'après sa mort, ses cendres soient éparpillées au-dessus de l'océan Pacifique.

Deux jours après un bref service fut dit en son honneur au ranch de Santa Paula. Les trois femmes de Steve étaient présentes. Neile, Ali et Barbara. Les deux enfants de Mc Queen ainsi que quatre des meilleurs amis de Steve : Sammy Mason, Bud Ekins, Pat Johnson et Elmer Valentine. Dans son testament Mc Queen avait laissé la Mercedes à Johnson, son professeur de karaté, et le classique Pitcairn Mailwing à Mason. Le ranch revenait à Chad et Terri, et à la Fondation pour Enfants, Mc Queen laissait 200 000 dollars à la Boys Republic de Chino.

La famille et les amis s'assemblèrent sur la pelouse, pour une cérémonie en plein air, conduite par le Dr Leonard De Witt, pasteur de l'Église de la Ventura Mission. A la fin, une escadrille de vieux biplans de l'aéroport de Santa Paula, passa au-dessus du ranch en formant une croix. « Au milieu de la formation se trouvait le Stearman jaune de Steve » raconte un témoin. « Son vieux copain, Larry Endicott était aux commandes, il inclina les ailes en signe de dernier salut. C'était l'adieu affectueux d'un camarade pilote qui aimait le ciel comme lui. »

Bud Ekins se souvient d'un voyage qu'il avait fait huit mois plus tôt avec Mc Queen.

« A cette époque-là, je ne savais pas qu'il était malade, aussi je fus très surpris quand Steve me dit : « Bud, au cas où il m'arriverait quelque chose, je veux que tu aies toutes mes motos, OK? » Je ne savais pas que répondre. Il avait plus de cent motos classiques, et en avait restauré une cinquantaine, elles étaient prêtes à être mises en vitrine. Elles valaient beaucoup d'argent.

Comme je ne répondais rien, Steve me demanda : « Pourquoi tu n'en ferais pas autant pour moi? » Je dis non, que moi je laisserais une telle collection à mes enfants. Il réfléchit un bon moment, puis hocha la tête. « Tu as raison Bud. C'est ça qu'il faut faire. » Et il l'a fait si ce n'est que dans son testament, Steve m'a laissé « deux motos au choix ». J'avais ma propre collection mais Steve avait dû se dire qu'il m'en manquait une ou deux que lui avait probablement. Toutes les autres allèrent à ses enfants. »

Très peu de gens, en comparaison de ce qui se fait normalement au moment de la mort d'une célébrité internationale, ne payèrent de tribut à la mémoire de Mc Queen. Seuls Jacqueline Bisset, James Garner, Faye Dunaway, et Slim Pickens exprimèrent leur chagrin par écrit. La famille et les proches de Mc Queen refusèrent toute déclaration; le long calvaire était terminé et ils n'avaient rien à dire à la presse. Ils savaient que c'était ce qu'aurait souhaité Steve. Lui-même avait toujours dit qu'il détestait « tout le foin et le bla-bla-bla qu'on faisait dans cette ville quand on enterrait quelqu'un... »

FILMOGRAPHIE

1956 « SOMEBODY UP THERE LIKES ME » (Marqué par la Haine), avec Paul Newman.

1957 « NEVER LOVE A STRANGER » (inédit), avec John Drew Barrymore, Robert Bray, Lita Milan.

1958 « BEYOND A DOUBT » (inédit);
« THE GREAT ST LOUIS BANK ROBBERY » (Hold-Up en cent vingt secondes);
« THE BLOB » (Danger Planétaire), avec Aneta Corseaut.

1959 NEVER SO FEW » (La Proie des Vautours), avec Frank Sinatra, Gina Lollobrigida, Peter Lawford, Charles Bronson.

1960 « THE MAGNIFICENT SEVEN » (Les Sept Mercenaires), avec Yul Brynner, Robert Vaughn, James Coburn, Charles Bronson, Horst Bucholz, Eli Wallach.

1961 « THE HONEYMOON MACHINE » (Branle-bas au casino), avec Paula Prentiss, Brigid Bazlen, Jim Hutton.

1962 « HELL IS FOR HEROES » (L'Enfer est pour les héros), avec Bobby Darin, Fess Parker, James Coburn;
« THE WAR LOVER » (L'Homme qui aimait la Guerre), avec Shirley Ann Field, Robert Wagner, Gary Cockrell;
« THE GREAT ESCAPE » (La Grande Évasion), avec James Garner, Richard Attenborough, James Donald, Charles Bronson, Donald Pleasence, James Coburn, David McCallum, Gordon Jackson.

1964 « LOVE WITH THE PROPER STRANGER » (Une certaine rencontre), avec Natalie Wood, Tomn Bosley;
« SOLDIER IN THE RAIN » (La dernière Bagarre), avec Jackie Gleason, Tuesday Weld;
« BABY, THE RAIN MUST FALL » (Le Sillage de la Violence), avec Lee Remick, Don Murray, Paul Fix.

1965 « THE CINCINNATI KID » (Le Kid de Cincinnati), avec Edward G. Robinson, Karl Malden, Cab Calloway, Ann-Margret, Tuesday Weld, Joan Blondell.

1966 « THE SAND PEBBLES » (La Canonnière du Yang-Tsé), avec Richard Attenborough, Candice Bergen, Mako;
« NEVADA SMITH », avec Karl Malden, Raf Vallone, Arthur Kennedy, Brian Keith, Suzanne Pleshette.

1968 « THE THOMAS CROWN AFFAIR » (L'Affaire Thomas Crown), avec Faye Dunaway, Yaphet Kotto;
« BULLITT », avec Jacqueline Bisset, Robert Vaughn, Don Gordon, Robert Duvall, Simon Oakland.

1969 « REIVERS », avec Sharon Farrell, Will Geer.

1971 « LE MANS », avec Siegfried Rauch, Elga Andersen;
« ON ANY SUNDAY » (Challenge One).

1972 « JUNIOR BONNER » (Le Dernier Bagarreur), avec Ida Lupino, Robert Preston;
« THE GETAWAY » (Le Guet-apens), avec Faye Dunaway, Ben Johnson.

1973 « PAPILLON », avec Dustin Hoffman, Don Gordon, George Coulouris.

1974 « THE TOWERING INFERNO » (La Tour infernale); avec Paul Newman, William Holden, Faye Dunaway, Fred Astaire, Susan Blakely, Robert Vaughn, Jennifer Jones, O.J. Simpson, Robert Wagner.

1977 « AN ENEMY OF THE PEOPLE » (Un Ennemi du peuple), avec Charles Durning, Bibi Andersson, Richard Bradford, Eric Christmas.

1979 « TOM HORN », avec Linda Evans, Slim Pickens.

1980 THE HUNTER » (Le Chasseur), avec Eli Wallach, Kathryn Harrold.

CRÉDIT PHOTO